D1198996

LE GRAND LIVRE

— DE LA —

BIÈRE

LE GRAND LIVRE

— DE LA —

BIÈRE

Brian Glover

TRADUCTION : GISÈLE PIERSON

·········
MANISE

Édition originale 1997 au Royaume-Uni par Lorenz Books
sous le titre *The World Encyclopedia of Beer*

Éditrice : Joanna Lorenz
Responsable du projet : Jo Wells
Rédacteurs : Alison Heatherington et Daniel King
Styliste : Siân Keogh, Axis Design
Photographe : David Jordan Photography

Traduction : Gisèle Pierson
Adaptation française : Julie Houis

ISBN : 2-84198-094-4
Dépôt légal : septembre 1998

Imprimé en Italie

Crédits photographiques

Les éditeurs remercient les personnes et organismes suivants, pour leur contribution aux illustrations de ce livre : Axiom Photographic Agency : pp. 24 h. g., 24 h. d., 29 b. g., 51 h., 207 b. d. ; The Beer Cellar and Co. Ltd : p. 132 b. ; Bruce Coleman Picture Library : pp. 57 b. g., 160 h. d. ; Edifice : pp. 17 b. d., 18 h., 18 b., 208 b., 219 h. ; Et. Archive : pp. 10 b., 11 h. d., 12 b. d., 40 b., 181 b. ; Greg Evans Photo Library : pp. 30 b., 52 h., 172, 251 b. ; Mary Evans Picture Library : pp. 13 h. d., 16 b., 29 h., 37 h., 41 b. ; Fine Art Photographic Library : pp. 8, 15 h., 21 b. ; John Freeman : pp. 39 h., 101 b. ; Guinness Archives : pp. 78 h. d., 79 h. d. ; Jayawardene Travel Photography Library : pp. 168 h., 199, 218 b. ; The Kobal Collection : pp. 18 b., 23 b. ; Peter Newark Pictures : pp. 22 h. c., 23 h. ; Peter Newark's Historical Pictures : pp. 79 h. g., 79 h. c., 103 h., 104 b. g., 105 b. d., 153 h. d. ; Peter Newark's Military Pictures : p. 56 ; Peter Newark's Western Americana : pp. 239 b., 245 b. ; Ann Ronan : pp. 10 h. g., 17 h., 18 h. d., 20 h., 43 b., 52 b. ; Trip Photographic Library : pp. 36 h. (photo C. Treppe), 115 b. d. (photo R. Powers), 170, 171, 173 h. (photos T. Noorits), 173 b. (photo I. Burgandinov), 203 (photo D. Saunders), 249 b. (photo R. Belbin) ; Zefa Pictures : pp. 28, 31, 38 h. g., 41 h., 42, 47 h., 51 b., 153 h. g., 153 b. Les éditeurs remercient également Brian Glover pour les illustrations provenant de ses archives personnelles.

SOMMAIRE

LA BIÈRE
DANS TOUS SES ÉTATS

*Dans cette première partie, nous explorons les
mystères qui se cachent au fond d'un verre de bière.
Après avoir retracé les origines de cette boisson,
nous étudierons le développement de l'industrie
du brassage jusqu'à nos jours, les composants de
la bière et les opérations complexes qui permettent
de transformer ces derniers en un délicieux breuvage.
Enfin, nous passerons en revue les différents types
de bière, chacune avec son goût spécifique.*

HISTORIQUE

La bière a toujours été la boisson du peuple et, bien qu'écrivains et poètes aient plutôt chanté les mérites du vin, malt et houblon ont toujours été de bonne compagnie. La bière, conviviale et chaleureuse, est le meilleur des longs drinks.

Rien de tel qu'une chope de bière pour faire tomber les barrières sociales. « La bière réconforte et donne du courage. C'est le verre de l'amitié », disait un pasteur aux jours sombres de la Seconde Guerre mondiale. « Dans les périodes difficiles, le peuple a besoin de ce soleil liquide. » De cette boisson très ancienne à l'histoire complexe, les prédicateurs ont fait un symbole religieux, les médecins un remède et les ouvriers l'occasion de se détendre après le travail. Au cours des siècles et dans de nombreux pays, la bière a été à la fois encensée comme boisson saine et revigorante et vilipendée comme breuvage du démon.

Depuis le Moyen Âge, époque à laquelle les ménagères brassaient l'ale dans leur cuisine, le brassage a bien évolué, pour devenir l'une des plus importantes et des plus modernes industries internationales ; et ceci grâce au développement de la technologie généré par la Révolution industrielle du XIXᵉ siècle et aux innovations du XXᵉ. Bien que la bière s'exporte dans le monde entier et que les grandes compagnies produisent leur marque à des milliers de kilomètres de la maison mère, les petits producteurs locaux ont encore leur place sur un marché riche et varié.

Les bières sont d'une étonnante diversité, tout comme les différentes traditions qui leur sont associées. Que ce soit la lager mousseuse et dorée que chacun connaît, l'ale ambrée, le sombre stout, la bière blanche flamande, la bière au froment, la porter ou la doppelbock allemande, toutes procurent le même plaisir.

Ce livre vous permettra de mieux connaître le monde de la bière, et d'apprécier les multiples façons de trinquer.

Ci-dessus – « Beer is best », publicité de 1933 soulignant les qualités nutritives de la bière.

Page de gauche – « Une bière réconfortante », d'après le tableau d'Edwin Thomas Roberts (1840-1917).

Ci-contre – Au XIXᵉ siècle, de grandes brasseries sont apparues à travers toute l'Europe. Cette gravure représente les bâtiments d'origine de la brasserie autrichienne de Josef Sigl, à Salzbourg, toujours en activité.

DES ORIGINES MYSTÉRIEUSES

*La bière, dont les origines se perdent dans la nuit des temps,
est certainement une des boissons les plus réconfortantes, qui a joué
un rôle important dans les grandes civilisations du passé.*

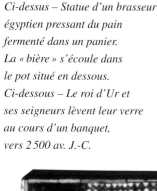

L a bière vit probablement le jour au Moyen-Orient et en Égypte. Au milieu du XIXᵉ siècle, des archéologues découvrirent des paniers remplis de grains dans les tombes des pharaons. Il n'y avait rien d'étonnant à ce qu'un roi emportât des céréales avec lui dans son tombeau, il lui fallait du pain pour son voyage dans l'au-delà. Cependant, les grains d'orge étaient peut-être destinés à être transformés en boisson et non en pain. Depuis lors, on a trouvé des restes de bière et du pain dans de nombreuses tombes, ainsi que de l'orge et du blé. Certains affirmaient même que des graines auraient germé après leur enfermement de quelques milliers d'années ; malheureusement, les analyses scientifiques ont montré que ces graines, même si elles sont en parfait état de conservation, ont perdu leur pouvoir germinatif.

LES PREMIERS BRASSEURS

L'homme savait déjà brasser la bière avant les grandes civilisations primitives du Moyen-Orient. Même si personne ne comprenait le processus de la fermentation, il n'était pas très difficile à mettre en œuvre et de nombreux brasseurs fabriquèrent de l'alcool de grain bien avant les pharaons.

En fait, les boissons alcoolisées fermentées se développèrent simultanément dans le monde entier, plus ou moins selon les productions locales de céréales et de fruits.

À la même époque que les Égyptiens, les Africains fabriquaient leurs boissons alcoolisées avec du sorgho et du millet, et les Chinois brassaient une bière à base de millet et de riz, mais selon des techniques plus élaborées. En Amérique latine, les Aztèques du Mexique avaient leurs dieux de la bière et les Indiens du Brésil produisaient une boisson au goût de fumée, composée de racines de manioc et de céréales grillées au feu de bois. Les Indiennes d'Amérique du Sud mâchaient du maïs, le crachaient dans des pots, lui ajoutaient de l'eau et le laissaient fermenter pour obtenir du chicha ; ce procédé existe encore dans certaines régions.

Une habitation troglodyte, découverte en 1938 près de Dryden au Texas, révéla les restes d'une brasserie primitive, prouvant ainsi que les indigènes préhistoriques de cette région savaient aussi fabriquer la bière.

Pour ces tout premiers brasseurs, la bière obtenue était un don des dieux.

*Ci-dessus – Statue d'un brasseur égyptien pressant du pain fermenté dans un panier. La « bière » s'écoule dans le pot situé en dessous.
Ci-dessous – Le roi d'Ur et ses seigneurs lèvent leur verre au cours d'un banquet, vers 2 500 av. J.-C.*

Une influence civilisatrice

Certains historiens assurent qu'à cette époque, la valeur alimentaire et culturelle de la bière était si grande que lorsque les peuplades abandonnaient le nomadisme pour cultiver la terre, la récolte de céréales était consacrée à la fabrication de la bière et non à la nourriture. Le besoin de boissons alcoolisées est sans doute l'une des premières influences civilisatrices sur l'humanité. La bière a certainement joué un rôle fondamental dans l'alimentation primitive, à la fois comme source d'acides aminés et de vitamines et en tant que boisson sociale.

Les civilisations du Moyen-Orient furent probablement les premières à laisser une trace de leurs procédés de fermentation et de la place essentielle que cela occupait dans leur culture.

LES SUMÉRIENS ET LES BABYLONIENS

Les premiers écrits concernant la bière sont apparus il y a plus de 5 000 ans, chez les Sumériens qui habitaient la terre fertile située entre le Tigre et l'Euphrate, aujourd'hui l'Irak. Les Sumériens inventèrent l'écriture, et les tablettes d'argile qui ont survécu jusqu'à nos jours mentionnent plus de vingt variétés de bières et de recettes comportant de la bière. Un type de bière appelé *sikaru* joua un rôle essentiel

dans la civilisation sumérienne. Elle servait à honorer les dieux, à payer les ouvriers et à nourrir les malades. Ses effets enivrants étaient censés être une expérience spirituelle.

Les méthodes de fermentation connues

Le sikaru était du pain liquide. Les Sumériens mouillaient des graines de céréales (dont du blé rouge et de l'orge) pour les faire germer. Ils les écrasaient ensuite grossièrement et formaient des petits pains, cuits partiellement au four. Ces pains, émiettés dans des grands pots en terre

Ci-dessus – Gravure française du XVIIe siècle montrant des Indiennes du Brésil mâchant le grain et le crachant dans une cuve pour qu'il y fermente et donne de la bière.

Justice babylonienne

Les Babyloniens essayèrent de normaliser la qualité de la bière produite par les brasseries commerciales, en stipulant que le brasseur fabriquant de la mauvaise bière serait noyé dans sa propre production.

LES PRINCIPAUX PAYS PRODUCTEURS DE BIÈRE

1	États-Unis	237 301		12	France	20 820
2	Chine	122 514		13	Pays-Bas	20 411
3	Allemagne	115 422		14	Australie	18 093
4	Japon	69 008		15	République tchèque	17 820
5	Brésil	57 006		16	Venezuela	16 092
6	Grande-Bretagne	56 688		17	Corée	15 320
7	Mexique	40 914		18	Belgique	14 683
8	Russie	24 502		19	Colombie	14 501
9	Espagne	24 321		20	Ukraine	14 001
10	Afrique du Sud	22 593				
11	Canada	22 093				

(Ces chiffres de 1993 expriment la production en milliers d'hectolitres.)

LES SAVEURS D'AUTREFOIS

En 1989, Fritz Maytag, propriétaire de la brasserie Anchor aux États-Unis, décida de retrouver la saveur de la bière sumérienne existant 50 siècles auparavant. Il demanda à une boulangerie de fabriquer 5 000 petits pains avec de la farine d'orge crue mélangée à du malt et un peu d'orge cuite. Les pains furent trempés dans l'eau à sa brasserie de San Francisco, pour former une pâte que l'on parfuma avec du miel et du sirop de dattes.

« Après avoir commencé la cuisson, nous eûmes tout à coup l'impression d'avoir frotté la lanterne magique » dit plus tard Maytag. Le liquide trouble, rouge orangé, baptisé *Ninkasi,* du nom de la déesse sumérienne de la bière, fut servi à un congrès de brasseurs. Les invités burent la bière avec un roseau dans de hauts récipients, comme le faisaient les Sumériens. « Si la bière n'était pas extraordinaire », admit Maytag, « elle était cependant intéressante ».

En 1986, un brasseur artisanal écossais, Bruce Williams, fit revivre l'ancienne fraoch ou bière de bruyère. Dans la petite brasserie West Highland à Argyll en Écosse puis dans celle, plus grande, de Maclay à Alloa, Williams essaya plusieurs variétés de bruyères sauvages. Il produit aujourd'hui des cuvées de fraoch à chaque floraison. Les fleurs de bruyère et les feuilles de myrtille sauvage, récoltées en même temps, donnent un breuvage acide, au goût de fumée et au puissant parfum floral.

En 1996, les brasseurs écossais et ceux de Newcastle en Grande-Bretagne brassèrent dans leur maison mère d'Édimbourg, de l'ale Toutankhamon. En se servant des recherches du Dr Delwen Samuel, du département

Archéologie de l'université de Cambridge, sur des restes de bière séchée vieux de 3 000 ans, provenant de Tell al-Amarna et Deir al-Medina, ils réussirent à brasser une boisson de blé rouge malté, parfumée de coriandre et de genévrier. Ce blé dit amidonnier n'avait pas été semé en Égypte depuis plus de 2 000 ans et dut être spécialement cultivé en Angleterre. La brasserie produisit 1 000 bouteilles, vendues ensuite chez Harrods, à Londres, à 500 francs pièce, les bénéfices allant aux recherches sur l'art du brassage dans l'Égypte antique.

Ci-contre – D'après les spécialistes, l'ale Toutankhamon produite en 1996 est fruitée et épicée.

remplis d'eau, étaient mis à fermenter plusieurs jours. Les anciens brasseurs parfumaient avec des dattes et du miel l'épais et nourrissant breuvage obtenu.

Les convives assis autour d'une jarre, la boisson était bue en commun, à l'aide de roseaux qui évitaient d'avaler les débris flottant dans le liquide. Les riches Sumériens avaient leur roseau personnel, orné de dorures.

Cette fermentation primitive ne demandait ni bâtiment ni matériel spéciaux. Malterie, boulangerie et brasserie associées consistaient en une hutte de terre ou de roseau, munie d'un trou dans le sol en guise de four et de quelques récipients en terre. Deux pierres plates servaient de meule. La fabrication de la bière, tout comme la préparation des aliments, était une tâche domestique.

Plus tard, le brassage se développa au même rythme que les civilisations du Moyen-Orient, pour répondre aux besoins de l'armée, des temples et des palais. Les fouilles d'Ur (aujourd'hui en Irak mais autrefois en territoire sumérien, puis babylonien) mirent à jour une importante brasserie communale, datant de la première ère babylonienne, entre 2000 et 539 av. J.-C.

LES BRASSEURS DE L'ÉGYPTE ANTIQUE

Dès 3 000 av. J.-C., les Égyptiens fabriquaient une bière forte parfumée de genièvre, de gingembre, de safran et d'herbes, appelée *heget* et *zythum* en grec. Un papyrus donne les recettes de la *zythum,* d'une bière plus forte appelé *dizythum* et d'une bière familiale légère nommée *Busa.*

Pour donner aux ouvriers qui bâtissaient les pyramides et à la population sans cesse croissante la boisson réconfortante qu'ils attendaient, les Égyptiens perfectionnèrent l'art du brassage à grande échelle.

À droite – Scène de taverne sur un bas-relief romain du IIe siècle.

Comme pour les Sumériens et les Babyloniens, la bière avait une grande importance culturelle. On la servait en offrande aux dieux et elle accompagnait les morts dans leur dernier voyage. Elle est fréquemment mentionnée sur les listes d'offrandes et sur d'autres documents ; le Livre des morts égyptien fait référence à une offrande de *zythum* sur l'autel. Osiris, l'un des plus importants dieux de l'Égypte, était censé protéger les brasseurs.

Les prescriptions du médecin

Le *zythum* aidait en outre les Égyptiens à rester en bonne santé. Le papyrus d'Ebers, datant d'entre 1550 et 1070 av. J.-C. et qui a survécu jusqu'à nos jours, est l'un des ouvrages les plus importants sur la médecine de l'Antiquité. Cette compilation de documents aujourd'hui disparus et de recettes orales remontant à 4 000 av. J.-C. contient plus de 600 prescriptions et remèdes dont beaucoup sont un mélange à base de bière.

La fin d'une tradition

Les Égyptiens développèrent aussi le maltage (cuisson partielle des graines germées), procédé découvert antérieurement en Mésopotamie.

En 1990, un vaste complexe-cuisine fut mis à jour dans le Temple du soleil de la reine Néfertiti, à Tell al-Amarna, la ville natale de Toutankhamon. L'examen des restes de brassage permit de découvrir que la bière était fabriquée à partir d'orge et d'une ancienne espèce de blé appelée amidonnier.

Vers le VIIIe siècle de notre ère cependant, l'Égypte ayant été envahie par les Musulmans dont le Coran interdisait la consommation de boissons alcoolisées, l'industrie égyptienne de la bière subit un déclin dont elle ne s'est jamais relevée. La bière était alors déjà connue dans le monde entier. Ainsi l'historien Hérodote, natif de la Grèce buveuse de vin et qui parcourut l'Égypte en 430 av. J.-C., écrivait : « Les Égyptiens boivent du vin obtenu à partir de l'orge parce que la vigne est inconnue dans leur pays. »

La culture des céréales s'étant développée partout, de nombreux autres pays les utilisèrent pour produire de la bière.

LA SÉPARATION NORD-SUD

Le brassage de la bière arriva en Europe avec la culture des céréales. Le blé et l'orge prospéraient dans les régions froides peu propices à la culture de la vigne. Cette différence de climats créa une sorte de séparation Nord-Sud dans la consommation d'alcool.

Au Ier siècle de notre ère, Tacite affirmait que la bière était la boisson habituelle des Allemands et des Gaulois, et Pline l'Ancien notait dans son *Histoire naturelle* (77 apr. J.-C.) que les tribus d'Europe occidentale fabriquaient « une boisson alcoolisée avec du blé trempé dans l'eau ». À l'opposé, dans le Sud de l'Europe, le vin régnait en maître.

Les fêtes commémoratives des civilisations scandinaves du grand Nord étaient copieusement arrosées de bière, bue dans des cornes réservées à cet usage et traditionnellement décorées de runes (caractères de l'ancienne langue germanique) pour neutraliser un poison éventuel. L'ale était tellement prisée que, selon la mythologie scandinave, les Vikings morts en héros se retrouvaient au Walhalla à se prélasser en buvant de la bière.

Cette boisson n'était pas réservée uniquement aux farouches guerriers. Une jeune femme fut enterrée au Jutland, il y a 3 300 ans, avec un petit seau de bière posé à ses pieds. La boisson était à base de blé parfumé de myrtille, de canneberge et de myrte.

Ci-dessus – Les paniers de grains découverts par les archéologues du XIXe siècle dans les tombes de la Vallée des Rois à Louxor servaient probablement à la fabrication de la bière dans l'au-delà.

Ci-dessous – Les Sumériens buvaient la bière avec des roseaux afin de ne pas avaler les débris flottant dans la jarre.

UN CONTE MÉDIÉVAL

*Au Moyen Âge, les céréales étaient cultivées dans toute l'Europe
pour fabriquer de la bière, cette dernière rivalisant désormais
avec le vin qui, jusqu'alors, avait régné sans partage.*

*Ci-dessous et à droite – Les
noms de Ridleys Bishops Ale
(« ale de l'évêque ») et Marston's
Merrie Monk (« le joyeux moine »)
évoquent le lien entre l'Église
et la fabrication de la bière.*

*Ci-dessous – L'abbaye de Leffe,
au bord de la Meuse en Belgique,
a possédé une brasserie dès
le XIII⁰ siècle et jusqu'à l'époque
napoléonienne. Les bières
modernes du même nom viennent
d'une société commerciale.*

À une époque où l'eau et le lait étaient souvent pollués et le thé et le café inconnus, la bière représentait, plus qu'un simple breuvage alcoolisé réconfortant, une boisson saine. Le processus de fermentation nécessaire à la production d'alcool éliminait les principaux risques d'infection. Le résultat était très apprécié même si on ne parvenait à l'expliquer.

Hors des régions vinicoles, la boisson de table était une bière légère, les fêtes civiles et religieuses étant célébrées par des breuvages plus capiteux. Les brasseurs utilisaient de nombreuses céréales – blé, seigle, avoine – avec une préférence croissante pour l'orge, cette dernière étant plus facile à transformer en malt et produisant davantage de sucre, donc d'alcool. En période de disette cependant, les autorités exigeaient que toute la récolte d'orge soit transformée en pain.

LA SAINTE ALLIANCE

Au cours de cette période, dans toute l'Europe, les moines perfectionnèrent l'art du brassage, leur malt étant particulièrement apprécié. Les communautés monastiques qui se développèrent en Europe à partir du Vᵉ siècle abritaient de grandes brasseries, servant autant à leur propre consommation qu'à celle des voyageurs et pèlerins assoiffés. La vente de l'ale hors des murs permettait à nombre d'entre elles d'équilibrer leur budget. Ainsi au IXᵉ siècle, l'abbaye de Saint-Gall en Suisse avait une malterie, un moulin et trois brasseries, chacune abritant un vaste chaudron de cuivre, un refroidisseur et un tonneau de fermentation. Chaque brasserie produisait une ale de qualité différente : *prima melior* pour les pères et les invités de marque, *secunda* pour les frères convers et autres ouvriers, et *tertia* pour les visiteurs et les voyageurs de passage.

Bien que son usage pour la communion fut plus tard interdit, l'église considérait la bière comme un bienfait de Dieu. L'un des premiers noms de la levure fut « Dieu est bon » et son

action était tenue pour un petit miracle. De nombreux saints, tel saint Florian en Bavière, devinrent les patrons des brasseurs.

L'héritage des moines

En Angleterre, les monastères avaient pris une telle importance dans l'industrie de la bière que celle-ci adopta la méthode des moines – des croix sur le tonneau pour indiquer la force de la bière.

Aujourd'hui, en Belgique, aux Pays-Bas et en Allemagne, des monastères continuent à fabriquer de la bière. Certains, comme l'abbaye de Notre-Dame de Scourmont en Belgique qui vend dans le monde entier ses célèbres ales Chimay, produisent même à une grande échelle.

Les communautés religieuses d'Europe centrale ont également été les premières à utiliser le houblon qui fut introduit plutôt pour ses propriétés de conservateur que pour son amertume, souvent peu appréciée. Dès 736, il est fait mention des plantations de houblon des abbayes du district de Hallertau en Allemagne. Les registres de l'évêché de Freising en Bavière évoquent la culture du houblon au IXe siècle. En 1079, une herboriste notoire, l'abbesse Hildegarde de Saint-Ruprechtsberg, près de Bingen, écrivait que la plante grimpante, « ajoutée à l'ale, en arrêtait la putréfaction et en prolongeait la conservation ».

Avant la venue du houblon, on ajoutait au moût un mélange du nom de gruit, mixture d'herbes telles que la myrica, le romarin et l'achillée. Des épices plus coûteuses agrémentaient les bières fortes : cannelle, girofle, gingembre ou même ail et poivre. Les épices au parfum puissant permettaient de masquer les odeurs désagréables et le goût aigre de l'ale tournée.

L'avènement de la lager

Les moines de Bavière apportèrent une innovation qui devait transformer l'industrie de la bière : la fermentation basse.

Pendant la chaleur de l'été, la fermentation était difficile à contrôler, les bactéries risquant alors de gâcher la bière. Le problème était tel qu'en 1533 en Allemagne, le prince Maximilien Ier décréta que quiconque voulait brasser entre le 23 avril et le 29 septembre devait obtenir une permission spéciale.

Les monastères bavarois furent les premiers à entreposer la bière dans des caves fraîches pendant de longues périodes. Certaines levures furent affectées par cette méthode. À des températures basses, ces levures, au lieu de mousser

en surface, retombaient dans le fond et fermentaient beaucoup plus lentement.

La bière obtenue par ce procédé de fermentation basse du nom de *lagering* (qui signifie « conservation » en allemand) se conservait bien plus longtemps.

LES BIÈRES ARTISANALES

En dehors des monastères, la bière était surtout fabriquée artisanalement. Tâche domestique, comme la cuisine et le ménage, la fabrication de la bière était réservée aux femmes. C'était le cas dans l'Angleterre médiévale. Et, dans certaines parties d'Allemagne du Nord, jusqu'au XVIe siècle, les ustensiles du brassage faisaient partie de la dot des jeunes filles.

Les meilleures fabricantes de bière artisanale attiraient les amateurs et leurs maisons devinrent des lieux de rassemblement de la communauté (les premiers *pubs*).

Avec le développement des villages, certaines familles se consacrèrent au brassage et vendirent leur bière au public, ainsi qu'à d'autres pubs et tavernes.

Ci-dessus – Moine maître brasseur prenant un repos bien gagné dans Le Repos du maître brasseur *d'Eduard Grutzer (1846-1925).*

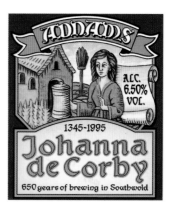

Ci-dessus – La brasserie Adnams rend hommage par une bière spéciale, à une célèbre brasseuse.

LA RÉVOLUTION DE LA DISTRIBUTION

Lorsque la Révolution industrielle balaya l'Europe, l'industrie de la bière explosa pour étancher la soif des nouveaux travailleurs, en associant inventions et découvertes à une production à grande échelle.

Ci-dessous – À l'époque médiévale les fûts de bière étaient enfilés sur un bâton pour un transport à pied sur de courtes distances.

Ci-dessous – Fûts de bière transportés par chevaux, pour la Oktoberfest *de Munich en 1906.*

Au XVIᵉ siècle, le brassage restait artisanal et était encore essentiellement réalisé par les femmes, dans le cadre d'un usage domestique ou de vente aux voisins. Les brasseries qui vendaient la bière en tonneaux subvenaient surtout à leur propre boutique et aux besoins locaux, peu d'entre elles cherchant plus loin. À une époque où les meilleures routes étaient creusées d'ornières, et où le cheval et la charrette constituaient le seul vrai moyen de se déplacer, transporter de lourds tonneaux de bière paraissait absurde.

La bière étant un produit encombrant et de valeur marchande assez faible, les brasseurs trouvaient beaucoup plus facile et moins onéreux de la fabriquer là où elle était consommée. Les brasseries n'atteignaient une taille importante que dans les grandes villes, où le marché de proximité était plus important.

En fait, les ingrédients de la bière étaient plus légers et faciles à manipuler à sec.

En conséquence, le houblon, l'orge et le malt étaient convoyés sur de longues distances et le maltage (cuisson de l'orge et d'autres grains partiellement germés) devint une industrie à part entière.

Le malt était relativement précieux et suffisamment léger pour que son transport vers des destinations lointaines soit rentable. Les taxes concernaient généralement le malt et non la bière, ce qui prouve l'importance de l'industrie du maltage. Les fabricants de malt prospères avaient tendance à regarder de haut les humbles petits brasseurs qu'ils fournissaient.

À gauche – Le développement du chemin de fer dans le monde à la fin du XIXᵉ siècle permit de transporter rapidement la bière à travers les continents.

LA RÉVOLUTION INDUSTRIELLE

Les brasseries importantes ne pouvaient s'étendre que grâce aux moyens de transport. Nombre d'entre elles s'établirent près des rivières, non pour se fournir en eau mais pour permettre aux bateaux de transporter la bière. Au XVIᵉ siècle, les grandes brasseries londoniennes fournissaient ainsi le marché sans cesse croissant des Pays-Bas et de l'Allemagne du Nord. Il fallut cependant attendre le développement du transport par canaux au XVIIIᵉ siècle, puis celui du chemin de fer au milieu du XIXᵉ, pour que les gros tonneaux soient transportés beaucoup plus facilement qu'on aurait jamais pu l'imaginer. L'industrie de la bière fut alors enfin capable de prendre son essor.

La force de la vapeur

Le brassage avait peu changé au cours des siècles. Une ménagère de l'an 1400 aurait reconnu sans difficulté le matériel et les techniques de base utilisés en 1750. Seule l'importance prise par le houblon en tant qu'ingrédient l'aurait peut-être surprise. L'énergie était fournie par les muscles des hommes, la seule vapeur étant celle qui s'élevait du chaudron bouillonnant.

Cependant, en 1774, l'Écossais James Watt breveta un moteur à vapeur que les grandes

Ci-dessus – Bass commémore l'arrivée de la vapeur dans l'industrie de la bière.

brasseries londoniennes adoptèrent rapidement. En 1785, Whitbread installa une machine à vapeur Boulton et Watt dans sa brasserie de Chiswell Street à Londres pour moudre le malt et pomper l'eau. Cette machine, qui remplaçait 24 chevaux, paraissait une telle prouesse technique que le roi Georges III vint la voir en personne.

Les grandes brasseries ne furent pas longues à adopter d'autres innovations scientifiques, tels les thermomètres, les hydromètres régulateurs de température et les retourneurs mécaniques. Plusieurs entreprises importantes de l'industrie britannique et irlandaise sont nées dans la seconde moitié du XVIIIᵉ siècle : par exemple William Younger à Édimbourg (1749), Arthur Guinness à Dublin (1759) ou William Bass à Burton (1777).

En 1796, la brasserie Whitbread à Londres devint la première du monde, avec une production de 200 000 tonneaux par an.

La force de la nouvelle technologie associée à celle de la locomotive à vapeur ouvrit l'ère des grandes brasseries internationales. La révolution industrielle avait transformé l'artisanat local de la fabrication de la bière en une industrie à part entière.

Ci-dessus – Bière Fäffer de la brasserie Lederer, à Nuremberg. Sous-bock illustrant l'acheminement des tonneaux de bière jusqu'au train.

Ci-dessous – Péniche sur l'aqueduc de Polntcysllte, au Pays de Galles. L'utilisation des canaux permit aux brasseurs de livrer la bière plus loin et plus facilement.

LA MÉTAMORPHOSE

Le XIXᵉ siècle vit des changements spectaculaires dans les brasseries.
L'une de ces nouveautés, une simple modification de couleur,
transforma radicalement l'opinion du monde entier sur la bière.

Ci-dessus – La lager n'a pas toujours été de couleur blond doré. Pendant longtemps, elle fut brun foncé ou rouge ambré.

La fermentation basse, grande innovation des moines, s'était répandue partout en Europe. Le brasseur du XIXᵉ siècle avait cependant encore du mal à contrôler la force et la température de la bière au cours du brassage.

En 1836, Gabriel Sedlmayr prit la direction de la brasserie Spaten à Munich et mit au point l'art de produire des bières plus stables à fermentation basse, en les gardant au frais (de l'allemand *lagern*, «stocker»).

Malgré cette nouvelle méthode de brassage, les bières «lager» gardèrent jusqu'en 1842 la même couleur que les autres types de bière, brun foncé ou rouge ambré. La métamorphose en un liquide limpide et doré vint d'une autre partie de l'empire austro-hongrois.

Un bienfait du hasard

En 1838, après avoir une fois de plus jeté de la bière devenue aigre et imbuvable, les habitants de la ville de Plzen en Bohème (aujourd'hui République tchèque) décidèrent de construire une nouvelle brasserie. Ils la confièrent à un brasseur bavarois nommé Josef Groll, avec pour mission d'employer la méthode de fermentation basse, plus sûre.

Le 5 octobre 1842, Josef Groll brassait son premier moût à Plzen, donnant le jour à la première lager blonde.

Sa couleur claire n'était probablement due qu'au hasard. L'orge récoltée dans la région était pauvre en protéines ce qui favorise la limpidité. De plus, le calcaire, qui a tendance à faire passer la couleur du malt dans la bière, était de faible quantité dans l'eau du quartier de Bubenc à Plzen où se trouvait la brasserie. La lager resta donc blonde et limpide.

Sous les feux de la rampe

À une époque et en un lieu différents, personne peut-être n'aurait remarqué la bière blonde et pétillante de Josef Groll. Mais il se trouva qu'une autre industrie célèbre de la Bohème était le travail du verre. Jusqu'alors la bière était servie dans des pots en bois, en terre, en faïence, en métal, voire en cuir. Sa limpidité et sa couleur n'avaient en fait guère d'importance, du moment que son parfum et sa saveur étaient satisfaisants. Mais grâce au développement de la production des verres en série, la lager dorée et pétillante de Plzen révéla toutes ses qualités et devint extrêmement populaire.

La popularité de la pils

À cette époque, la ville de Plzen était plus connue sous son nom allemand de Pilsen. Le «type pilsner» fut bientôt copié dans toute l'Allemagne, en Europe et à travers le monde entier, la bière s'appelant souvent pils d'après le nom de sa ville d'origine. Bien que d'autres contrées produisent d'excellentes pilsners, la plupart des lagers se contentent d'être une pâle imitation de ce type particulier. Les pays qui n'ont que peu ou pas de tradition brassicole ont adopté depuis cette bière blonde universellement populaire et les lagers de type pilsner sont certainement les plus courantes.

L'IMPORTANCE DU FROID

D'efficaces moyens de transport et une mécanisation peu coûteuse avaient considérablement réduit les travaux pénibles du brassage. Grâce à la technique plus sûre de fermentation basse, le risque était moins fréquent de voir la bière aigrir et la levure fermenter de façon aléatoire.

Cependant, la température de la bière prenait de plus en plus d'importance, au bar comme à la brasserie. Les brasseurs voulaient pouvoir brasser toute l'année sans que l'été gâche la production et les buveurs de bière réclamaient avec insistance une boisson rafraîchissante, voire très froide.

Ci-dessus – Avant la réfrigération, la glace était collectée en hiver et conservée dans des entrepôts souterrains où elle durait tout l'été.

Le froid sur commande

Un écrivain décrivit le XIXe siècle comme le « siècle de la réfrigération ». Au début, l'amélioration des transports permit d'utiliser en plus grande quantité la glace des lacs et des montagnes. Grâce à d'énormes blocs de glace, on pouvait garder la bière au frais pendant l'été. À Strasbourg, en 1867, il existait 46 entrepôts de glace. Aux États-Unis en 1875, les brasseries utilisaient environ 30 millions de tonnes de glace.

Mais l'avancée technologique qui libéra les brasseurs, en leur permettant de produire la bière en n'importe quelle saison et en n'importe quel lieu, fut l'avènement de la réfrigération mécanique. L'un de ses pionniers, James Harrison venant de Geelong, en Australie, inventa vers 1850 une machine à compression qui fut utilisée pour conserver de nombreux produits périssables.

La solution

Les grands brasseurs comprirent rapidement l'avantage de cette invention. En 1870, Guinness de Dublin installa quatre ensembles réfrigérants dans sa brasserie de St James. En 1873, la brasserie Spaten de Munich ouvrit une usine de réfrigération. La réfrigération se répandit dans l'industrie. Vers 1870, en Amérique du Nord, Anheuser-Busch lança les premiers wagons réfrigérés pour transporter ses produits d'est en ouest. Vers 1908, la compagnie de réfrigération Linde avait livré 2 600 machines, dont plus de la moitié aux brasseurs. Le concept de la lager pâle et glacée était entré dans les mœurs.

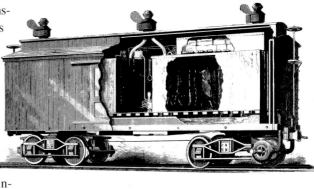

Ci-dessous – L'avènement du wagon réfrigéré permit de transporter de nombreuses marchandises périssables, telles la viande et la bière.

Ci-dessous – Le concept de la lager blonde et fraîche, né au XIXe siècle, est toujours d'actualité au XXe. Dans le film Ice Cold in Alex, la bière froide qui attend les héros à la fin de leur équipée les pousse à aller toujours de l'avant.

LE TONNEAU BRISÉ

La prohibition marqua la fin de l'ère de la bière dans les pays développés, la ferveur puritaine des Américains balayant sur son passage cette industrie en plein essor.

À droite – La mode du thé partit d'Asie, où le samovar formait un pôle d'attraction convivial, pour arriver en Europe où elle apportait une boisson « saine », non alcoolisée. Ci-dessous – Alors qu'il était chancelier de l'échiquier, David Lloyd George imposa en 1915 des restrictions draconiennes sur l'alcool.

Les travailleurs industriels toujours plus nombreux et qui, malgré d'effrayantes conditions de travail dans les usines, étaient cependant mieux lotis que leurs cousins campagnards, noyaient leurs soucis dans une bière forte et bon marché.

Les bars publics se multiplièrent dans les villes et l'alcoolisme devint un fléau. Au début du XIXe siècle on trouva enfin, avec le thé et le café, des boissons « saines » à opposer à la bière, l'un et l'autre devenant tout aussi populaires en Europe et en Amérique du Nord. Pour la première fois depuis son apparition, la bière n'était plus un élément vital du quotidien.

LA BOISSON DU DIABLE

Les autorités religieuses étaient consternées par le fléau social de l'alcoolisme. Les apôtres de la tempérance, qui fulminaient contre les méfaits de l'alcool, trouvaient un public toujours plus nombreux. À travers l'Europe, les ligues anti-alcooliques organisaient des réunions et exigeaient une législation restrictive.

Le verre n'accompagnait plus l'Évangile. L'Église insistait pour bannir l'alcool le dimanche. L'Écosse calviniste, malgré une industrie de la bière florissante à Édimbourg, Glasgow et Alloa imposa le *Forbes-Mackenzie Act* en 1853, obligeant les pubs à fermer le dimanche. Les Irlandais suivirent en 1878 et, en 1881, le Pays de Galles eut son propre *Sunday Closing Act*. Les brasseurs étaient furieux de la perte commerciale mais ils craignaient surtout le développement de la prohibition à une grande échelle.

L'ennemi dans les murs

Pendant la Première Guerre mondiale, le *Defence of the Realm Act* réduisit le nombre d'heures d'ouverture des pubs anglais. L'État racheta certaines brasseries dans des zones sensibles, comme la ville de Carlisle où l'on fabriquait des munitions, et il en ferma d'autres. Seule la peur d'une révolte des travailleurs empêcha le gouvernement de guerre de bannir totalement la vente et la consommation d'alcool.

Quand David Lloyd George devint Premier ministre en 1916, il alla jusqu'à dire : « L'alcool cause plus de dommages à la nation que tous les sous-marins allemands réunis. »

Une tendance mondiale

Certains pays n'hésitèrent pas à bannir totalement les boissons alcoolisées. Au Canada par exemple, la province du New Brunswick avait interdit la vente d'alcool dès 1855 ; plus tard, des lois locales permirent à de nombreuses communes de faire de même. En 1898, 603 des 933 municipalités du Québec décidèrent d'interdire l'alcool ; enfin, le Canada établit la prohibition nationale en 1918. La Nouvelle-Zélande et l'Australie, de même que les pays scandinaves – Danemark, Norvège et Suède – étaient prêts à en faire autant. La Finlande avait appliqué la prohibition dès le début de la guerre, bien que sa loi ne prît effet qu'en 1919. L'Islande interdit le commerce d'alcool en 1915. De nombreuses nations, sans prohiber totalement l'alcool, en réduisirent la vente ; ce fut même le cas de la Belgique buveuse de bière.

LA PROHIBITION AUX ÉTATS-UNIS

On trouve déjà les prémices d'un futur conflit de l'alcool chez les premiers colons débarquant en Nouvelle-Angleterre.

Quand les Anglais arrivèrent en Amérique du Nord, ils apportèrent avec eux le goût de la bière. En 1607, deux ans après avoir établi la colonie de Jamestown en Virginie, les colons demandèrent aux brasseurs d'Angleterre de les rejoindre pour étancher la soif de la population.

À la même époque, arrivaient de nouveaux colons, en grande partie des Puritains. Échappant aux persécutions d'Europe, les Pères Fondateurs débarquèrent 13 ans plus tard au Massachusetts. Ils y créèrent des communautés basées sur des principes moraux très stricts, dont l'interdiction de l'alcool pour certaines.

L'âge d'or de l'industrie de la bière américaine

Dans un premier temps, la tension disparut grâce à la caution apportée par les chefs respectés de la nouvelle nation. George Washington insista pour que l'on distribuât de la bière à ses troupes pendant la Guerre de l'Indépendance et Thomas Jefferson possédait une brasserie sur son domaine en Virginie. James Madison, qui encourageait vivement les brasseurs américains, soumit une loi au Congrès en 1789, pour taxer les bières importées.

Dans les environs de New York, les immigrants anglais, irlandais et hollandais brassaient leur bière comme ils le faisaient en Europe. Cette pratique se renforça à partir de 1840, avec l'arrivée d'immigrants allemands qui apportèrent leurs propres types de bière et fondèrent la plupart des grandes brasseries commerciales des États-Unis. Pendant la seconde moitié du XIXe siècle, des milliers de brasseries produisaient une vaste gamme de bières. En 1890, Philadelphie possédait à elle seule 94 brasseries.

Contre l'alcoolisme

Cependant, le flux des immigrants de toutes nations, généralement extrêmement pauvres, engendrait de nombreux problèmes de société. Certains noyaient dans l'alcool leurs rêves déçus de « terre promise ». L'alcoolisme devint un problème crucial et les sociétés de tempérance firent de nombreux adeptes.

Le pasteur presbytérien Lyman Beecher fonda en 1826 l'Union américaine de tempérance, qui s'opposa tout d'abord aux liqueurs fortes, avant de bannir toute boisson alcoolisée 10 ans plus tard. Cette société plaça des filiales dans chaque État pour faire voter des lois interdisant la production et la vente d'alcool.

La loi locale

En 1833, la Cour suprême décréta que les États étaient libres de réglementer le commerce de l'alcool dans leur territoire. En 1851, le Maine vota la première loi de prohibition. « La glorieuse loi du Maine est un grand coup porté entre les cornes du diable » exultait Lyman Beecher. Inspirés par l'exemple du Maine, treize autres États votèrent la prohibition avant le début de la Guerre civile.

L'Union de Tempérance, fondée en 1874, se faisait largement entendre et avait beaucoup d'influence : entre 1912 et 1919, 27 États avaient adopté la prohibition locale. Un des membres éminents de l'association, Mrs Ruterford B. Hayes, épouse du 19e Président, interdit l'alcool à la Maison Blanche et fut baptisée « Lucy

Ci-dessus – Les militants des sociétés de tempérance proposaient des boissons saines et non alcoolisées pour remplacer le « breuvage du diable ».

Ci-dessous – Au début du XIXe siècle, l'alcoolisme était un problème de société dans de nombreux pays. En Irlande, les débits de boissons clandestins étaient connus pour être des lieux de rassemblement d'ivrognes.

À droite – D'ingénieuses méthodes furent inventées pour cacher les bouteilles et échapper aux lois sur la prohibition.

Limonade » par les adversaires politiques de son mari.

La prohibition nationale
En 1917, le 65e congrès des États-Unis fut consacré à l'effort de guerre contre l'Allemagne. Les partisans de la prohibition profitèrent d'une proposition visant à contrôler la production alimentaire pour ajouter une clause déclarant illégale la transformation des céréales en alcool. Bientôt, d'autres lois bannirent totalement la vente d'alcool en temps de guerre. Les rumeurs qui prétendaient que les brasseurs américains, pour la plupart d'origine allemande, tentaient de déstabiliser à l'aide de bière forte l'effort de guerre de la nation, étouffaient toute idée de liberté.

Le 18e amendement fut rapidement adopté par la Chambre des Représentants. La fin de la guerre n'apporta aucun

répit. Le 16 janvier 1919, fut adoptée la prohibition nationale de la vente et de la fabrication d'alcool. Pour renforcer l'amendement, le député Andrew Volstead du Minnesota proposa le *National Prohibition Act.* La production de toute boisson alcoolisée (contenant plus de 0,5 % d'alcool) était interdite, et les magasins, bars, hôtels et restaurants qui en vendraient seraient fermés. Le *Volstead Act* fut adopté par les deux Chambres en un temps record et prit effet le 17 janvier 1920.

Les années 20
L'histoire d'une grande partie du XXe siècle repose sur la faculté qu'ont eu les États-Unis à mener le monde. Bien des gens s'attendaient à ce que la prohibition se répandit comme une traînée de poudre.

Il restait cependant un problème. Les lois n'étaient pas respectées et, pire encore, la prohibition amena une nouvelle forme de criminalité : la contrebande d'alcool et de bière, tacitement encouragée par une bonne partie de la population. La fabrication illicite de boissons alcoolisées était florissante. New York, qui offrait 15 000 bars avant la prohibition, comptait désormais 32 000 débits de boissons occultes et illicites, appelés *speakeasies* (l'« aisance à parler »). Les États-Unis apparaissaient comme un pays dirigé par des gangsters et des mitraillettes. L'Américain le plus célèbre était le contrebandier Al Capone, et le massacre de la saint Valentin, à Chicago en 1929, devint l'un des événements notoires de la décennie. Ce sanglant règlement de comptes entre trafiquants d'alcool marqua le commencement de la fin de l'ère de la prohibition.

Les pressions de l'opinion publique
La prohibition ayant entraîné la faillite de la loi et de l'ordre établi, l'opinion publique se retourna contre elle. En 1932, Franklin D. Roosevelt plaida pour l'abolition du 18e amendement et fut élu président.

Ci-dessous – La prohibition devint un thème populaire chez les réalisateurs de films. Cette affiche fait la publicité d'un film de gangsters de la Warner Brothers, de 1939, avec James Cagney.

Le 21ᵉ amendement, ratifié le 5 décembre 1933, autorisa les États à établir leurs propres lois sur l'alcool. La bière pouvait à nouveau couler librement.

LA SECONDE GUERRE MONDIALE

Pendant la Première Guerre, pour les autorités britanniques, l'alcool était l'ennemi caché. Mais au cours de la Seconde guerre, la bière fut jugée indispensable pour maintenir le moral chez les civils comme chez les soldats.

« Assurez-vous que 2 litres de bière par semaine soient distribués aux soldats du front avant que toute autre personne n'en ait », tonnait en 1944 le Premier Ministre Winston Churchill, dans une note à son secrétaire d'État à la Guerre, à la suite de plaintes de son armée d'Italie. La Royal Navy installa même une brasserie sur l'un de ses bateaux, le HMS Menestheus, desservant les forces alliées d'Extrême-Orient. Cette brasserie, nommée Davy Jones, « la seule brasserie flottante du monde » produisait de l'ale anglaise à partir d'eau de mer distillée, de concentré de houblon et d'extrait de malt.

De l'autre côté du front européen, alors que la guerre changeait de visage, les Allemands, forcés d'abandonner leur loi sur la pureté de la bière, la *Reinheitsgebot*, jetèrent dans les cuves toutes sortes de substances.

L'un des mélanges les plus étranges, à base de petit-lait bouilli avec un peu de houblon puis fermenté, donnait disait-on, une bière au goût agréable bien que pâle.

Partout, les brasseries payèrent leur tribut à la guerre. Certaines furent bombardées et détruites et, en Europe, la plupart s'en sortirent gravement endommagées. L'arrêt des hostilités apporta peu de soulagement car, à la fin des austères années 40, le rationnement des matériaux ainsi que les difficultés d'investissement s'accentuèrent.

Pourtant, les brasseurs meurtris pouvaient se permettre de sourire, la guerre ayant eu raison de leur ennemi, la prohibition.

Ci-dessus et ci-dessous – « Allez, roulez! » La Royal Air Force inaugura une nouvelle façon d'acheminer les tonneaux de bière vers le front.

LA CONCENTRATION DE L'INDUSTRIE

La bière était devenue une industrie majeure. Pour se développer rapidement les sociétés devaient acheter les petites brasseries rivales. Certaines étendirent même leur empire pour former de vastes multinationales.

Au cours des 10 années qui suivirent l'abolition de la prohibition, quelques marques et une poignée de compagnies géantes dominèrent l'industrie de la bière américaine ressuscitée.

Les pays qui n'avaient pas été atteints par la prohibition connurent le même processus de concentration, mais à un rythme plus lent. Ainsi, des 3 543 brasseries que comptait la France en 1905, il n'en restait plus que 20, 90 ans plus tard.

En Grande-Bretagne, les heures très strictes d'ouverture des pubs imposées pendant la Première Guerre et les taxes écrasantes sur la bière obligèrent de nombreuses brasseries à fermer. Des 6 477 brasseries de 1900, toutes tailles confondues, il n'en restait que 600 en 1939. Pendant la même période, en Angleterre et au Pays de Galles, les condamnations pour ivresse diminuèrent des trois quarts, passant de 188 877 en 1914 à 46 757 en 1937.

LA CROISSANCE À TOUT PRIX

Les grandes brasseries anglaises cherchaient à augmenter leurs ventes en rachetant les établissements franchisés des petites brasseries. Le temps était venu de créer des marques internationales. Le Canadien Eddie Taylor introduisit avec succès la lager Carling's Black Label en Angleterre, en formant les Northern United Breweries à partir des douze brasseries qu'il acheta en 10 mois. Les compagnies de taille moyenne s'empressèrent de se développer pour ne pas être absorbées et les grandes marques s'associèrent entre elles.

Certaines sociétés allèrent très loin pour garder leur fusion secrète. Des représentants des trois premières brasseries régionales d'Angleterre, Tetley-Walker de Leeds, Ind Coope de Burton-on-Trent et Ansells de Birmingham, signèrent leur alliance et la naissance de Allied Breweries autour d'un pique-nique froid, dans un endroit désert du Derbyshire, par un jour glacial de février 1961. Après une frénésie de reprises dans les années 60, six grands groupes contrôlaient l'ensemble

Ci-dessus – Après la fin de la prohibition, quelques grandes marques vinrent dominer le marché américain.

Ci-dessous – Quartier général de Guinness au Ghana. Cette marque ancienne, devenue multinationale, fabrique de la bière dans le monde entier.

*Ci-dessus – Bières allemandes servies
aux vacanciers japonais sur l'île Ishigaki.*

*Ci-dessus – La grande variété de marques étrangères exposées sur
ce marché cambodgien masque la disparition progressive des producteurs.*

de l'industrie de la bière en Grande-Bretagne. En 1977, il n'en restait que trois, 15 % du marché allant aux quelque 50 brasseries régionales survivantes.

La concentration mondiale de l'industrie de la bière

La concentration de l'industrie de la bière est un phénomène international. Ainsi, deux groupes géants, dirigés par BSN (Kronenbourg) et Heineken, contrôlent les trois quarts du marché français de la bière, la proportion étant la même pour Carlsberg au Danemark.

Hors d'Europe, le phénomène est encore plus marqué. En Australie, deux géants, Foster's et Lion Nathan, représentent 90 % du marché. Au Canada, Molson et Labatt contrôlent 92 % du marché.

Cependant, certains pays ne se sont pas engagés aussi rapidement sur cette voie de plus en plus étroite. En Allemagne par exemple, un nombre important de petites brasseries a réussi à survivre, encouragées par l'attachement du buveur allemand à sa bière locale.

Les marques nationales s'efforcent de trouver une place dans ce marché-patchwork complexe, souvent aidé par les lois régionales et qui présente une grande diversité de bières. Ainsi la bière blonde de Cologne, la kölsch, ne peut être

*Ci-dessus – Le nom de
Carlsberg est célèbre dans
sa ville natale de Copenhague
et dans le monde entier.*

fabriquée que dans ses environs immédiats et Düsseldorf reste fidèle à son alt cuivrée.

Allemagne et Belgique sont en partie des exceptions. Dans la plupart des pays, les sociétés se sont regroupées. Même en Allemagne, la baisse de la demande oblige les petites brasseries à disparaître. En 1996, la Deutscher Brauer-Bund (organisation de brasseurs) affirmait que l'excès de concurrence devait inévitablement conduire à la concentration de l'industrie. Un expert a prédit que la moitié des brasseries allemandes auraient disparu en 2010.

Une industrie internationale

L'industrie de la bière, de nationale, est devenue internationale. Certaines brasseries vendent hors frontières depuis des décennies et même des siècles, comme le géant Guinness basé à Dublin ou les brasseries allemandes, Beck's, St Pauli Girl de Brême et Löwenbräu de Munich. D'autres accordent des licences de fabrication de leurs bières aux brasseries locales des pays étrangers ou installent parfois des usines, en s'associant souvent avec les compagnies locales.

Les grandes marques de bière sont aujourd'hui connues dans le monde entier.

La bière-mania

La « bière mania » est la collection de tout ce qui touche à la publicité de la bière. De nombreux magazines spécialisés offrent régulièrement des articles sur le sujet, et la gamme d'objets de collection est vaste, des cartes postales et sous-bocks anciens aux capsules et aux montres. Les collectionneurs correspondent entre eux pour échanger leurs trouvailles, parfois sur de très longues distances.

LA RÉVOLTE DES CONSOMMATEURS

*Seuls les consommateurs n'avaient pas été consultés sur ce nouveau
marché mondial. Ils finirent par se révolter, en exigeant de la « vraie » bière,
ce qui entraîna le développement rapide de nouvelles brasseries.*

Les compagnies internationales qui dominent maintenant le marché mondial recherchaient avant tout des bières universelles, satisfaisant tout le monde et ne déplaisant à personne. Les pilsners de Carlsberg et Heineken, légères et peu houblonnées, en sont un exemple. On privilégiait le consensus général, peut-être au détriment de la particularité. Les bières locales spécifiques disparaissaient.

UN PRODUIT UNIVERSEL

Vers 1960, les premières marques des États-Unis, comme Budweiser, Miller High Life et Pabst Blue Ribbon, contenaient plus de gaz carbonique que de malt et de houblon. Pour certains consommateurs, la bière avait disparu, il n'en restait que l'emballage et la grande distribution.

En Grande-Bretagne par exemple, les six grandes firmes nationales privilégiaient les bières à la pression qu'elles pouvaient vendre du nord de l'Écosse au sud de l'Angleterre.

À partir de 1960, les géants de la bière adoptèrent la pasteurisation, pour en normaliser le goût et lui assurer une plus longue conservation. Les tireuses à main et les bières en tonneaux rangés dans les caves firent place à des fontaines en plastique brillant d'où coulait la nouvelle bière transformée et pressurisée, douceâtre et mousseuse, pâle substitut des *bitters* originales.

LA RIPOSTE DES CONSOMMATEURS

Une poignée de buveurs anglais excédés, conduits par les journalistes Michael Hardman et Graham Lees, formèrent en 1971 la *Campaign for Real Ale* (CAMRA) qui visait à rétablir la « vraie » ale, celle qui continue à fermenter et à développer son parfum dans le tonneau. Sa première réunion annuelle en 1972 eut une

Ci-dessus – La mode des bières « légères » et sans goût était à son apogée dans les années 70, avec le lancement de la Miller Lite aux États-Unis.

large publicité. Aujourd'hui, l'organisation compte 50 000 membres ; elle essaie de promouvoir les intérêts de tous les buveurs de bière et le maintien d'un vaste choix de bières savoureuses et de bons pubs. Elle publie aussi un bulletin régulier, organise des festivals et des campagnes d'information sur divers sujets, de la bonne capacité des pintes aux heures d'ouverture raisonnables des pubs.

Ces nouvelles exigences comblèrent les brasseries régionales restées fidèles à la bière traditionnelle. On vit réapparaître dans les bars les tireuses à main et la bière en tonneau. Les brasseurs nationaux eux-mêmes recommencèrent à fabriquer de la vraie bière.

*Ci-dessus – CAMRA commanda
une bière spéciale à la brasserie Ridley
pour célébrer son 10ᵉ anniversaire.*

L'action de la CAMRA

Le succès de la campagne CAMRA dépassa les espérances de ses organisateurs et les surprit par l'une de ses conséquences, l'apparition de nombreuses petites brasseries produisant de la véritable ale. *Le Guide de la bonne bière CAMRA* de 1997, enregistre 68 nouvelles brasseries en Grande-Bretagne, en un an.

L'initiative européenne

La révolte des consommateurs s'est également propagée dans les autres pays d'Europe. La

European Beer Consumers Union (EBCU) est une organisation qui coordonne les activités de groupements de consommateurs. Ses membres et ses membres associés comprennent l'Union estonienne des clubs de bière, l'Association suisse des buveurs d'orge, l'association FINNLIBS en Finlande, la NORØL norvégienne, la SÖ suédoise, la OBP belge, les Amis de la bière en France, PINT en Hollande et CAMRA en Grande-Bretagne.

La EBCU veut préserver la culture européenne de la bière. Elle s'est engagée en particulier à soutenir les brasseries qui fabriquent encore des bières de bonne qualité selon des méthodes traditionnelles.

La EBCU s'engage aussi contre les actions qui risquent de mener à de nouvelles concentrations dans l'industrie européenne de la bière. Ce mouvement général des consommateurs ne donne aucun signe de ralentissement. De nouvelles brasseries apparaissent dans presque chaque pays : la Hongrie, la Roumanie, l'Italie, la France, la Scandinavie et les Pays-Bas. Même l'Allemagne, où de nombreuses petites brasseries ont survécu, semble également intéressée.

Le renouveau international

Le désir de vraies bières traditionnelles s'est répandu dans le monde entier, du Canada à la Nouvelle-Zélande. Les petites brasseries suivent les conseils des brasseurs spécialistes.

Les brasseurs anglais, par leurs propos expérimentés, ont même aidé des brasseries communautaires à s'installer en Chine.

En Australie, un ancien employé de la Swan Brewery de Perth, Philip Sexton, ouvrit en 1983 la première petite brasserie au Sail and Anchor pub à Fremantle, devenue depuis Matilda Bay Brewing Company. Aux États-Unis, où les consommateurs ont un grand pouvoir, le renouveau des petites brasseries et d'une gamme variée de types de bière est encore plus évident. Vers 1970 il n'y avait que 40 brasseries dans tout le pays, mais aujourd'hui on en compte plus de 1 000 nouvelles. La bière de qualité a pris une place bien méritée dans la culture alimentaire des Américains.

À gauche – Depuis que les actions de la CAMRA ont rappelé au public leurs qualités gustatives, la Grande-Bretagne a adopté les ales traditionnelles mûries en bouteille.

Ci-dessous – Les consommateurs se sont unis dans toute l'Europe pour protéger les bières traditionnelles.

Association des Buveurs d'Orges

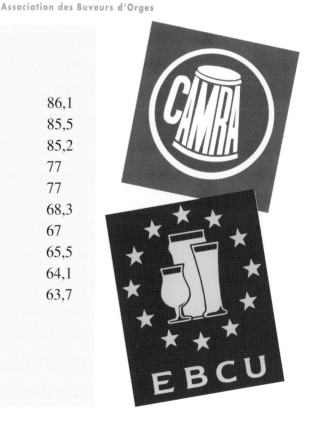

LES PRINCIPAUX PAYS BUVEURS DE BIÈRE

1	République tchèque	155,3	11	Finlande	86,1
2	Allemagne	138	12	États-Unis	85,5
3	Danemark	126,4	13	Pays-Bas	85,2
4	Irlande	123	14	Hongrie	77
5	Autriche	116,7	15	Venezuela	77
6	Belgique	108,1	16	Canada	68,3
7	Nouvelle-Zélande	102,5	17	Espagne	67
8	Grande-Bretagne	101	18	Suisse	65,5
9	Slovénie	100,3	19	Portugal	64,1
10	Australie	97,5	20	Suède	63,7

(Consommation de l'année 1993, en litres par personne.)

LES INGRÉDIENTS

La bière, comme beaucoup de choses courantes, est mal connue. C'est une boisson beaucoup plus complexe qu'on ne le pense. La bière est la sève de la terre. Ses couleurs, cuivre profond, rubis sombre ou jaune pâle, reflètent les saisons qui passent, du sol nu de l'hiver aux moissons dorées d'orge et de blé.

La mousse qui couronne la bière abrite de nombreux mystères, dont les moindres ne sont pas les ingrédients qui la forment. Malt et houblon figurent sur les étiquettes de bière mais combien de buveurs reconnaîtraient-ils le cône parfumé du houblon, l'une des espèces végétales les plus étranges ? En outre, qui sait exactement ce qu'est le malt ? Si son origine est un champ de céréales, le grain doit subir, entre la récolte initiale et le verre, une suite complexe de transformations – germination, touraillage et concassage. Il existe de nombreuses sortes de malts, toutes différentes par la couleur, la saveur et le taux de sucre, selon les procédés utilisés. Chaque bière a sa propre « signature », mélange de plusieurs types de malts.

La levure est l'ingrédient clé, « magique », dont le rôle dans la transformation du sucre en boisson alcoolisée est resté mystérieux pendant des siècles. Là aussi il en existe de nombreuses variétés, chacune avec ses propres caractéristiques – rapidité d'action, parfum, rendement en alcool et en gaz.

Le houblon est une addition relativement récente à la liste des ingrédients essentiels de la bière. Les huiles naturelles qu'il contient apportent l'amertume exigée par de nombreux amateurs et favorisent la conservation de la bière. Le choix entre les variétés de houblons est encore une fois considérable.

Outre les ingrédients de base, les brasseurs ajoutent parfois d'autres éléments comme les cerises ou le gingembre, pour donner un parfum particulier à une bière spécifique. Les mélanges d'ingrédients variés sont si nombreux que l'amateur de bière a le choix entre quantité de possibilités.

Ci-dessus – Cette photographie de 1910 montre le houblon livré à une sécherie, dans le Kent, en Angleterre.

Ci-dessus à gauche – Les sous-bocks et les étiquettes sont couramment illustrés avec les ingrédients de la bière.

Ci-contre – Vitrail de la brasserie Sapporo à Hokkaido, Japon. Eau, houblon et orge, les ingrédients de la bière y sont représentés.

Page de gauche – Champ d'orge dorée mûrissant au soleil d'été. L'orge est la céréale traditionnelle de la fabrication de la bière.

L'EAU

Demandez à un buveur de bière ce que son verre contient et il répondra
du malt et du houblon, en oubliant la plupart du temps l'ingrédient principal,
l'eau. Et pourtant, sans eau, il est impossible de fabriquer de la bonne bière.

Le caractère de la bière est affecté par la qualité et les sels minéraux de l'eau qui la compose. L'eau contient six principaux sels minéraux : le bicarbonate, le sodium, le chlorure, le calcium, le magnésium et le sulfate, dont les proportions influent considérablement sur la saveur et parfois la couleur du produit fini. Une grande quantité de bicarbonate, par exemple, peut donner une maische très acide, ce qui réduira la saccharification. Une eau trop sulfatée rend la bière très amère, tandis que le magnésium est indispensable à la levure.

De nombreux brasseurs se vantent de posséder la meilleure eau pour fabriquer leur bière. Hürlimann de Suisse par exemple, commercialise l'eau utilisée à sa brasserie de Zurich comme eau minérale en bouteille, sous le nom *Aqui*.

Aux États-Unis (Colorado), Coors accroît ses ventes et assied sa réputation sur l'origine de son eau, venue tout droit des neiges des montagnes Rocheuses. Pour insister sur ce fait, ses étiquettes présentent une cascade bouillonnante. Tasmanian Breweries utilisent le même procédé en Australie, avec leur Cascade Lager.

Ci-dessus – L'étiquette de Cascade Lager de Tasmanie représente l'image d'une cascade locale, illustrant la pureté de l'eau servant au brassage.

Ci-dessous – Le goût caractéristique de la Guinness fut souvent attribué, à tort, aux eaux de la rivière Liffey, au cœur de Dublin. Guinness utilise en fait les eaux du Grand Canal.

Certaines brasseries se fournissent en eau de manière originale. Rodenbach en Belgique utilise des sources souterraines pour alimenter un lac d'ornement qui fournit ensuite la brasserie West Flanders. Et sur l'île rocheuse et aride de Malte, en Méditerranée, où chaque goutte est précieuse, une brasserie a installé un réservoir sur son toit pour profiter de la moindre petite averse.

UNE EAU PRÉCIEUSE

Les premières brasseries recherchaient impérativement une bonne eau de source. Parmi les grandes villes bâties sur l'industrie de la bière, beaucoup se sont développées autour d'un point d'eau propice.

L'eau de Plzen par exemple, en République tchèque était très douce et parfaite pour les lagers de type pilsner. Burton-on-Trent, en Angleterre,

devait la renommée de sa pale-ale à son eau chargée de sels minéraux.

Les brasseurs londoniens étaient si jaloux de l'eau de la petite ville de Burton dans le Staffordshire qu'ils y bâtirent leurs propres brasseries ; et un brasseur du Lancashire s'en fit livrer par chemin de fer.

Cette eau de bonne qualité provient de puits creusés en profondeur dans la couche de gypse située sous la ville. Purifiée par le lent et naturel processus de filtration, elle contient beaucoup d'oligo-éléments de gypse (sulfate de calcium) qui donnent des bitters limpides et brillantes, le calcium favorisant la saccharification pendant le brassage. Aujourd'hui, partout dans le monde, les brasseries qui veulent fabriquer de la pale-ale « burtonisent » leur eau au préalable en lui ajoutant des sels de gypse.

Le principal brasseur indépendant de Burton, Marston's, installé depuis 1834, tire encore plus de 4,5 millions de litres d'eau par semaine, de 14 puits, dont le plus profond descend à près de 300 mètres. L'eau est analysée quotidiennement dans les laboratoires de cette entreprise familiale et sa composition n'a pratiquement pas changé depuis l'origine de la compagnie.

NE TOUCHEZ PAS À MON EAU !

La bonne eau revêt parfois des propriétés mythiques. De nombreux amateurs de bière irlandais, par exemple, jurent que la Guinness fabriquée à Dublin est bien supérieure à celle de son usine sœur de Londres. Ils attribuent la différence à l'eau de la rivière Liffey qui traverse la capitale irlandaise. En fait, depuis 1868, la brasserie Guinness de St James's Gate à Dublin, prend son eau dans le Grand Canal issu de la source St James dans le comté de Kildare.

En 1775, la Dublin Corporation menaça la brasserie de lui couper sa source d'eau. Quand Arthur Guinness vit qu'il risquait de perdre son approvisionnement en eau et potentiellement son moyen d'existence, il saisit une pioche et jura que la Corporation devrait lui passer sur le corps, ce à quoi elle renonça.

Une bonne eau, si essentielle pour les brasseurs, doit être protégée à tout prix.

C'est ainsi qu'en 1994, lorsqu'une cimenterie s'apprêta à combler de déchets une carrière voisine, les brasseurs de Burton,

craignant pour la pureté de leur eau, s'associèrent pour s'y opposer.

UNE EAU POTABLE

De nombreuses brasseries ont aujourd'hui abandonné les sources et les puits traditionnels à cause des risques de contamination, dus en particulier aux engrais. Ils préfèrent l'eau traitée du réseau urbain, à laquelle ils peuvent ajouter les sels minéraux nécessaires. Cette eau canalisée, moins romantique que l'eau de source, est plus sûre. Les brasseries sont des consommatrices importantes d'eau. Pour chaque litre de bière obtenu, il faut 5 litres d'eau (lavage, refroidissement).

Ci-dessus – Les stations de traitement de l'eau n'ont rien de romantique mais elles fournissent une eau saine.

Ci-dessous et à gauche – L'étiquette Coors représente l'eau fraîche et bondissante dégringolant des montagnes Rocheuses du Colorado.

LE MALT

Le malt est le corps et l'âme d'une brasserie. Le grain, partiellement germé et touraillé (grillé), donne non seulement l'alcool mais aussi une grande partie du parfum et presque entièrement la couleur de la bière.

Le malt est beaucoup plus que le grain juste récolté. Les épis d'orge, par exemple, ne fermentent pas ou très peu et ne sont guère utiles au brasseur. Après être passé dans les mains du malteur, un grain d'orge peut en 10 jours être transformé en grain de malt, prêt à produire de la bière.

D'autres céréales – avoine, blé et seigle peuvent aussi être maltées. En fait, certains types de bières, telles les bières allemandes au froment, exigent un malt de blé. L'avoine fut très utilisée pendant la Seconde Guerre mondiale, lorsque l'orge était rare. Cependant, les brasseurs du monde entier préfèrent de beaucoup l'orge, pour son haut rendement en sucre.

L'orge apparaît elle-même sous plusieurs formes, dont toutes ne conviennent pas au maltage. Le malteur Robert Free observait en 1888 : «On ne sait pas encore faire du bon malt avec de la mauvaise orge.»

Pour donner un bon malt, l'orge doit présenter des grains sains et bien gonflés et germer de façon régulière. Sa teneur en azote est nécessairement faible pour ne pas gêner la fermentation.

LA MAGIE DU MALTEUR

Quand l'orge arrive des champs à la malterie, elle est passée au crible pour en retirer la paille et les impuretés. L'orge est ensuite séchée afin de réduire l'humidité qu'elle contient. Le grain peut ainsi être conservé et utilisé toute l'année, car s'il est trop humide, il risque de moisir ou de germer prématurément. Les malteurs préfèrent laisser l'orge au repos pendant au moins 1 mois, ce qui améliore sa germination ultérieure.

Le trempage du grain

Avec le procédé traditionnel sur aire de maltage, le grain est trempé pendant 2 ou 3 jours dans de vastes cuves mouilloirs contenant jusqu'à 6,1 tonnes d'orge et 6 800 litres d'eau. L'orge n'est pas constamment immergée. Elle trempe une demi-journée, puis la cuve est vidée pour que le grain puisse respirer pendant 6 à 12 heures, avant d'être à nouveau immergé.

La germination

Le grain mouillé est ensuite étalé uniformément sur une épaisseur de 15 à 20 centimètres, sur de

Ci-dessus – L'orge est la céréale à malter la plus courante.

À droite – L'étiquette Oakhill's Mendip Gold évoque le premier ingrédient de la bière.
Ci-dessous – Les grains partiellement germés sont séchés 2 jours dans la touraille.

MENDIP GOLD

OAKHILL BREWERY
SOMERSET
ABV 4.5%

OAKHILL

vastes aires de maltage où il reste pendant 5 jours pour permettre à l'orge de germer. Ce processus essentiel de germination transforme les amidons du grain en sucres.

Le grain germé est retourné et ratissé régulièrement afin de l'aérer et de permettre une germination uniforme, sans que les radicelles s'emmêlent. Si les malteurs ne retournaient pas les grains trois fois par jour, on pourrait rouler le tout comme un tapis de fibres de coco. Ce travail fatigant se faisait autrefois à la pelle ; aujourd'hui, on utilise des outils ou des machines électriques.

La cuisson du malt vert (touraillage)

Au bout de 5 jours, quand la gemmule atteint les trois quarts de la longueur du grain, la germination est brusquement stoppée pour ne pas perdre les sucres qui se sont constitués et que le brasseur va transformer en alcool. Ce « malt vert » est alors envoyé à la touraille où il est soumis à de hautes températures pendant 2 jours, le type de malt obtenu correspondant à une température donnée. Certains malteurs bavarois utilisent encore des tourailles à feu de bois, afin de donner au malt un goût de fumée.

Après séchage, le malt est tamisé afin d'éliminer les radicelles qui serviront d'aliments pour le bétail (le touraillon). Rien n'est perdu !

L'ultime transformation

Débarrassé de ses radicelles, le grain de malt ressemble beaucoup au grain original mais son goût est très différent. Les grains grillés ont perdu leur dureté et présentent une texture croquante à la saveur de noisette.

Ce délicieux malt sert à fabriquer de la bière mais aussi des boissons maltées, des biscuits et des céréales de petit déjeuner, et c'est un ingrédient essentiel du whisky pur malt.

LA NAISSANCE DE L'INDUSTRIE MODERNE

Le procédé traditionnel sur aire de maltage fut utilisé dans la plupart des pays jusqu'au XXe siècle. On peut encore voir des malteries dans de nombreuses régions céréalières, généralement à côté de canaux ou de lignes de chemins de fer. Ces grandes malteries, aux murs épais, possédaient de nombreuses aires de maltages ; certaines brasseries avaient autrefois leur propre malterie, plus grande que la brasserie elle-même. Elles ont presque toutes été converties à d'autres usages, pour l'embouteillage ou comme entrepôt. D'autres ont été démolies, ou encore transformées en complexe industriel ou en centre commercial.

De façon générale, ce procédé traditionnel, qui réclamait une nombreuse main-d'œuvre saisonnière, fut abandonné quand la mécanisation se répandit dans l'industrie, au XIXe siècle.

À gauche – Blé, avoine et seigle peuvent être utilisés comme l'orge pour donner du malt à brasser. Oat Malt Stout est une bière traditionnelle d'Alloa, en Écosse.

Ci-dessous – Moissonneuse batteuse en action dans un champ d'orge. L'orge à malter est soumise à des contrôles de qualité rigoureux pour en vérifier le taux d'azote qui doit être peu élevé.

Ci-dessus – L'étiquette de la brasserie estonienne Saku évoque la moisson de l'orge.

À droite – La brasserie Efes de Turquie transforme chaque année dans ses malteries plus de 100 000 tonnes d'orge venant des plaines d'Anatolie centrale. Son malt est exporté vers les brasseries d'Amérique du Sud et d'Afrique.

Ci-dessous – Il existe plusieurs types de malts, dont le parfum et l'aspect diffèrent selon le touraillage.

Les malteurs commencèrent alors à chercher de nouveaux procédés. Vers 1870, un malteur belge nommé Galland inaugura la malterie pneumatique sur tambours perforés. Ce système fait passer le grain des cuves à de vastes cylindres métalliques hermétiques qui le retournent dans un lent mouvement rotatif.

À la même époque, le Français Saladin apporta une méthode de séchage efficace, le « système Saladin », qui faisait passer l'air à travers le fond perforé d'une case contenant le grain sur une épaisseur de 60 centimètres à 1 mètre. Amélioré plus tard en Allemagne, le procédé devint le Wanderhaufen, avec un déplacement lent du grain dans la case.

Ces nouveaux procédés, utilisables toute l'année, économisaient espace et main-d'œuvre. Il leur fallut cependant du temps pour s'imposer, en raison de leur coût et de problèmes mécaniques. De nombreux brasseurs préféraient le maltage sur aire, ce que certains d'entre eux partagent encore aujourd'hui.

Le marché international

Il fallut attendre la Seconde Guerre mondiale pour que le maltage mécanique soit totalement adopté, ce qui entraîna le développement et la concentration des malteries. Ainsi, vers 1970 en Angleterre, deux énormes compagnies, Associated British Maltsters (ABM) et Pauls & Sandars, dominaient entièrement le marché mondial du malt, en représentant plus de la moitié des ventes. Quelques compagnies possédaient des malteries dans plusieurs pays et exportaient dans le monde entier.

En fait, seul un tiers des pays fabricants de bière produisent du malt et huit pays seulement fournissent les trois-quarts des besoins mondiaux *(voir le tableau p. 35)*. Le maltage est lié à un approvisionnement régulier en orge, sur un marché international. Un pays céréalier comme l'Australie fournit ses voisins, y compris les Philippines. Quelques pays fabricants de bière, tel le Japon, ne possèdent aucune grande malterie et leurs brasseurs doivent importer la totalité de leur matière première.

La demande sans cesse croissante pour une orge de qualité déboucha sur un marché international de la céréale. Au XIXe siècle, le Danemark et la France étaient considérés comme d'excellents producteurs et leur orge était particulièrement convoitée. Une région d'Europe centrale recouvrant la Moravie, la Silésie et la Bohême avaient également bonne réputation et son orge, l'orge Saale, était très appréciée, surtout sur le marché de Hambourg. Vers 1930, les brasseurs se battaient pour acheter les récoltes dorées au soleil de Californie, du Chili et d'Australie.

Les variétés d'orges

Curieusement, l'orge de ce marché international ne provenait que d'un petit nombre de variétés originales. Vers 1820, le révérend J.-B. Chevallier remarqua un pied d'orge poussant dans le jardin d'un ouvrier anglais de Debenham (Suffolk). Il fut frappé par l'extraordinaire qualité de cette orge et en récolta la graine pour

Malt clair ou pâle

Malt cristal

multiplier ce qui devait devenir l'orge Chevallier. Archer est une autre variété anglaise populaire.

L'orge produit des épis de grains qui poussent en deux ou six rangées. Les variétés Archer et Chevallier ont six rangées. Les États-Unis préfèrent l'orge à six rangées.

Après la Seconde Guerre, Archer et ses hybrides Spratt-Archer et Plumage-Archer furent remplacées par Proctor, une orge mieux adaptée à la culture mécanisée. Parmi les variétés modernes, on trouve Triumph, Kym, Klages, Halcyon et Pipkin.

Quelques brasseurs plus traditionnels sont restés fidèles aux variétés moins productives (pour le fermier) mais ayant davantage de caractère et étant plus sûres (pour le brasseur), telles que Maris Otter et Golden Promise.

LES TYPES DE MALTS

Il existe divers types de malts, selon le touraillage. Sa couleur est d'autant plus sombre et son parfum plus riche que la température est élevée. Le mélange savant de différents malts produit des bières spécifiques.

Le malt pâle ou clair

C'est le malt habituel de la plupart des bières. L'orge est séchée dans la touraille pendant 48 heures, la température s'élevant lentement. Le malt pâle convient pour la pale-ale et les pilsners blondes. Quelques variétés spécifiques de pilsner sont à base de malts foncés. D'autres types sont parfois ajoutés au malt pâle.

Les malts ambré et brun

L'orge, chauffée à des températures plus hautes que pour le malt pâle, donne une bière cuivrée. Les malts ambré et brun sont plus rarement utilisés aujourd'hui. En Europe, le malt Vienne produit une bière rougeâtre.

LA PRODUCTION GLOBALE DU MALT	
États-Unis	2,89
Allemagne	2,20
Grande-Bretagne	1,69
France	1,20
Chine	1,09
Canada	0,77
Belgique	0,77
Australie	0,65
Autres pays	4,69
Total	15,95

(Chiffres donnés en millions de tonnes annuels.)

Le malt cristal

Lorsque la température s'élève très rapidement dans la touraille, l'enveloppe du grain disparaît en laissant le cœur dur, sucré et cristallin. Ce malt « cristal » donne à la bière un parfum puissant. Les sombres sont appelés *caramel,* les pâles *carapils.*

Le malt brun foncé ou chocolat

L'orge est chauffée régulièrement à 200 °C. Le malt chocolat présente un mélange de parfums grillés et une couleur sombre.

Le malt noir

C'est du malt chocolat presque brûlé. On l'utilise avec parcimonie, même dans les stouts et les porters, à cause de son goût très amer.

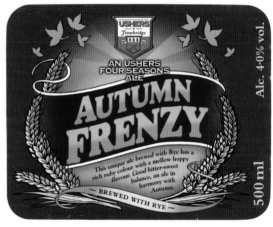

Ci-dessus – L'étiquette d'Autumn Frenzy évoque l'époque de la moisson.

Malt foncé ou chocolat

LE HOUBLON

Les cônes de houblon étaient autrefois ajoutés à la bière pour
qu'elle se conserve mieux. S'ils l'empêchent effectivement d'aigrir,
ils lui confèrent également son parfum et son goût amer caractéristiques.

Alors que le malt donne à la bière son corps et sa couleur, le houblon lui apporte sa personnalité en corrigeant de son arôme puissant et amer la douceur sucrée de la céréale. Le houblon est l'assaisonnement et l'épice de la farine d'orge.

Les communautés religieuses médiévales d'Europe centrale ont été les premières à brasser avec du houblon. Mais si les moines-brasseurs ont probablement bien accueilli le houblon, qui permettait de conserver la bière, d'autres intérêts furent la source d'une énergique résistance. Le puissant archevêque de Cologne, par exemple, qui jouissait d'un monopole sur les herbes utilisées pour parfumer la bière, essaya d'interdire l'usage du houblon.

Aux Pays-Bas, au XIVe siècle, de nombreux buveurs se mirent à préférer à leurs ales locales parfumées de « gruit » (mélange d'herbes) la bière au houblon de Hambourg, de l'autre côté de la frontière, en Allemagne. La noblesse hollandaise qui avait investi dans la vente des herbes essaya d'interdire les bières étrangères ou de leur appliquer de lourdes taxes. Cependant, la manœuvre échoua et, bientôt, les brasseurs hollandais fabriquèrent de la bière au houblon rivalisant avec celle de Hambourg. En contrepartie, Charles IV autorisa les nobles à prélever une taxe sur le houblon.

Parti des Pays-Bas, le houblon gagna l'Angleterre. Vers 1400, de la bière de houblon fut importée à Winchelsea, dans le Sussex ; peu après, les brasseurs flamands suivirent, installant leurs propres brasseries, au grand dam des fabricants d'ale anglais.

Ci-dessus – Avant la mécanisation, les ouvriers devaient monter sur des échasses pour atteindre les cônes de houblon sur les hautes tiges grimpantes.

Leur inquiétude était compréhensible, la bière de houblon se gardant beaucoup mieux que l'ale douceâtre, surtout en été. Ils furent tout d'abord soutenus par les autorités, Henry VIII interdisant même en 1530 l'usage du houblon au brasseur royal. Néanmoins, vers 1600, le houblon était largement utilisé et l'ale non houblonnée sur le déclin. James Howell, royaliste emprisonné pendant la guerre civile, écrivait en 1634 : « Depuis que la bière s'est houblonnée, les gens pensent que leur ale ancestrale est frelatée. »

LA CULTURE DU HOUBLON

Le houblon *(Humulus lupulus)* est une herbe grimpante, faisant partie de la famille du chanvre et parente éloignée du cannabis et de l'ortie.

La plante porte à la fois des fleurs mâles et femelles mais seules ces dernières formeront les cônes nécessaires au brasseur. Le cône femelle est composé d'inflorescences appelées bractées. Quand il mûrit, la base de ces bractées porte une substance jaune résineuse, le lupulin. Cette huile complexe, unique dans les annales de la botanique, contient les acides

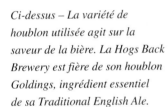

Ci-dessus – La variété de houblon utilisée agit sur la saveur de la bière. La Hogs Back Brewery est fière de son houblon Goldings, ingrédient essentiel de sa Traditional English Ale.

Ci-dessous – Le houblon est utilisé à demi broyé ou compressé sous forme de granulats.

alpha qui donnent au houblon son amertume caractéristique.

Le houblon réclame une terre profonde pour pousser, ses racines pouvant descendre à 2 mètres. Il prospère sous tous les climats tempérés, à condition qu'il pleuve suffisamment pendant sa croissance et qu'il y ait assez de soleil pour faire mûrir les fleurs.

Une croissance accélérée

La plante est coupée chaque année à ras de la racine. Au printemps, des tiges vigoureuses couvertes d'aspérités rudes surgissent du sol. Le cultivateur pose alors une armature de piquets et de fil de fer sur lesquels vont s'enrouler les tiges pour former les hautes plantes si caractéristiques. Les tiges peuvent pousser de 35 centimètres en un seul jour et finissent par atteindre 5 à 6 mètres de hauteur.

Les fleurs apparaissent en été et sont suivies par les cônes qui sont récoltés en début d'automne, récolte autrefois faite sur des échasses selon un procédé traditionnel qui a aujourd'hui laissé place à la mécanisation, plus facile et moins fatigante.

UN MÉTIER D'AUTREFOIS

Le houblon était autrefois cueilli à la main par des hordes d'ouvriers arrivant de la ville et habitant temporairement sur place dans des tentes ou des huttes. Pour de nombreuses familles pauvres des villes industrielles, la cueillette représentait les vacances annuelles, bouffée d'air frais loin d'une atmosphère viciée. Les ouvriers sont aujourd'hui remplacés par les machines.

Après la récolte, le houblon est mis à sécher lentement dans les séchoirs puis ensaché dans des sacs ou des poches (balles) pouvant atteindre 2 mètres, prêt à être brassé ou transformé. Les balles portent généralement l'emblème de la région de culture.

LES PRODUITS DÉRIVÉS DU HOUBLON

Bien que de nombreux brasseurs préfèrent encore intégrer le cône entier dans leur recette, on utilise couramment ses dérivés aujourd'hui. Deux tiers de la récolte mondiale sont traités avant d'être utilisés par le brasseur.

Ci-dessus – Le houblon (Humulus lupulus) *est l'ingrédient qui donne à la bière son amertume.*

Ci-dessous – Les sécheries à houblon traditionnelles, coiffées de leurs toits caractéristiques en chapeaux de sorcière, sont un élément typique du paysage des régions productrices de houblon.

Le sous-produit le plus simple est obtenu en réduisant les cônes sous la forme d'une poudre compressée par la suite en granulats. Facile à transporter et à manipuler, ce dérivé ne peut jouer le rôle de filtre réclamé par les brasseries traditionnelles.

L'extrait de houblon, semblable à de la mélasse et vendu en boîte, est une autre possibilité. Il est stable et efficace mais le goût de la bière risque d'être plus douceâtre qu'avec du houblon entier ou en granulats.

LES TYPES DE HOUBLONS

Les variétés de houblons d'arôme traditionnel donnent à la bière une saveur subtile et fine, ainsi qu'un bouquet alléchant. Au cours des dernières décennies, on a privilégié les variétés riches en acides alpha donnant plus d'amertume.

Des maladies cryptogamiques – dont le dessèchement dû au verticillium – ayant frappé de nombreuses houblonnières, on cherche avant tout aujourd'hui à créer des variétés résistantes.

Hybride Bramling

Hybride de 1920 entre un *Golding* anglais et du houblon sauvage canadien. Peu estimé autrefois à cause de son parfum de cassis, il est aujourd'hui apprécié pour la même raison.

Cascade

Houblon parfumé et fruité apparu en 1972.

Ci-dessus – Le houblon figure sur les étiquettes des marques de bière du monde entier.

Cristal

Houblon américain moyennement parfumé.

Fuggles

Introduit par Richard Fuggle dans le Kent en 1875. Aussi cultivé en Oregon (États-Unis). En Slovénie, où il s'est adapté aux conditions locales, il s'appelle *Styrian Goldings*.

Goldings

Apparu au XVIIIe siècle dans l'est du Kent. Son parfum floral sert pour l'ale anglaise traditionnelle en fût.

LES HOUBLONS RICHES EN ACIDES ALPHA

Admiral (Angleterre)
Brewer's Gold
 (Angleterre, Belgique
 et Allemagne)
Centennial (États-Unis)
Challenger (Angleterre,
 Belgique et France)
Chinook (États-Unis)
Cluster (États-Unis)
Eroica (États-Unis)
Galena (États-Unis)
Magnum (Allemagne)
Northdown (Angleterre)
Northern Brewer
 (Allemagne, Angleterre)
Nugget (États-Unis,
 Allemagne)
Orion (Allemagne)
Phoenix (Angleterre)
Pride of Ringwood
 (Australie)
Super Styrians (Slovénie)
Target (Angleterre,
 Allemagne et Belgique)
Yeoman (Angleterre)

Hallertauer Mittelfrüh

Houblon à l'arôme traditionnel de la région de Hallertau en Bavière, la plus grande région productrice de houblon du monde (un cinquième de la production globale). La maladie l'a presque fait disparaître.

Hersbrucker

Variété traditionnelle des monts de Hersbruck qui a remplacé la Hallertauer. Son arôme fait de la bière allemande la plus populaire de toutes. Cultivé dans la région de Hallertau en Bavière.

Huller

L'Huller est une nouvelle variété allemande parfumée, créée par l'Institut de recherche Hull de Hallertau.

Mount Hood

Variété de houblon américain créée en 1989 et dérivée de la Hallertauer allemande.

Perle

Nouvelle variété allemande également cultivée aux États-Unis.

Progress

Résistant au dessèchement, il fut introduit en Angleterre vers 1950, pour remplacer le Fuggles.

Quingdao da Hua

Dérivé de Styrian Goldings et principale variété de Chine.

Saaz

Cette variété classique de Zatec, en République tchèque, donne leur parfum floral aux pilsners de Bohème.

Select

Le Centre de recherche Hull de Hallertau a créé cette nouvelle variété allemande.

Spalter

Variété allemande traditionnelle surtout cultivée dans le Spalt près de Nuremberg.

Styrian Goldings

Principale variété de houblon de Slovénie.

Tettnanger

Variété allemande à l'arôme délicat, surtout cultivée dans le Tettnang, à la frontière suisse, près du lac de Constance.

Tradition

Malgré son nom, Tradition est une nouvelle variété allemande.

WGV

Whitbread Goldings Variety, résistante au dessèchement, a été plantée partout en Angleterre vers 1950.

Willamette

Variété américaine apparentée au Fuggles, apparue en 1976.

LA LEVURE

*Le malt, le houblon et l'eau, sans levure, ne produiront jamais de la bière. C'est
le catalyseur qui transforme en boisson la solution de céréale houblonnée, en
dissimulant son « pouvoir magique » sous un manteau vivant de mousse et d'écume.*

Les levures, ou *Saccharomyces Cerevisiae*, organismes vivants de la famille des champignons, consistent en une cellule unique et minuscule, invisible à l'œil nu, que l'on voit lorsqu'elle se multiplie jusqu'à atteindre plusieurs millions pendant le processus de formation de la bière.

Les cellules sphériques de la levure se reproduisent par bourgeonnement. Un bourgeon se forme sur la cellule mère puis s'en sépare en donnant une autre cellule. Dans de bonnes conditions (telle qu'une solution sucrée nutritive), les cellules peuvent se reproduire en 2 heures.

Ci-dessous – Louis Pasteur, d'après le portrait d'Albert Edelfelt, en 1885. Pasteur, qui donna son nom à la pasteurisation, découvrit que la levure était un organisme vivant.

L'AMIE DU BRASSEUR
Pendant le processus de fermentation, les cellules forment des flocons (floculation). Pour les bières à fermentation haute comme le stout, les flocons montent à la surface de la cuve ; dans la fermentation basse (lager), ils tombent au fond.

La levure tire l'énergie nécessaire à sa multiplication de la solution sucrée contenue dans le moût et fournie par le malt. Alcool et gaz carbonique forment les déchets de sa reproduction. En fait, la multiplication de la levure et la fermentation du moût ralentissent jusqu'à s'arrêter quand la solution contient trop d'alcool.

Ci-dessus – Seul un puissant microscope permet d'observer les cellules vivantes de la levure de bière.

De nombreux brasseurs gardent jalousement la même levure pendant des années. Chacune a ses propres caractéristiques. L'une se multiplie plus vite, l'autre fermente à température plus élevée. Chacune confère son parfum propre et à chaque levure spécifique correspond un type de bière.

Certains brasseurs laissent même la levure dans la bière pour ajouter encore à sa saveur. Les bières de blé allemandes hefe en sont un exemple classique.

À la fin de chaque brassage, le brasseur écume une partie de la levure pour la prochaine tournée. Le reste est pressé, séché et vendu comme complément alimentaire nutritif.

UN ORGANISME INDISCIPLINÉ
Au cours de sa multiplication, la levure peut devenir anarchique. Cet organisme imprévisible surprend souvent les laboratoires modernes et désespère les brasseurs qui recherchent avant tout la fiabilité.

La levure est parfois aussi difficile à contrôler qu'un animal sauvage, ce que peut vérifier quiconque observe une cuve de moût fermentant à gros bouillons. La levure possède une vie propre. Certains brasseurs la considèrent comme une amie imprévisible et la plupart s'accordent à trouver qu'elle est parfois surprenante. Si elle n'est pas traitée correctement, elle le fait aussitôt savoir.

UNE VIE SECRÈTE
Les scientifiques ont passé de nombreuses années à scruter cet agent secret de la bière à travers leur microscope, pour comprendre comment il agissait. En 1685, le Hollandais Leeuwenhoek fut le premier à décrire l'aspect de la levure. Il fallut cependant attendre le XIXᵉ siècle et les travaux de Louis Pasteur pour comprendre son vrai rôle.

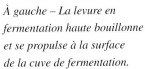

LOUIS PASTEUR

Pasteur est le père de la bière moderne. Ses travaux sur les levures permirent pour la première fois de comprendre ce qui se passait en cours de fermentation. Avant Pasteur, le mystère était aussi complet pour les brasseurs du début du XIXe siècle que pour ceux du Moyen Âge ou même de l'Égypte antique. La levure devenait parfois anarchique et la bière imbuvable, sans qu'on sache pourquoi. La plupart des compagnies s'attendaient à une perte de 20 % ou plus et devaient régulièrement détruire des cuvées entières de bière aigre.

La bière de la revanche

Pasteur était déjà célèbre quand il commença à étudier la bière en 1871. Son travail fut motivé par sa fierté patriotique, mise à mal par la défaite humiliante de la France dans la guerre franco-prussienne. Il commença ses recherches avec « la détermination de les mener à bien et d'en faire bénéficier une branche de l'industrie où nous sommes sans aucun doute surpassés par les Allemands », écrivait-il dans son œuvre *Études sur la bière*, publiée en 1876. Il baptisa d'ailleurs la nouvelle boisson « Bière de la Revanche nationale ».

En observant la levure à travers un microscope, Pasteur découvrit que c'était un organisme vivant ; il put dès lors identifier et isoler les éléments qui contaminaient la bière et causaient tant de problèmes aux brasseurs.

Ses travaux incitèrent J.-C. Jacobsen à construire à la fin des années 70, à la brasserie Carlsberg de Copenhague, un laboratoire moderne où un autre grand savant, Emil Hansen, réussit à diviser les levures en souches séparées. Hansen

À gauche – *La levure en fermentation haute bouillonne et se propulse à la surface de la cuve de fermentation.*

Ci-dessus – *Levure dormante déshydratée.*

Ci-dessus – *Au bout de 10 minutes, après l'addition d'eau et de sucre, la levure mousse et bouillonne.*

montra aussi qu'en prenant la souche appropriée après l'avoir isolée, il était possible de produire des bières fiables, ce qui révolutionna la technique du brassage.

La principale levure à fermentation basse, *Saccharomyces Carlsbergensis* porte le nom de la brasserie danoise.

DES SOUCHES MULTIPLES

Bien que les souches pures, isolées, soient plus fiables, de nombreux brasseurs préfèrent encore utiliser des souches multiples dont chacune réagit sur l'autre. Bass (Angleterre), par exemple, emploie deux souches et Pal (Belgique), quatre.

Comme leurs ancêtres, les brasseurs belges de lambics se servent encore des levures naturelles dont les spores se dispersent spontanément dans l'air pour fermenter leur bière.

À manier avec précaution

La levure doit être maniée avec précaution tant il est facile de rompre le délicat équilibre des souches multiples, en apportant d'autres microbes par exemple, ou simplement par un nouveau matériel. La propreté est capitale. Un nouvel équipement ou une forme différente de cuve de fermentation peuvent changer les caractéristiques de la levure, et donc le goût de la bière.

Ci-contre – *La brasserie Carlsberg, où Emil Hansen fit d'importantes découvertes sur les levures de bière.*

LES AUTRES INGRÉDIENTS

Bien que les quatre ingrédients de base – eau, malt, houblon et levure – soient suffisants à fabriquer de la bière, les brasseurs leur ajoutent souvent d'autres substances, pour obtenir un arôme différent ou pour en baisser le coût.

Le brasseur n'est pas obligé de s'en tenir aux quatre matières premières de base et il existe autant de recettes et d'ingrédients potentiels que de bières. Outre la grande variété de malts, de houblons et de qualités d'eau, de nombreux autres produits peuvent être ajoutés au mélange pour donner une recette originale, chaque bière ayant son goût propre. L'apport d'ingrédients supplémentaires peut également permettre de réduire les coûts où d'améliorer la couleur, par exemple.

LES ADDITIFS

Certains brasseurs ajoutent d'autres substances au moût en plus du malt. Ces « additifs » sont mélangés à la farine de malt. Si le malt est rare ou cher, on peut le remplacer par d'autres ingrédients moins coûteux. Parfois cependant, les additifs servent simplement à rehausser la saveur de la bière. En particulier, on ajoute souvent des céréales non traditionnelles aux moûts des bières légères.

Les brasseurs qui refusent la tentation des additifs appellent fièrement leurs bières des « pur malt ».

Le sucre

L'additif le plus courant est le sucre, en bloc ou en sirop. Il fermente facilement et donne rapidement beaucoup d'alcool mais ne donne guère de corps à la bière. Le sucre cuit ou caramélisé remplace parfois les malts colorés pour foncer la bière. Les brasseurs belges utilisent souvent un sucre candi moins raffiné, particulièrement apprécié en Afrique où l'orge est rare. La sucrose, par exemple, est l'un des principaux ingrédients de la Castle Lager des South African Breweries.

Ci-dessous et à droite – Kriek est une recette belge traditionnelle qui comprend des cerises pour une bière rouge acide et fruitée.

Les pétales de maïs

Les pétales de maïs, largement utilisés, remplacent parfois, dans quelques brasseries américaines, la moitié du moût, en donnant une bière blonde et très sèche.

Le riz

Le riz, comme le maïs, peut remplacer en partie le malt. La Budweiser de Anheuser-Busch (États-Unis), meilleure vente de bière au monde, doit au riz son goût acide et net.

Le froment torréfié

On ajoute cette céréale grillée pour empêcher la mousse de retomber.

Les extraits de malt

Le sirop de malt permet d'obtenir plus de bière sans augmenter la capacité de la cuve de moût. Il est également apprécié des particuliers qui souhaitent brasser leur propre bière sans avoir à effectuer les opérations préalables.

L'orge grillée

L'orge grillée non maltée sert parfois pour foncer la bière. Elle lui donne un goût râpeux, sec. Une petite quantité ajoutée au moût apporte son amertume bien particulière au classique stout irlandais Guinness.

LES AGENTS DE SAPIDITÉ

Parfumer la bière est une vieille tradition. Avant l'avènement du houblon, les brasseurs fabriquaient pour cela leur propre mixture, le gruit, chaque recette restant secrète. Le gruit contenait souvent des herbes, des épices ou des fruits, comme le genévrier ou le myrica. La tradition a disparu dans la plupart des pays, mais quelques brasseurs lui sont encore fidèles et les fabricants belges, par exemple, n'ont jamais abandonné leurs bières fruitées ancestrales. Avec la renaissance des petites brasseries, on voit réapparaître des parfums originaux.

Les épices

La bière au gingembre est un reliquat non alcoolisé de la prohibition, mais le gingembre parfume aussi les bières alcoolisées.

Les herbes

L'apport d'herbes comme la coriandre pour parfumer le moût est une ancienne tradition reprise par Hoegaarden.

Les fruits

Zeste d'orange et de citron, pomme, framboise, cerise et banane parfument la bière avec plus ou moins de succès. Les nouvelles bières aux fruits, conçues par des spécialistes en marketing, sont le plus souvent parfumées avec du jus ou de l'extrait de fruit. Dans quelques recettes traditionnelles, les fruits servent à la fois à parfumer et à produire une fermentation secondaire. Deux bières belges, Kriek et Frambozen, utilisent des cerises et des framboises.

Ci-dessous – Hoegaarden est épicée avec des graines de coriandre et du zeste d'orange.

Le miel

Le miel, l'un des plus anciens agents de sapidité, est utilisé depuis des siècles dans la cuisine et pour les boissons.

Le piment

Les bières offrant un piment entier dans la bouteille sont une innovation récente, probablement apportée par la mode des lagers mexicaines des années 80.

LES ADDITIFS INTERDITS

Les brasseurs peu scrupuleux ont toujours été un problème pour les autorités qui, depuis des siècles, essaient de légiférer sur ce sujet. Un additif interdit mais courant au XIXe siècle était le sel, utilisé pour « allonger » la bière et obtenir deux ou trois tonneaux à partir d'un seul. L'illustration ci-contre (*Illustrated London News*, 1850) montre un brasseur ajoutant un bloc de sel dans la bière. On allongeait aussi la bière avec de l'eau ou de la mélasse.

LE BRASSAGE

*Brasser est facile, si tout va bien ! Autrefois, le succès
de l'opération était dû en grande partie au hasard, les
transformations chimiques du moût restant encore mystérieuses.*

Pendant des siècles, le brassage fut réservé aux femmes et faisait partie de leur rôle traditionnel de ménagères. Au XIXᵉ siècle, dans la province allemande du Mecklenburg, les jeunes mariées faisaient la prière suivante :

> « Seigneur,
> Quand je brasse, aide la bière
> Quand je pétris, aide le pain. »

Les premiers brasseurs comptaient souvent sur l'intervention divine ou sur celle du diable. Si une cuvée ratait, le brasseur n'avait guère d'autre choix que de se lamenter, de jeter la bière aigre, de nettoyer les cuves et de recommencer après avoir vérifié les quantités de malt, de houblon, de levure et d'eau.

L'industrie subit de grands changements au cours du XIXᵉ siècle, à la suite des découvertes scientifiques (comme celle de Pasteur prouvant que la levure était un organisme vivant) et des innovations technologiques (invention de la machine à vapeur).

Au XXᵉ siècle, la fabrication de la bière devint une industrie internationale régie par des multinationales.

Même à notre époque, pourtant caractérisée par le souci de précision scientifique et des contrôles systématiques, il arrive que des cuvées entières soient gâchées et beaucoup d'argent perdu. Les techniciens et les experts essaient de résoudre les problèmes au fur et à mesure qu'ils se posent.

Depuis peu, le brassage prend un nouvel essor, et des petites brasseries fabriquant de la bière traditionnelle apparaissent dans le monde entier.

Ci-dessus – Vue extérieure d'une brasserie allemande du XVIᵉ siècle. Des mules livrent le malt et le houblon, tandis que des charrettes attelées de chevaux transportent les tonneaux de bière jusqu'aux tavernes.

Page de gauche – Brasseur versant du houblon dans une cuve en cuivre.

Ci-contre – Cuves d'une brasserie moderne de Sheffield.

LES PRINCIPES DE BASE

Les méthodes de base ont peu changé depuis l'époque où le brassage n'était qu'un travail ménager, de même que pour la cuisson du pain. Les cuves sont plus grandes et plus compliquées, mais le principe reste le même.

Quand le malteur a livré son malt et que le houblon est arrivé, en granulats ou en cônes entiers séchés, le brasseur est prêt à exercer l'un des plus anciens métiers du monde. Peu importe qu'il s'agisse d'une énorme fabrique citadine ou de la petite arrière-salle d'une taverne ou d'un estaminet, le processus de base reste le même.

L'EXTRACTION DES SUCRES

La première étape de la fabrication de la bière est l'extraction des sucres contenus dans le malt, que ce dernier soit à base d'orge, de blé ou de toute autre céréale. Les grains sont concassés dans des broyeurs en un mélange grossier, la farine de malt, qui est ensuite mélangée avec de l'eau chaude (empâtage) pour donner une pâte à l'odeur douceâtre que l'on laisse reposer dans la « cuve-matière ». Il existe deux procédés d'extraction des sucres du malt, l'infusion et la décoction.

Le brassage par infusion

Le chaud mélange est laissé dans la cuve pendant 2 heures environ, et arrosé plusieurs fois d'eau chaude pour que les sucres de la farine de malt se dissolvent complètement, en donnant un liquide épais mélangé aux résidus des céréales, les drêches. Le moût est ensuite séparé des drêches (utilisées comme aliment pour le bétail) par filtration à travers des plaques percées dans la base de la cuve.

Ce procédé relativement simple est le plus employé pour brasser l'ale.

Le brassage par décoction

Avec ce procédé plus complexe, généralement utilisé pour les bières à fermentation basse, comme les pilsner, le malt est empâté en une seule fois dans la cuve-matière ; l'élévation de température s'obtient par le prélèvement d'une certaine quantité de moût – la maische ou trempe – que l'on porte à ébullition dans la chaudière à trempe, et que l'on introduit bouillante dans la cuve-matière.

Le but de la décoction est d'extraire du malt le plus de sucre possible, en chauffant la maische à des températures variables, ce qui est particulièrement important pour le brassage des lagers, qui se fait avec du malt moins foncé et contenant donc moins de sucre. Le brasseur cherche à obtenir un taux d'extraction de sucre maximum en faisant une double et parfois une triple décoction, sur plusieurs heures.

La méthode par décoction est généralement associée à une autre cuve filtrante, la « cuve lauter », qui contient des lames rotatives ouvrant le fond de la maische, afin de permettre au moût de s'écouler plus facilement.

Ci-dessous – Femme africaine assise devant sa case, en Zambie, et brassant la bière qu'elle a fabriquée pour la famille.

LE BRASSAGE

Certains ustensiles utilisés dans le brassage gardent le nom qui leur était attribué au temps du brassage artisanal. La cuve à bouillir ou chaudière à moût par exemple, cuve dans laquelle est versé le liquide extrait du malt, n'était en effet autrefois qu'une simple bouilloire, traditionnellement en cuivre rutilant. Aujourd'hui, dans les grandes brasseries, les cuves à bouillir sont généralement fermées et chauffées de l'intérieur par des serpentins à vapeur. Dans ces cuves, a lieu le brassage proprement dit, le liquide étant mis à bouillir avec le houblon pendant 1 heure ou davantage. On incorpore un peu de houblon dès le départ de l'ébullition, afin de faciliter la clarification et donner de l'amertume.

En fin de cuisson, on rajoute parfois du houblon qui va bouillir juste assez longtemps pour communiquer son parfum.

LA TRANSFORMATION DU SUCRE EN ALCOOL

Quand la cuisson est terminée, le moût passe ensuite à travers un filtre, pour éliminer les restes de houblon. On peut aussi le passer dans une centrifugeuse qui permet d'extraire les protéines indésirables, avant de le refroidir pour le préparer à la fermentation.

Le moût était autrefois refroidi dans des grands bacs ouverts à l'air ; dans les brasseries modernes, on accélère le processus grâce à des échangeurs de chaleur ou des éléments réfrigérants.

La fermentation

Lorsque le moût est dans les cuves de fermentation, on lui ajoute la levure. Pendant 4 à 8 jours, les millions de minuscules cellules du champignon vont festoyer sur le moût riche en sucre et le transformer en alcool au cours de leur cycle naturel de vie, tout en produisant du gaz carbonique.

À gauche – Cuve filtrante utilisée pour le brassage par décoction dans la fabrication des bières à fermentation basse.

Ci-dessus – Dans les lagers de fermentation basse, la levure tombe en bas de la cuve de fermentation.
Ci-dessous – Énormes cuves en cuivre rutilant de la brasserie Saku, en Estonie.

Avec les ales à fermentation haute, la levure reste en surface, dans un bouillonnement tumultueux qu'il faut parfois écumer pour l'empêcher de déborder. Avec les bières à fermentation basse, la levure finit par tomber dans le fond de la cuve de fermentation.

La taille et la forme des cuves de fermentation sont variables, allant des petites cuves rondes en bois aux vastes réservoirs inoxydables. Le système le plus simple et le plus ancien se compose de grands tonneaux où la levure bouillonne jusqu'à la bonde. Les brasseries modernes ont une préférence pour les grandes cuves de fermentation coniques. Quand la fermentation est terminée, on extrait la levure à la base de la cuve.

LA MATURATION ET LA GARDE

Après la vigoureuse fermentation centrale, le liquide décanté, appelé « bière verte », est acheminé dans des tanks de garde où on le laisse reposer et s'affiner.

La longueur et la nature de cette dernière opération diffèrent selon les bières. Rapide pour certaines ales peu alcoolisées, cette fermentation complémentaire peut durer, pour les bières à fermentation basse à température proche de 0 °C, plusieurs semaines voire plusieurs mois pendant lesquels la bière s'affine et se clarifie.

La mise en fûts ou en bouteilles accélère la formation du gaz carbonique qui donne sa mousse à la bière quand on la verse dans le verre.

Certains brasseurs ajoutent un peu de moût fermenté à la première bière pour encourager la fermentation finale. Une méthode plus moderne

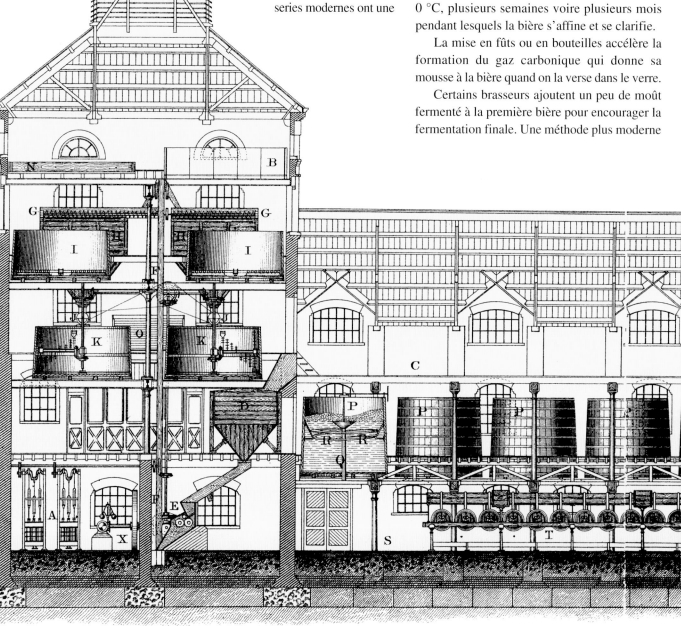

consiste à introduire du gaz carbonique supplémentaire dans la bière, à l'aide d'une pompe.

La plupart des bières sont filtrées à la brasserie. Certaines brasseries utilisent un minerai naturel, le kieselguhr, sur de fins tamis ; d'autres préfèrent les filtres à masse de cellulose.

Certaines bières traditionnelles sont versées directement dans des fûts en bois ou en métal, ou bien dans des bouteilles destinées directement à la vente, sans filtrage ni autres transformations.

La colle de poisson ou de gélatine animale peut également clarifier la bière, par la méthode dite de « collage ».

On ajoute aussi parfois du sucre dans la bouteille ou le fût, afin de favoriser la fermentation, et du houblon séché dans le tonneau pour donner un supplément d'arôme. Certains brasseurs incorporent même de la levure à ce stade.

Les bières de garde en tonneau ou en bouteille s'affinent jusqu'au moment où on les sert, en développant de complexes parfums fruités.

Ci-contre – Cuve de fermentation de la brasserie Truman, dans l'East End de Londres, au début du XIXᵉ siècle.

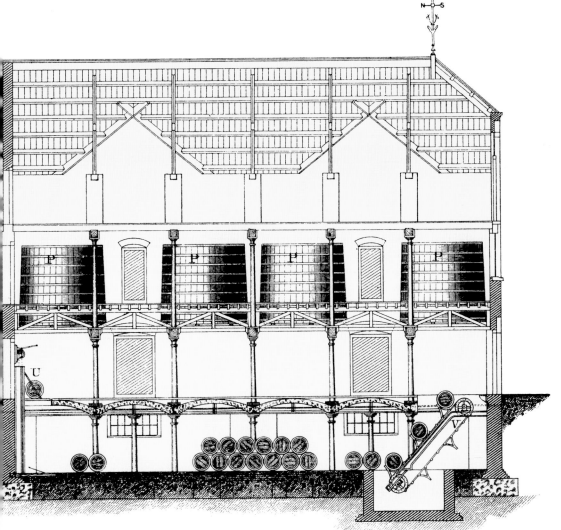

Ci-contre – Coupe transversale d'une brasserie au XIXᵉ siècle, illustrant le trajet complexe parcouru par les ingrédients pendant le brassage. Si les brasseries modernes ont un aspect différent, on y trouve encore en partie les mêmes éléments, telles les cuves à moût.

A Pompes
B Réservoir d'eau froide
C Réserve de malt
D Trémie à farine de malt
E Rouleaux entraîneurs
F Élévateur
G Concasseur à malt
H Caisses à farine de malt
I Cuves à eau chaude
J Machines à empâter
K Cuves à maische
N Bac refroidisseur
O Réfrigérant
P Cuves de fermentation
Q Dispositif pour écumer
R Régulateur de température
S Salle des cuves
T Tonneaux de garde
U Appareil pour descendre
   les tonneaux
V Appareil pour monter
   les tonneaux
X Machine à vapeur

UNE TECHNOLOGIE DE POINTE

Bien que les principes du brassage soient restés les mêmes, la seconde moitié du XXᵉ siècle a vu apparaître un certain nombre d'améliorations dans la technologie.

L'industrie de la bière, à l'instar de toutes les grandes industries, a toujours cherché à améliorer ses procédés de production et à réduire ses coûts. La chimie du brassage et les transformations biologiques qu'il implique sont aujourd'hui parfaitement connues, ce qui permet de mieux le contrôler. La part du hasard est devenue négligeable, la science permettant de surveiller chaque étape de la fabrication, ainsi que la qualité du produit fini. Les grosses usines sont dirigées par une armada d'ordinateurs, et l'importance du marché et de la production a permis de réduire au maximum les coûts du producteur. Il faut dire cependant que l'avancée technologique n'a guère ajouté à la qualité de la bière.

Ci-dessus – Les procédés modernes complexes sont aujourd'hui gérés par ordinateur.

Ci-dessus – Les brasseries Dominion de Nouvelle-Zélande inaugurèrent le système de production en continu.
Ci-dessous – La bière est vérifiée à chaque étape pour assurer la qualité du produit fini.

L'AUGMENTATION DE LA PRODUCTION

Le brassage se fait normalement par lots, chaque bière l'une après l'autre, en suivant le processus du début à la fin, des matières premières au produit fini.

Avec ce système et pendant un certain temps, le matériel nécessaire à chaque étape reste inutilisé en attendant le prochain lot. On doit également nettoyer et préparer les cuves entre chaque brassage.

Cette période d'attente est évidemment réduite au minimum pour les grosses productions, les lots se succédant rapidement. Certaines compagnies cependant pensaient pouvoir réduire considérablement leurs coûts en utilisant une méthode de brassage en continu, moût et bière en fermentation traversant la brasserie selon un flot ininterrompu.

La méthode fut inaugurée dans les années 50, par Morton Coutts des brasseries Dominion de Nouvelle-Zélande, avant que Watney's l'introduise en Angleterre vers 1970. Mais la réduction des coûts ne fut pas à la hauteur des espérances et le goût de la bière s'avéra, en outre, décevant.

Le système à haute densité

Le brassage haute densité, beaucoup plus répandu, est une autre méthode pour accroître la production. Avec ce système, on produit une bière plus forte que le produit fini, pour la diluer ensuite avec de l'eau afin de la ramener à la densité requise, technique ressemblant à celle de la fabrication du jus de fruit.

Le brassage haute densité permet au brasseur de produire davantage de bière au sein de la même brasserie.

Quelques compagnies vont plus loin dans ce procédé, en brassant une seule bière de haute densité qui est ensuite diluée pour donner des bières de forces variées, lesquelles, par l'addition de divers parfums, colorants et extraits, seront commercialisées sous la forme d'une gamme de différents produits.

LA BIOLOGIE AU TRAVAIL

Les progrès de la biotechnologie et de la génétique permettent aujourd'hui de contrôler le processus de fermentation en changeant la nature de la levure. Certains brasseurs, notamment aux États-Unis, utilisent des enzymes pour accélérer le processus du brassage.

Les sciences biologiques permettent également de combattre la contamination, par le développement des procédés de désinfection et de nettoyage du matériel de la brasserie.

La pasteurisation

La pasteurisation est aujourd'hui couramment employée pour prolonger la vie du produit en rayon et sa stabilité. En fait, toutes les bières en canettes et de nombreuses bières en bouteilles sont pasteurisées, de même que sont pressurisées les bières en tonneaux vendues dans les bars.

Au cours de la pasteurisation, la bière est chauffée pour tuer toutes les bactéries éventuelles qui pourraient la faire surir. Une des méthodes de pasteurisation consiste à asperger les bouteilles ou les canettes soit avec de l'eau très chaude pendant 1 heure, soit avec de l'eau bouillante ou de la vapeur pendant 1 minute environ.

Si la pasteurisation débarrasse la bière de tout organisme indésirable, elle tue également la levure, ce qui altère inévitablement son parfum et son caractère. Du gaz carbonique est généralement réintroduit dans les bières pasteurisées pour leur donner une apparence de vie et une mousse acceptable quand on les verse dans un verre.

Pasteur, qui inventa en fait le procédé pour le vin et non pour la bière, écrit dans une note de son ouvrage *Études sur la bière* :

«Ce procédé convient mieux au vin qu'à la bière, le parfum délicat de cette dernière étant altéré par la chaleur.»

Certains grands brasseurs de lager, comme Grolsch, ont prouvé qu'il était possible de vendre à l'échelle de la grande distribution, des bières non pasteurisées.

Ci-dessus – La brasserie moderne de Sapporo, à Hokkaido au Japon, a fait du brassage une véritable science.
Ci-dessous – Ces tanks à lager géants devant une brasserie allemande soulignent l'importance des brasseries modernes.

DE LA BRASSERIE AU VERRE

L'avènement des tonneaux et des canettes métalliques a produit une révolution dans le conditionnement et la vente de la bière. Régularité et fiabilité ont été améliorées mais souvent au détriment de la qualité et du caractère.

Ci-dessus – Si le premier souci du brasseur est de brasser la bière, le second est de l'amener jusqu'au verre. Ci-dessous – Un tonnelier et son apprenti au travail dans l'atelier de la brasserie.

Jusqu'au XXᵉ siècle, la bière était surtout consommée dans les cafés et les tavernes, directement tirée de tonneaux en bois, installés sur des porte-fûts ou chantiers permettant de les incliner pour les vider. Si les tonneaux se trouvaient dans une cave, on tirait la bière au comptoir par l'intermédiaire d'une tireuse ou pompe à bière. Le brasseur possédait généralement sa tonnellerie où l'on fabriquait et entretenait les fûts, et les hautes pyramides de tonneaux dans la cour des brasseries étaient un spectacle familier.

L'ÉVOLUTION DES TONNEAUX

La tonnellerie ou l'art de fabriquer et réparer les tonneaux en bois était essentielle à l'industrie du brassage, la bière ne pouvant arriver jusqu'à l'amateur assoiffé attendant au comptoir que par l'intermédiaire des tonneaux. Les fûts devaient être assez solides pour supporter le transport et arriver intacts aux tavernes des environs. Ils devaient également résister à la

Ci-dessus – De nos jours, certains brasseurs conservent la bière dans des tonneaux en bois, maintenant ainsi le métier traditionnel de tonnelier.

pression de la bière en fermentation, pour qu'elle ne se répande pas. Le chêne de Memel, sur la Baltique, exporté dans le monde entier, fournissait un bois à la fois solide et flexible, incomparable pour cet usage.

La tonnellerie était un métier difficile et il fallait 5 années aux apprentis pour le maîtriser. Certaines grandes brasseries employaient des centaines de tonneliers. Vers 1880, à Burton-on-Trent, en Angleterre, les hangars de Bass servant aux réserves de bois couvraient plus de 12 hectares.

Une révolution dans la tonnellerie

L'apparition sur le marché, vers 1930, de fûts métalliques en acier inoxydable ou en aluminium fit presque disparaître les tonnelleries. Ces barils plus légers et moins coûteux réclamaient aussi moins d'entretien que le bois. En 40 ans, les nouveaux venus avaient largement remplacé les tonneaux en bois faits à la main.

Quelques brasseries cependant restèrent fidèles aux fûts traditionnels en chêne,

*Ci-dessus – La technologie a permis
le développement des usines
d'embouteillage et de mise en boîte.*

*Ci-dessus – La tradition et la modernité.
Haquet d'autrefois tiré par des chevaux
et chargé de fûts métalliques modernes.*

en raison du parfum et de la couleur donnés par le bois à la bière mais aussi parce qu'en été, un tonneau en bois protège mieux cette dernière des méfaits de la chaleur.

LA BIÈRE EN BOUTEILLE

L'industrie de la bière a longtemps cherché à commercialiser sa production par petites quantités et sous une forme plus facile à transporter, permettant la vente aux particuliers. La bière en bouteille est plus ancienne qu'on l'imagine.

Les contenants en terre cuite existent depuis des siècles et les bouteilles en verre fabriquées à la main, conçues au XVIIe siècle, étaient particulièrement appréciées pour l'exportation.

La bière en bouteille se développa lorsqu'au milieu du XIXe siècle apparurent les machines à vapeur permettant de fabriquer ces dernières. Grâce à la mécanisation, on pouvait produire et remplir les bouteilles beaucoup plus rapidement et à moindre coût, et les brasseurs avaient la possibilité de créer des bouteilles aux formes spécifiques, produites en série.

Les problèmes de bouchon

La plupart des premières bouteilles de bière étaient brunes ou vertes, pour empêcher la lumière d'y pénétrer et d'en gâcher le contenu.

On utilisa tout d'abord le bouchon de liège, comme pour le vin mais, en 1872, un Anglais,

Henry Barrett, fit breveter le bouchon à vis qui permettait de refermer la bouteille.

La capsule métallique, brevetée par un Américain, William Painter, apparut 20 ans plus tard. Si elle ne permet pas de refermer la bouteille, elle est très bon marché et se prête parfaitement à une production en série. C'est aujourd'hui la méthode la plus employée pour boucher les bouteilles de bière.

Le retour à la tradition

Le marché de la bière en bouteille ne prit son essor qu'après 1900. Le verre laissait voir une bière brillante, pétillante et appétissante. Le contenu des bouteilles était de plus en plus froid, filtré, pasteurisé et chargé en gaz carbonique.

Depuis peu, on voit réapparaître des bières en bouteilles plus parfumées, avec un léger dépôt, et qui continuent à s'affiner après la mise en bouteilles, comme la célèbre ale de l'abbaye d'Orval (Belgique) qui contient un épais dépôt.

En France, la bière de garde est mûrie traditionnellement en bouteille (souvent de la forme de bouteilles de vin fermées par un bouchon de liège) et se bonifie avec l'âge, comme le bon vin.

*Ci-dessous – Bouteilles de bière
de garde française à bouchon
de liège traditionnel, provenant
des fermes du Nord.*

L'APPARITION DU PACK DE SIX

La canette en métal, sans doute le conditionnement le plus pratique pour la bière, apparut au cours des années 30. Les aliments solides et les soupes étaient vendus en boîtes depuis le XIXᵉ siècle, mais la bière posait quelques problèmes. La boîte devait pouvoir supporter sans éclater les très hautes pressions dues à la fermentation. Le métal donnait en outre un goût au contenu, quel qu'il soit. Enfin, les boîtes en métal étaient alors plus chères que les bouteilles en verre et les brasseurs s'en désintéressèrent totalement.

Une percée sur le marché

Après la fin de la prohibition aux États-Unis, les ventes de bière montèrent en flèche et les fabricants de boîtes américains attendaient avec impatience l'occasion de faire une percée sur un marché dominé par le verre. Une société, CanCo, réussit à créer une boîte en fer-blanc doublée à l'intérieur et capable de résister à de hautes pressions. En 1933, elle

Ci-dessus – Une des premières canettes de Coronation Brew.

persuada la brasserie Kreuger de Newark, New Jersey, d'essayer la bière en canette. L'essai fut concluant et, en janvier 1935, la compagnie lança sur le marché deux marques de bière en canette, Kreuger's Finest Beer et Cream Ale.

Un accueil favorable

Le public accueillit favorablement les canettes, plus faciles à transporter et à ranger dans les réfrigérateurs qui faisaient alors leur apparition dans chaque cuisine. Les autres compagnies ne furent pas longues à saisir cette nouvelle astuce de marketing et, à la fin de l'année, 37 brasseries dont les géants Pabst et Schlitz avaient adopté les canettes. L'ère des packs de six avait commencé aux États-Unis.

La mode des bières en canette se répandit peu à peu, les usines américaines tournant à plein régime et les Européens commençant à s'intéresser à cette révolution dans le conditionnement. La première brasserie d'Europe à

Ci-dessus – Les brasseurs du monde entier ont aujourd'hui surmonté leur réticence des débuts et adopté le conditionnement en canette.

À droite – L'image de la bière s'est tellement améliorée après la fin de la prohibition que, dans les années 50, on pouvait voir des canettes de bière à côté des denrées alimentaires dans les réfrigérateurs qui faisaient alors leur apparition au sein de la plupart des cuisines américaines.

À gauche – Le dernier cri en matière de conditionnement est peut-être cet emballage en carton, que l'on voit ici au Malawi.

vendre de la bière en canette fut la Felinfoel Brewery de Llanelli, au Pays de Galles. Pour tenter de relancer l'industrie locale du fer-blanc, elle sortit sa pale-ale en canette en décembre 1935.

La réticence des brasseurs

L'insistance des fabricants de canettes finit par avoir raison de la réticence des brasseurs, réticence compréhensible : la canette en effet, n'étant pas un conditionnement idéal pour les bières de qualité. C'était au mieux un emballage pratique et jetable mais la saveur et l'arôme de son contenu laissaient beaucoup à désirer. Cependant, les canettes en aluminium bon marché faisant leur apparition, il devenait difficile de résister à cet argument économique.

Le fait que très peu de vins soient conditionnés en canettes est assez significatif, de même que la réticence des consommateurs à accepter pour leurs bières favorites, dans certains pays amateurs de bière comme la République Tchèque et l'Allemagne, ces contenants de qualité inférieure.

En Grande-Bretagne, où la bière à la pression a une longue tradition, les brasseries ont fait d'importants efforts et dépensé beaucoup d'argent pour essayer de donner aux produits à emporter la même apparence et la même saveur que la bière servie dans les pubs. Au début des années 90, les fabricants annoncèrent à grand renfort de publicité l'arrivée dans les canettes d'un nouveau gadget.

Ce petit dispositif en plastique fixé dans le fond de la canette, dégage, lorsqu'on ouvre cette dernière en tirant sur l'anneau, un jet d'azote qui donne aussitôt une mousse épaisse et crémeuse. Si cette ingénieuse invention améliore sans aucun doute l'aspect de la bière, elle ne semble guère lui donner un meilleur goût.

Ci-dessous – Les canettes sont stérilisées, remplies et fermées, en série et à une vitesse prodigieuse, sur les chaînes de fabrication.

UN PANORAMA DES BIÈRES

Demander « une bière » est une commande plutôt vague. Beaucoup considèrent que cette boisson sert tout juste à étancher la soif et à enivrer. Mais la bière est beaucoup plus qu'une pilsner bien froide par un jour d'été. Une bonne bière doit se déguster.

L'attente fait partie du plaisir. Versez lentement votre bière dans un verre propre, en laissant une bonne hauteur de mousse. Prenez ensuite le temps de la contempler et d'admirer sa couleur ; même un stout sombre peut cacher un rubis dans ses profondeurs. Ne vous inquiétez pas si elle n'est ni brillante, ni pétillante. Certaines bières levurées – les bières allemandes au froment par exemple – sont toujours troubles. Savourez ensuite son « nez », arôme subtil ou fragrances fortes, tous aussi alléchants. Enfin faites-la rouler dans la bouche pour mieux en apprécier toutes les sensations gustatives. Puis avalez, et attendez. Découvrez les saveurs qu'elle laisse sur le palais. Une bonne bière doit être longue en bouche mais sans jamais s'arrêter dans la gorge.

En général, la bière est meilleure à la pression et dans le pub ou le café le plus proche de la brasserie. Dans de nombreux pays, on la trouve au cœur de la communauté : pub anglais chaleureux, taverne allemande, bar tchèque bondé ou comptoir du bord de route en Afrique. Goûter à la bière locale est une bonne façon de rencontrer les gens du pays, qui sauront probablement vous renseigner sur les meilleurs crus. À chaque occasion ou presque correspond une bière spécifique, lager très froide parfaite pour la plage par exemple, ou framboise rose idéale pour l'apéritif.

Ci-dessus – Les bières belges de type Saison doivent être dégustées dans des verres à pied.

Ci-dessus – Biergarten (« jardin de bière ») allemand.
Page de gauche – Les cavaliers du XVIIe siècle arrosaient de bière le bœuf du petit déjeuner.

Ci-dessus – Groupe de Zambiens dégustant une bière artisanale, après la journée de travail, sur le bord de la route.

LES TYPES DE BIÈRES

« Bière » est un terme générique recouvrant aussi bien les ales chaleureuses que les gueuzes piquantes. On peut, jusqu'à un certain point, classer l'infinité des saveurs, couleurs et arômes en groupes aux caractéristiques similaires.

Ci-dessus – Les noms des bières d'abbaye peuvent être trompeurs, la plupart étant aujourd'hui brassées sous licence par des sociétés commerciales.

Ci-dessous – L'ale est un terme générique et pratique qui désigne généralement de la bière à fermentation haute.

Les journaux et magazines se penchent régulièrement sur les mystères et merveilles du vin mais la bière, elle, fait figure de parent pauvre. Depuis peu cependant, les écrivains commencent à lui accorder une certaine attention. Si le vin n'est composé que du seul raisin, la bière, beaucoup plus complexe, nécessite deux ingrédients, l'orge et le houblon, réunis dans un subtil équilibre. Les variétés de houblon sont aussi nombreuses que celles de raisin et il existe toutes sortes de malt, de céréales et d'épices. Jamais les bières locales et leurs différentes qualités n'ont suscité autant d'intérêt, et les amateurs apprécient de plus en plus les bières du monde entier.

ABBAYE (BIÈRES D')

Les bières d'abbaye, ales fortes et fruitées, sont brassées en Belgique par des sociétés commerciales, parfois sous la licence de congrégations religieuses, selon les recettes des abbayes. Elles portent souvent le nom d'une église ou d'un saint. Elles comprennent entre autres la Leffe d'Interbrew, la Grimbergen de Union Brewery et la Maredsous de Moortgat. (*Voir Trappiste, p. 68.*)

ALE

Le mot ale est un terme vague recouvrant toute bière à fermentation haute. C'est l'une des deux branches principales de la famille des bières, l'autre étant la lager. Des deux, l'ale est la plus ancienne et remonte à des millénaires. Les ales sont produites surtout en Angleterre.

ALT

Alt est un mot allemand signifiant « ancien » ou « traditionnel » et, dans l'*altbier*, il indique une bière amère produite suivant le vieux procédé de fermentation haute. L'alt est une ale aromatique cuivrée, à la rondeur prononcée et très amère, qui contient un peu plus de 4,5 % d'alcool. Elle est fabriquée à Düsseldorf et dans quelques autres villes d'Allemagne du Nord. Schlosser, Diebels et Uerige sont les principales marques.

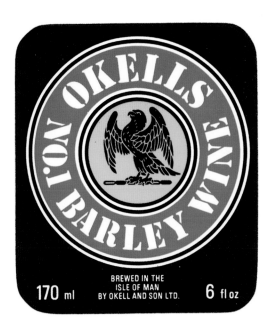

Traditionnellement rouge ambré, les variétés plus claires commencent à devenir populaires en Angleterre. Les variétés fortes s'appellent Best ou Special.

BLACK BEER OU SCHWARTZBIER (BIÈRE NOIRE)

En Allemagne, la Schwartzbier est une lager au goût prononcé de chocolat amer. Ce n'est pas un stout mais une lager très sombre, spécialité d'Allemagne de l'Est et en particulier de la région de Bernau. La ville de Kostritz en ex-RDA est connue pour sa lager noire, Kulmbach et Erlangen pour leurs bières brun foncé. Ce type de bière se trouve aussi au Japon.

En Angleterre, surtout dans le Yorkshire, la bière noire est un extrait de malt fort, noir foncé et sirupeux qui, mélangé à de la limonade, donne un panaché original.

BOCK

Puissante, charpentée et très maltée, cette bière allemande chaleureuse, au taux d'alcool de 6,5 %, était à l'origine réservée aux mois d'hiver. Traditionnellement foncée, sa couleur tire plutôt aujourd'hui sur le bronze doré. Créée à Einbeck en Basse-Saxe, elle est à présent davantage associée à la Bavière. La bock est aussi produite en Autriche, aux Pays-Bas et dans d'autres pays voisins de l'Allemagne. Le mot bock signifie « bouc » et une tête de bouc figure souvent sur l'étiquette.

Cette bière est parfois associée aux fêtes saisonnières, comme la maibock qui célèbre le retour du printemps.

Ses variétés extra-fortes se nomment doppelbocks (principalement en Bavière), avec plus de 7 % d'alcool, comme la Paulaner Salvator. Les eisbocks, bières glacées d'où l'on retire les cristaux de glace, sont encore plus fortes (10 %). C'est une spécialité de Reichelbrau de Kulmbach.

BROWN ALE (ALE BRUNE)

Ale anglaise en bouteille, peu forte en goût, douceâtre, de couleur sombre et faiblement alcoolisée, cette bière était autrefois une boisson très populaire chez les ouvriers mais ses ventes ont décliné depuis quelques années. Le nord-

Ci-dessus – La bitter n'est pas amère comme son nom pourrait le laisser penser (bitter signifie « amer » en anglais). Elle possède généralement une saveur fleurie et fruitée.

BARLEY WINE (VIN D'ORGE)

Nom anglais d'une ale forte, très alcoolisée et presque sirupeuse, généralement vendue en petites bouteilles. Ces bières à longue maturation sont ambrées ou brunes. Les variétés brunes de barley wine s'appelaient autrefois Stingo.

BERLINER WEISSE

Bière au froment allemande légère et très acide, fabriquée surtout à Berlin. Fort rafraîchissante et peu alcoolisée, elle est souvent aromatisée d'aspérule verte ou de jus de framboise pour améliorer son aspect blanc trouble.

BIÈRE DE GARDE

Bière à fermentation haute du nord-ouest de la France, à l'origine fabriquée dans les fermes mais aujourd'hui produite par des brasseries commerciales. Ce type de bière donne des ales épicées, assez sèches en bouche ou fortes, souvent vendues en bouteille à bouchon muselé.

BITTER

Type spécifique de bière à la pression, en Angleterre et au Pays de Galles, goûteuse et chargée en houblon, avec un taux d'alcool variant de 3 à 5 %.

Ci-dessus – À l'origine, la bock était bue par les moines pendant le jeûne, en raison de sa valeur nutritive.

Ci-dessus – La brown ale était l'une des boissons traditionnelles des ouvriers anglais. Ses ventes ont aujourd'hui beaucoup décliné.

est du pays produit des variétés plus sèches en bouche, comme la Newcastle Brown Ale.

La Belgique a ses propres ales brunes et douces-amères de Flandre-Orientale. Liefmans d'Oudenaarde en est le principal producteur. La bière ne bout pas à gros bouillons mais avec un léger frémissement ce qui, avec l'ajout de levure lactique, lui donne son goût très amer. Cnudde – aussi de Oudenaarde – Roman Brewerie et Vanden Stock en sont d'autres producteurs.

CHILLI BEER (BIÈRE AU PIMENT)

Produite uniquement par quelques brasseries américaines, c'est une spécialité curieuse. La Pike Place Brewery de Seattle produit à l'occasion une Cerveza Rosanna Red Chilli Ale ; la Crazy Ed's Cave Creek Chilli Beer très épicée, de Phoenix, Arizona, propose un piment entier dans chaque bouteille. Cette bière se marie bien avec la nourriture mexicaine.

CREAM ALE

Ale blonde onctueuse et suave des États-Unis, la cream ale fut créée par des brasseurs d'ale qui essayaient de copier la pilsner. Certaines cream ales sont obtenues en mélangeant des ales avec des bières à fermentation basse.

DIÄT PILS

La diät pils est une lager qui subit une fermentation basse complète, de type pilsner, avec l'extraction de presque tous les sucres. On obtient une bière forte, sèche en bouche, dont l'alcool renforce le caractère calorique. Elle était à l'origine destinée aux diabétiques, plutôt qu'aux régimes amaigrissants. Le mot « diät » (proche de diète) qui pourrait induire en erreur, est aujourd'hui supprimé.

DOPPELBOCK

Bock extra-forte, la doppelbock, qui offre en général un taux d'alcool de 7,5 %, est riche et chaleureuse. Le nom des principales marques bavaroises se termine par « ator », comme Salvator de Paulaner à Munich.

DORTMUNDER

Dortmunder est une variété de lager, forte et à la rondeur prononcée, provenant de Dortmund en Allemagne, le plus important centre de brassage d'Europe. Créée à l'origine pour l'exportation et vendue autrefois dans le monde entier, sa popularité décline aujourd'hui. Sèche en bouche, ronde et très maltée, cette bière dont le taux d'alcool varie autour de 5,5 %, est plus charpentée et moins aromatique que la pilsner. Les principales compagnies sont DAB, Kronen et DUB.

DRY BEER (BIÈRE SÈCHE)

Produite à l'origine au Japon par la brasserie Asahi en 1987, c'est une super diät pils au goût âpre, largement adoptée en Amérique du Nord. Le goût de la bière est si pur que la fermentation secondaire le fait presque complètement disparaître.

La dry beer, dont presque tous les sucres sont transformés en alcool, laissant ainsi peu de goût, fut créée au Japon avant d'être lancée aux États-Unis en 1988. Après une montée des ventes due à la sortie de Bud Dry chez Anheuser-Busch, le marché s'est totalement effondré.

DUNKEL

Ces bières brunes douces et fortement maltées sont associées à la ville de Munich et souvent appelées Münchner. Comme la hell plus pâle, elles contiennent environ 4,5 % d'alcool. La plupart des grandes brasseries munichoises produisent une dunkel.

DUPPEL/DOUBLE

Désigne les trappistes sombres et peu alcoolisées, et les bières d'abbaye de Belgique.

EISBOCK

Bock extra-forte, produite en faisant geler la bière et en retirant une partie des cristaux de glace pour qu'elle soit plus concentrée en alcool. Le plus gros producteur est Kulmbacher Reichelbrau en Bavière du Nord. Eisbock est la première bière glacée *(ice beer)*.

EXPORT

À son origine, ce terme désignait une bière, plus forte que la pils, destinée à l'exportation. Le type dortmunder, vendu dans le monde entier, est également appelé dortmunder export. En Écosse, le terme « export » est largement utilisé pour les ales premium.

FARO

Bière lambic peu alcoolisée et additionnée de sucre candi, autrefois très courante en Belgique mais aujourd'hui presque disparue.

FRAMBOISE/FRAMBOZEN

Noms français et flamand d'une bière fruitée belge, obtenue par addition de framboises à un lambic. La framboise est une bière pétillante, de style champagne rosé, à laquelle les framboises donnent un léger parfum fruité. Le fruit entier étant trop doux, les producteurs ajoutent généralement du sirop de framboise. Depuis peu sont sorties avec plus ou moins de succès, plusieurs autres variétés de bières aux fruits, allant de la pêche à la banane.

GINGER BEER (BIÈRE AU GINGEMBRE)

Boisson rafraîchissante à la saveur douce, peu ou pas alcoolisée, parfumée au gingembre. On ajoutait du gingembre à la bière bien avant l'apparition du houblon et certains petits brasseurs aventureux l'essaient à nouveau. Salopian en Angleterre parfume au gingembre sa bière brune au froment, la Gingersnap.

GREEN BEER (BIÈRE VERTE)

Les bières jeunes, peu ou pas vieillies sont des bières vertes. Le terme s'applique aussi aux boissons fabriquées avec du malt et du houblon de culture biologique, plus couramment appelées bières biologiques en France (comme la Jade de Castelain), et biologisch en Allemagne. La Caledonian Brewery d'Édimbourg, en Écosse, a créé la bière biologique Golden Promise.

GUEUZE

Mélange de lambics belges jeunes et vieux qui provoque une fermentation secondaire donnant une bière originale et pétillante, au goût fruité, aigre et sèche en bouche, souvent vendue en bouteille à bouchon muselé pour résister aux pressions. L'art de mélanger les bières est si complexe que certains producteurs achètent directement leur moût, sans brasser eux-mêmes. Cette bière est souvent vieillie en bouteille pendant de longs mois. La gueuze traditionnelle n'est ni filtrée, ni pasteurisée, sauf par quelques marques.

HEAVY

Les brasseurs écossais utilisent ce terme pour désigner une ale moyennement forte, entre light et export.

HEFE

Ce mot allemand signifiant levure désigne une bière non filtrée, laissant un dépôt au fond de la bouteille. Les bières à la pression, « mit hefe », sont généralement troubles.

HELL

Mot allemand signifiant pâle ou clair et désignant une lager de cette couleur, peu alcoolisée et fortement maltée, souvent munichoise, dont Hacker-Pschorr et Augustiner sont des exemples.

HONEY BEER (BIÈRE AU MIEL)

Les Celtes faisaient de l'hydromel avec du miel fermenté. Ils fabriquaient aussi de la bière en l'adoucissant souvent avec du miel. Hope & Anchor Breweries en Angleterre, à Sheffield, produisaient une bière trouble au miel, appelée Golden Mead Ale, qui fut largement exportée jusqu'au début des années 60.

Ci-dessus – Plusieurs brasseries se sont lancées dans la production des bières « vertes », comportant uniquement des ingrédients biologiques.

Ci-dessous – Le mot hefe *sur une étiquette indique que la bière contient encore de la levure.*

Ci-contre – La Waggle Dance («danse des abeilles») produite par Ward's de Sheffield, est inspirée d'une ancienne boisson celte traditionnelle.

À droite – Sélection de bières IPA.

Ci-dessous – Les brasseurs américains ont imité les producteurs canadiens de bières glacées.

Quelques brasseries ont récemment repris l'idée, telles que Ward's de Sheffield avec Waggle Dance et Enville Ales du Staffordshire. Certains nouveaux brasseurs américains utilisent aussi le miel, de même que le Belge De Dolle Brouwers, avec sa bière Boskeun.

ICE BEER (BIÈRE GLACÉE)

Innovation glacée du début des années 90. La bière est glacée pendant la maturation pour donner une bière purifiée, les cristaux de glace étant retirés pour en augmenter la force.

Les bières glacées, qui contenaient 5,5 % d'alcool, furent à l'origine lancées au Canada par Labatt et Molson, en 1993. Cette bière, glacée après fermentation, n'a plus aucun parfum. Les cristaux de glace sont parfois retirés, la bière devenant ainsi plus forte. La plupart des grands brasseurs américains ont lancé leur propre marque, comme Bud Ice et Miller's Icehouse, mais l'ice beer ne représente encore que 4 % du marché de la bière.

En 1996, Tennent's of Scotland, proposa une super ice à 8,6 %.

IMPERIAL STOUT
Voir Stout.

IPA

Ces initiales signifient India Pale Ale. Cette bière forte et très houblonnée, produite en Angleterre, notamment à Burton-on-Trent, par des compagnies comme Allsopp et Bass, était étudiée pour supporter les longues traversées, jusqu'aux lointaines colonies de l'Empire britannique.

Selon la légende, une cargaison de 300 tonneaux d'East India Pale Ale de Bass se retrouva après un naufrage en 1827, au fond du port de Liverpool. Une partie de la bière fut récupérée et vendue localement, avec un grand succès.

Les brasseurs spécialistes américains tel Bert Grant's Yakima Brewing Company en produisent aujourd'hui la version probablement la plus authentique.

IRISH ALE (ALE IRLANDAISE)

Ale irlandaise douce, rougeâtre et légèrement sucrée dont des versions à fermentation haute et basse sont commercialisées. George Killian Letts, membre de la famille Letts qui produisit Ruby Ale dans le comté de Wexford jusqu'en 1956, autorisa la brasserie française Pelforth à fabriquer sous licence la Bière Rousse George Killian, et les brasseurs américains Coors à produire Killian's Irish Red. Smithwick's de Kilkenny (appartenant à Guinness) est aujourd'hui l'ale la plus connue en Irlande.

KÖLSCH

Cette rafraîchissante bière blonde de Cologne ressemble peut-être à une pilsner (bien qu'elle soit parfois trouble), mais son goût léger, subtil et fruité indique une ale à fermentation haute. Son arôme délicat masque un taux d'alcool de 4 à 5 %.

Kölsch n'est produite que par quelque 20 brasseries, à Cologne et dans ses environs, et on la sert généralement dans des petits verres hauts et étroits. Kuppers et Fruh font partie des principaux producteurs.

KRIEK

Bière lambic belge dont la fermentation secondaire est stimulée par un apport de cerises qui lui donnent sa saveur fruitée et sa couleur généreuse. La kriek s'appuie sur une longue tradition utilisant les fruits pour parfumer un mélange déjà complexe, atténuer l'amertume du lambic et apporter une légère saveur d'amande due aux noyaux des *kriek,* petites cerises noires cultivées près de Bruxelles.

KRISTALL

Ce mot allemand désigne généralement une bière au froment filtrée ou weizenbier.

LAGER

La lager est l'une des deux branches principales de la famille des bières. Le mot vient de l'allemand et signifie «conserver». En Grande-Bretagne, il s'applique à toutes les bières blondes à fermentation basse, mais ailleurs il devient un terme générique.

LAMBIC

Cette bière belge fermentant spontanément, l'une des plus anciennes de l'histoire de cette boisson, n'appartient qu'à la Belgique ou, pour être plus exact, à une région située à l'ouest de Bruxelles, dans la vallée de la Senne.

Les brasseurs de lambic utilisent au moins 30 % de froment non grillé pour produire un moût laiteux. Ils y ajoutent du houblon sec, simplement pour aider à la conservation et non pour le parfum ou l'arôme.

Contrairement aux autres bières qui fermentent avec une levure cultivée, on laisse ici le moût de froment exposé à l'air libre, pour permettre une fermentation spontanée due aux levures en suspension dans l'air. Comme aux siècles passés, cette bière n'est brassée que durant l'hiver, les levures naturelles étant peu fiables en été. Le moût fermenté est ensuite versé dans de grands tonneaux en bois où on le laisse vieillir pendant 3 mois au moins et jusqu'à des années, dans des galeries sombres et poussiéreuses.

Il en résulte une bière astringente, acide et unique, ressemblant probablement aux bières antiques, qui attaque la langue et resserre les joues. Son taux d'alcool est d'environ 5 %. On la boit jeune et telle quelle, plutôt à la pression, dans les cafés de la région de Bruxelles ; mais elle est généralement mélangée avec des lambics plus âgés pour produire la gueuze. On lui ajoute parfois des fruits afin de la transformer en bière framboise ou kriek (cerise). Les lambics sont principalement produits par des petits brasseurs spécialisés, comme Boon, Cantillon, De Troch, Girardin et Timmermans, mais aussi par quelques sociétés commerciales, tels Belle-Vue (appartenant à Interbrew) et Saint Louis.

LIGHT ALE (ALE LÉGÈRE)

En Angleterre ce terme désigne une bitter en bouteille à densité basse. En Écosse, c'est la bière la moins forte en alcool même si sa teinte est souvent sombre.

À gauche – Excepté en Grande-Bretagne, le terme lager désigne une bière en général.

Ci-dessous – Le terme lambic désigne une bière belge au froment, soumise à la fermentation spontanée des levures naturelles en suspension dans l'air.

Ci-dessus – Dans la miller lite, le taux de sucre transformé en alcool pendant le brassage est plus important que d'ordinaire, ce qui produit une bière hypocalorique.

Ci-dessous – La mild au taux d'alcool peu élevé est généralement une ale brun foncé, brassée à l'origine pour les ouvriers anglais.

LITE

En Amérique du Nord, ce terme désigne une bière pauvre en calories, dont la plus connue est Miller Lite.

Dans certains pays comme l'Australie, lite peut signifier «peu alcoolisé».

LOW ALCOHOL
(FAIBLE TENEUR EN ALCOOL)

Depuis la fin des années 80, de nombreuses brasseries produisent également des bières peu ou pas alcoolisées, en réponse aux lois toujours plus strictes concernant l'alcoolisme au volant. Low Alcohol (LA) ou faible teneur en alcool peut contenir jusqu'à 2,5 % d'alcool. Les bières sans alcool ne doivent pas en contenir plus de 0,05 % et, pour cela, soit on utilise des levures qui produisent très peu d'alcool, soit on arrête net la fermentation.

On peut également débarrasser la bière normale de son alcool par distillation. Il s'est avéré difficile d'obtenir une bière sans alcool dont le goût soit acceptable. Les meilleures, dont Clausthaler à Francfort en Allemagne et Birell de Hürlimann, à Zurich en Suisse, sont vendues ou fabriquées sous licence dans de nombreux pays.

MALT LIQUOR (LIQUEUR DE MALT)

Ce terme désigne aux États-Unis une lager longue mais néanmoins forte. Ces bières sont surtout des boissons alcoolisées (autour de 6 à 8 %), sans plus. Bières légères qui donnent un coup de fouet, elles contiennent souvent une haute proportion de sucre et des enzymes qui permettent de produire plus d'alcool. Les ventes de malt liquor représentent environ 4 % du marché global de la bière aux États-Unis.

MÄRZEN
(BIÈRE DE MARS)

Lager cuivrée à la rondeur prononcée, elle fut créé à Vienne, Une märzen plus forte (6 % d'alcool), brassée en mars afin qu'elle puisse vieillir pendant l'été pour être bue à la *Oktoberfest* après la moisson, fut ensuite lancée à Munich. Elle est depuis largement remplacée par la festbier plus blonde. Veloutées et maltées, la plupart sont aujourd'hui des dérivés de la hell blonde, contenant plus de 5,5 % d'alcool. Ur-Märzen de Spaten et Oktoberfest de Hofbräuhaus sont parmi les plus connues.

MILD

La mild ale prédomina en Angleterre et au Pays de Galles jusqu'en 1960 et même plus tard dans certaines régions. Bière à forte teneur en malt, à basse densité et généralement peu chargée en houblon, elle peut être brune ou blonde. Boisson traditionnelle de l'ouvrier, on la vendait à la pression dans les pubs ou les clubs. Ce type d'ale a pratiquement disparu et ne survit que dans le West Midlands industriel et le nord-ouest de l'Angleterre.

MILK STOUT
Voir Stout.

MÜNCHNER

Nom allemand désignant une bière de Munich, lager brune fortement maltée.

OATMEAL STOUT
Voir Stout.

OLD ALE

Cette ale brune, forte et riche, se vend en hiver en Angleterre, comme bière saisonnière. Elle est parfois stockée pour être mélangée avec de la bière nouvelle.

OUD BRUIN

Les old browns des Pays-Bas sont des lagers douces et peu alcoolisées.

OYSTER STOUT
Voir Stout.

PALE ALE

Bière anglaise en bouteille, la pale-ale est plus forte que la light ale et généralement dérivée de la meilleure bitter de la brasserie. *Voir IPA.*

PILSNER

La pilsner est à l'origine une lager blonde, à la savoureuse amertume, qui vit le jour en 1842 dans la ville tchèque de Plzen (Pilsen en allemand), en Bohème, où la pilsner urquell est toujours brassée. La pilsner tchèque possède un arôme houblonné fleuri et une saveur sèche en bouche.

Cette lager blonde classique a inspiré d'innombrables imitations, certaines excellentes, d'autres de pâles reflets de l'originale. Les variantes de ce dernier type dominent aujourd'hui le marché mondial de la bière.

Pilsner est la principale lager en Allemagne. Les pilsners allemandes blondes sont sèches en bouche et très houblonnées. Elles contiennent environ 5 % d'alcool et offrent rarement la saveur moelleuse et maltée de la version tchèque originale.

Les principales marques allemandes sont Warsteiner, Bitburger et Herforder.

Ci-contre – La pilsner originale vient de la ville de Plzen, en République tchèque, mais elle a été très souvent imitée.

PORTER

Les origines de la porter sont entourées de légendes et de mythes. On dit qu'elle fut inventée par Ralph Harwood, à Londres en 1722, pour changer de la Three Threads, boisson populaire à l'époque, en mélangeant plusieurs vieilles ales fortes et brunes. Il décida de brasser une seule bière qui associerait les caractéristiques des trois.

En fait, la porter fut le produit des premiers grands brasseurs, en plein essor à Londres à cette époque. En brassant par grandes quantités dans d'énormes cuves, ils réussirent à concocter une bière beaucoup plus stable et de meilleure conservation que les ales antérieures.

La première porter était une ale londonienne brune et douce traditionnelle, beaucoup plus chargée en houblon pour améliorer sa conservation. La bière était gardée pendant des mois dans de vastes tanks, pour accroître son taux d'alcool. Les vieilles cuvées étaient alors mélangées avec des nouvelles pour donner une bière «entière».

Seuls les grands brasseurs, comme Barclay, Truman et Whitbread, pouvaient se permettre de construire les usines nécessaires à une grosse production et d'immobiliser un gros capital. Cet investissement leur permit de s'emparer du marché londonien de la bière, la porter étant plus stable et les économies permises par cette production de masse se répercutant aussi sur le coût de la bière. La porter eut tant de succès qu'elle fut largement distribuée et exportée.

Des brasseurs entreprenants, tel Guinness à Dublin, suivirent cet exemple et commencèrent à brasser leur propre porter. Au XIXe siècle, celle-ci fut détrônée par des ales plus pâles et les ventes déclinèrent progressivement. Seuls survécurent les porters les plus fortes ou «stout», terme encore utilisé de nos jours pour désigner une bière brune.

Les pays baltes fabriquent encore des porters fortes, inspirées de la bière originale. Certaines microbrasseries ont aussi essayé de recréer la porter sombre et sèche d'Angleterre et d'Amérique du Nord.

La porter, produit de la révolution industrielle, ne fut jamais une bière artisanale. C'est la première bière produite en masse.

RAUCHBIER

Le goût de fumée prononcé de ces bières allemandes de Franconie vient du malt séché au feu de bois de hêtre. À Bamberg, neuf brasseries produisent cette spécialité brune à fermentation basse, dont les marques principales sont Schlenkerla et Spezial.

Ci-dessous – Les porters sombres ont vu diminuer leur popularité, depuis leur création.

Ci-dessus – La Campaign for Real Ale *a célébré son 10ᵉ anniversaire avec une bière brassée traditionnellement.*

REAL ALE (VRAIE ALE)

La CAMRA *(Campaign for Real Ale)*, association anglaise des buveurs de bière, tire son nom de la bière traditionnelle en tonneaux, poursuivant sa maturation dans la cave des pubs et qui n'est ni filtrée, ni pasteurisée.

RED BEER (BIÈRE ROUGE)

Les bières aigres et rouge sombre de Flandre-Occidentale en Belgique sont parfois appelées bourgognes belges. Leur couleur vient du malt Vienne. Le premier producteur en est Rodenbach de Roeselare, dont les bières s'affinent dans d'énormes fûts en chêne.

De vieilles cuvées sont mélangées avec des nouvelles pour donner la marque Rodenbach originale. La bière, après maturation, est embouteillée sous le nom de Grand Cru.

Parmi les autres marques, on note Petrus de Bavik et Duchesse de Bourgogne, de Verhaeghe à Vichte.

ROGGEN

Quelques brasseries fabriquent cette bière de seigle allemande ou autrichienne. Des brasseries anglaises et américaines commencent à parfumer le malt d'orge avec du seigle *(rye),* et un brasseur américain produit une Roggen Rye.

ROOT BEER

Ce n'est pas une bière mais une boisson américaine sans alcool, bouillie et non fermentée, parfumée d'extraits végétaux.

RUSSIAN STOUT

Voir Stout.

SAISON/SEZUEN

Spécialité belge difficile à trouver. Bière d'été rafraîchissante et légèrement aigre, saison est surtout fabriquée dans les brasseries rurales de Wallonie, dont certaines ont récemment fermé.

Ces ales orange, très houblonnées, à fermentation haute, sont brassées en hiver, puis affinées dans des solides bouteilles à vin et bues en été. Après maturation, on les vend en bouteilles bouchées de liège. Certaines comportent des épices comme le gingembre.

Silly, Dupont et Vapeur en sont de petits producteurs. Du Bocq brasse Saison Régal et, en Flandre, Martens de Bocholt produit Sezuens.

Ci-contre – La brasserie De Dolle, à Silly, en Belgique, produit une ale forte, brune, de style écossais.

SCHWARZBIER

Voir Black beer.

SCOTCH ALE

Les ales d'Écosse, brassées bien loin des champs de houblon, ont tendance à être plus maltées que les bières anglaises. Les bitters y sont appelées light, heavy, special ou export, selon leur force, et sont parfois « cotées » 60, 70 ou 80 shillings, d'après l'ancien système monétaire britannique.

En Belgique, la scotch ale en bouteille désigne une ale riche et vigoureuse, souvent brassée dans le pays même.

STEAM BEER (BIÈRE VAPEUR)

Croisement américain entre une bière à fermentation basse et une ale, la steam beer fut créée au moment de la Ruée vers l'or en Californie. Elle était brassée avec des levures de lager à des températures d'ale et les tonneaux, dit-on, sifflaient comme des machines à vapeur quand on les perçait. Seule Anchor Steam Brewery de San Francisco la fabrique encore aujourd'hui.

STEINBIER (BIÈRE DE PIERRE)

Pour brasser cette bière allemande, on utilise une méthode primitive de chauffage : des pierres chauffées au rouge sont posées dans le moût, où elles se couvrent de sucre caramélisé avant d'être mises dans la bière en période de maturation, pour démarrer une seconde fermentation. Cette bière fumée, à la rondeur prononcée, n'est fabriquée que par Rauchenfels à Altenmünster, près d'Augsbourg.

STOUT

Ale de type classique, à l'origine stout porter, la réussite de cette bière est due au contraste qu'elle offre par le goût et la couleur avec la populaire pilsner, mais aussi à l'esprit d'entreprise et au marketing audacieux d'un brasseur, l'Irlandais Guinness.

Bière sèche et brune, fabriquée à partir de malt longuement torréfié auquel on ajoute un peu d'orge grillée, très chargée en houblon, elle est plus crémeuse à la pression qu'en bouteille, grâce à l'azote utilisé dans la tireuse. Guinness fabrique aussi un Foreign Extra Stout plus lourd, destiné à l'exportation. Quelques autres pays produisent du dry stout, notamment l'Australie. Cooper's à Adelaïde et Tooth's à Sydney en sont de bons exemples.

Outre la dry et la bitter, il existe d'autres variantes de ce type de bière noire.

MILK OU SWEET STOUT

Stout anglais en bouteille, beaucoup moins fort et plus moelleux, appelé à l'origine milk stout (stout au lait), à cause de la présence de lactose (sucre du lait). Ce nom fut interdit en Angleterre en 1946, parce qu'il sous-entendait que du lait était ajouté à la bière, mais quelques pays comme l'Afrique du Sud et Malte l'utilisent encore. La baratte illustrant l'étiquette de la Mackeson de Whitbread (principale marque) rappelle son origine. La Boston Beer Company, aux États-Unis, produit une Samuel Adams Cream Stout. Il existe en outre des stouts tropicaux, forts et sucrés, notamment la Dragon, brassée à la Jamaïque et la Lion au Sri Lanka.

OATMEAL STOUT (STOUT À L'AVOINE)

De nombreux stouts sucrés, dont l'oatmeal stout enrichi d'avoine, étaient vendus comme remontants pour les malades. Autrefois populaires, la plupart des oatmeal stouts ont disparu, bien que quelques-uns connaissent un renouveau, comme l'Oatmeal Stout de Sam Smith (Yorkshire, Angleterre) et l'Oat Malt Stout de Maclay (Écosse) qui la proclame la seule bière du monde à être brassée avec de l'avoine maltée et non avec de la farine d'avoine ajoutée au moût.

Ci-dessus – La teinte opaque, très foncée, caractéristique du stout, est reconnaissable à travers le verre.

Ci-dessous – Le stout est un dérivé de la porter. On en trouve de nombreuses variétés dans chaque catégorie.

OYSTER STOUT (STOUT À L'HUÎTRE)

Le stout a toujours parfaitement accompagné les huîtres. Certains brasseurs imaginèrent même d'ajouter des huîtres à leur bière. Castletown (Île de Man) et Young's à Portsmouth sont des exemples célèbres du passé, Young affirmant que sa bière contenait «l'équivalent d'une huître dans chaque bouteille». Les brasseurs des ports de mer utilisaient de l'extrait d'huître de Nouvelle-Zélande. Quelques brasseurs américains et anglais relancent à l'occasion ce type de bière mais le principal oyster stout actuel, de Marston's, à Burton-on-Trent, ne contient pas d'huîtres.

RUSSIAN OU IMPERIAL STOUT

Brassée à l'origine à Londres, au XVIIIᵉ siècle, comme Porter export extra-forte pour les pays baltes, cette bière intense et riche à goût de cake, était dit-on, la préférée de la Grande Catherine, impératrice de Russie, d'où son appellation de Stout Russe. De nombreuses brasseries baltes reprirent ce type de bière, tels Koff en Finlande, Pripps en Suède (dont la porter était vendu sous la marque Carnegie) et Tartu en Estonie.

Ci-dessous – Le terme trappiste est une appellation contrôlée. Seules les bières produites par les monastères trappistes ont légalement le droit de porter ce nom.

En Angleterre, Courage produit encore à l'occasion le stout impérial russe, dont la maturation à la brasserie dure plus d'un an. Les petites bouteilles sont datées, comme les grands crus de vin.

TARWEBIER

Mot flamand désignant le type belge de bière au froment. *Voir Witbier.*

TRAPPISTE

«Trappiste» ne peut s'appliquer qu'aux bières des cinq brasseries de moines trappistes de Belgique et d'une aux Pays-Bas. Cet ordre religieux produit toute une gamme d'ales fortes et riches, à fermentation haute. Les brasseries de Chimay, Orval, Rochefort, Westmalle et Westvleteren sont en Belgique et Koningshoeven (La Trappe) en Hollande. Leurs bières, complexes et épicées, sont vendues en bouteille, avec la force parfois indiquée par les termes *dubbel* (double) ou *tripel* (triple).

TRIPLE/TRIPEL

Termes flamand et hollandais, désignant généralement la plus forte dans une gamme de bières, surtout pour les bières trappistes ou d'abbaye. Bières blondes, houblonnées, plus forte que les doubles ou dubbels sombres.

URQUELL

Urquell est un mot allemand signifiant «source originale». Le terme s'applique à la première version (ou l'original) d'un type de bière, comme pilsner urquell (République tchèque). On abrège souvent en ur, comme pour Mai-Ur-Bock de Einbecker.

VIENNA

Lagers rouge ambré créées par le pionnier autrichien, Anton Dreher, les Vienna actuelles ont peu de rapport avec la ville du même nom.

Les bières märzen allemandes en sont aujourd'hui le meilleur exemple.

font partie des brasseurs bavarois de bière au froment.

On trouve aussi une Weizenbock plus forte à 6,5 % d'alcool environ, à comparer aux 5 % habituels de la weissbier. En Allemagne du Nord-Est, la Berliner weisse est une variété moins forte et plus aigre. Les amateurs lui ajoutent très souvent des sirops de fruit pour donner une boisson d'été douce-amère rafraîchissante. Les principaux brasseurs en sont Kindl et Schultheiss.

À gauche – Les bières triple sont une sous-catégorie du type abbaye.

WEISSE OU WEIZEN

Depuis 1970, ce type de bière au froment est passé de l'anonymat à un quart du marché de la bière de Bavière. Ces bières blanches sont faites avec 50 à 60 % de malt de froment. Très pâles, souvent troubles, elles sont rafraîchissantes et très populaires en Allemagne. Elles ont le pouvoir désaltérant de la lager mais gardent tout le parfum de l'ale grâce à la fermentation haute, en particulier pour la variété trouble et non filtrée, la plus connue, hefeweizen, contenant de la levure en suspension.

Les bières filtrées sont des kristall, les bières plus fortes sont appelées weizenbock, les brunes, dunkelweizen. Schneider et Erdinger

WITBIER (BIÈRE BLANCHE)

Ces bières blanches au froment belges, appelées bières blanches en français, sont brassées avec 50 % de froment mais on leur ajoute toute une variété d'épices, dont de l'écorce d'orange et de la coriandre. Le type est aussi connu sous le nom de tarwebier.

Le type witbier ou bière blanche a peu à peu envahi tout le marché, l'exemple le plus connu étant Hoegaarden. Quand Pieter Celis fit revivre dans la petite ville de Hoegaarden, en 1966, l'art de brasser cette bière au froment épicée, il n'imaginait pas son futur succès. De nombreuses brasseries en Belgique et dans d'autres pays copient aujourd'hui ce type de bière.

Hoegaarden est faite avec du froment cru et du malt d'orge. La bière trouble à fermentation haute diffère des bières au froment allemandes par l'apport de coriandre et d'écorce d'orange. Les autres marques principales sont Brugs Tarwebier (Blanche de Bruges) de la brasserie Gouden Boom, Dentergems Witbier de Riva, et Blanche de Namur de Du Bocq.

Ci-dessus – Hoegaarden est l'un des exemples les plus connus de witbier ou bière blanche.

LE VOYAGE AUTOUR DU MONDE DE LA BIÈRE

Ce voyage donne un aperçu des milliers de bières brassées aujourd'hui sur la planète. Le monde de la bière est si vaste et divers que nous avons préféré ne citer que les principales bières de chaque pays ou région. Les grandes brasseries et marques internationales sont répertoriées par leur pays d'origine et, dans chaque pays, l'accent est mis sur les bières et brasseries locales.

LE GUIDE DE LA BIÈRE POUR GLOBE-TROTTERS

Nous commencerons notre voyage en Irlande, patrie de Guinness, le plus grand brasseur de stout du monde, puis nous irons voir les pays buveurs d'ale – le Pays de Galles, l'Angleterre et l'Écosse. Nous traverserons alors la mer du Nord pour arriver en Scandinavie, avec une étape en Islande, avant de nous diriger vers le Sud et les autres pays d'Europe.

Nous continuerons ensuite à descendre plus au Sud, en Afrique, pour découvrir des bières originales et nous plonger dans les lagers actuelles. Après un détour par l'Est, nous goûterons les bières de deux géants, la Chine et le Japon et constaterons l'influence des traditions étrangères sur le reste de l'Asie.

Nous voguerons vers l'Australie, patrie de Fosters, puis la Nouvelle-Zélande d'où nous nous repartirons vers l'océan Pacifique et les Amériques.

Nous traverserons le Canada pour atteindre les États-Unis, puis l'Amérique latine. Nous terminerons le voyage par un farniente bien mérité sous le soleil des Caraïbes, en retrouvant les stouts bruns et forts.

Pour chaque nation ou région, nous retraçons les habitudes et les rites concernant la bière, puis nous donnons la liste, par ordre alphabétique, des principales bières que l'on y trouve et le nom de ses plus grands brasseurs.

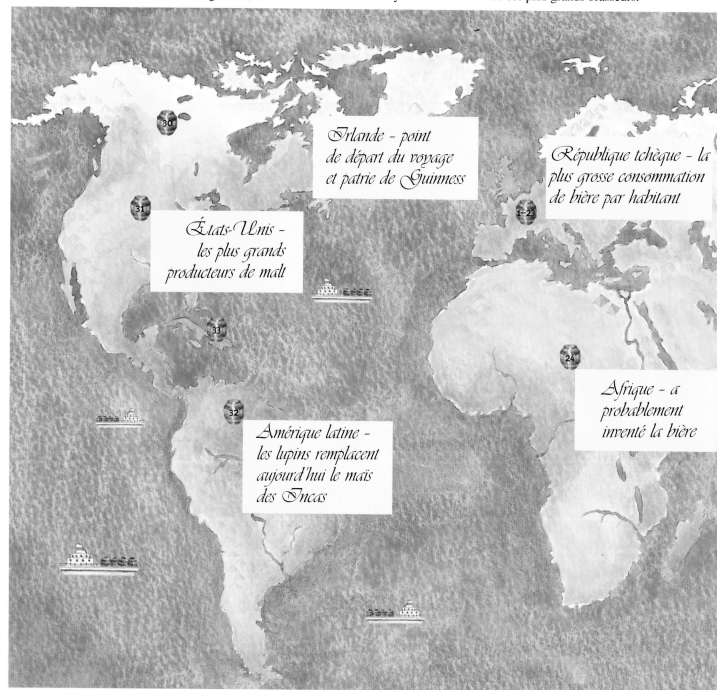

Irlande - point de départ du voyage et patrie de Guinness

République tchèque - la plus grosse consommation de bière par habitant

États-Unis - les plus grands producteurs de malt

Afrique - a probablement inventé la bière

Amérique latine - les lupins remplacent aujourd'hui le maïs des Incas

Bien que certaines compagnies possèdent des brasseries dans plusieurs pays, les marques internationales n'apparaissent que dans leur contrée d'origine. Ainsi, les renseignements concernant Heineken, pourtant l'un des principaux producteurs d'Asie, se trouveront au chapitre Pays-Bas.

Dans tous les pays, le degré d'alcool est exprimé en pourcentage par rapport au volume (APV), excepté aux États-Unis où il est donné par rapport au poids (APP). De ce fait, les bières américaines paraissent à tort moins fortes que celles d'Europe – une bière de 5 % APV correspondant par exemple à 4 % APP.

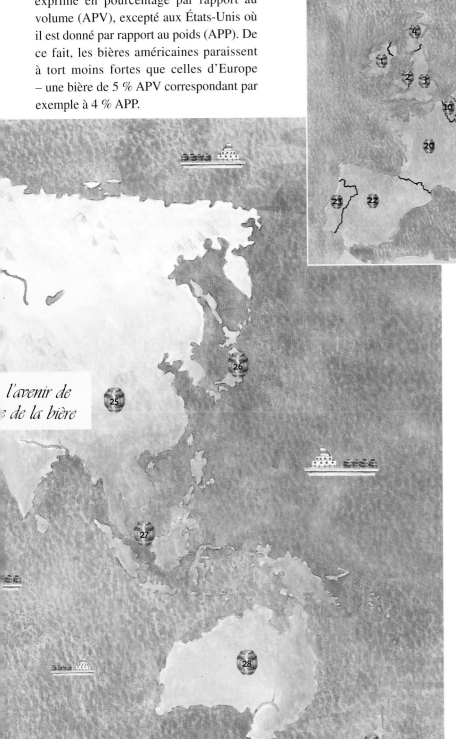

l'avenir de de la bière

LÉGENDES

1 Irlande	17 République tchèque et Slovaquie
2 Pays de Galles	18 Italie
3 Angleterre	19 Grèce et Turquie
4 Écosse	20 France
5 Danemark	21 Suisse
6 Norvège	22 Espagne
7 Suède	23 Portugal
8 Finlande	24 Afrique
9 Islande	25 Chine
10 Belgique	26 Japon
11 Pays-Bas	27 Autres pays d'Asie
12 Luxembourg	28 Australie
13 Allemagne	29 Nouvelle-Zélande
14 Autriche	30 Canada
15 Pologne	31 États-Unis d'Amérique
16 Europe de l'Est	32 Amérique latine
	33 Les Caraïbes

IRLANDE

Pour la plupart des gens, la bière irlandaise est un verre de stout brun.
L'Irlande est le seul pays au monde où la boisson la plus populaire est cette bière
crémeuse, consommée en grandes quantités dans les célèbres pubs irlandais.

Les Irlandais ont probablement commencé à brasser dès l'âge du bronze. Si les alcools ont toujours été appréciés en Irlande, la bière est devenue une boisson nationale, et son brassage une importante industrie. Le stout représente encore la moitié de toute la bière vendue en Irlande, essentiellement de la Guinness. La seule concurrence sérieuse vient de Cork, où Beamish et Murphy's, aujourd'hui sous contrôle de compagnies étrangères, brassent des bières rivales. Mais même à Cork, Guinness contrôle la moitié du marché.

Le stout sec, amer est la quintessence de la bière irlandaise et, pour le prouver, le barman peut aller jusqu'à tracer sur la mousse une feuille de trèfle, emblème de l'Irlande. Le stout irlandais dérive en fait d'une bière brune anglaise, la porter, importée en Irlande au XVIIIe siècle. Guinness lança au XIXe siècle sa propre version de cette bière populaire tout d'abord copiée par les brasseurs irlandais, l'Extra Stout Porter, très sec, à la rondeur prononcée qui, bientôt, devint tout simplement le stout.

En Irlande, boire est une tradition de société. La nation compte un nombre incroyable de bars et de pubs, connus pour leur musique et leur ambiance chaleureuse. C'est là que la bière est consommée, plutôt qu'à la maison, et à plus de 80 % encore servie à la pression.

Jusqu'aux années 50, on utilisait un système à deux tonneaux, l'un en bois, contenant du stout jeune encore en fermentation, l'autre du stout vieilli. On remplissait le verre de bière jeune, on laissait retomber la mousse, puis on complétait avec le stout vieilli, moins mousseux.

Ce système fut remplacé vers 1960 par des conteneurs pressurisés à l'azote qui donnent une bière plus onctueuse et crémeuse ; la bière était désormais filtrée et pasteurisée. À la même époque, la porter légère fut supprimée et le degré d'alcool du stout passa de 5 % à 4 % APV. La tendance est aujourd'hui à la bière servie glacée, ce qui nuit à son parfum et à son arôme.

Ci-dessus – En Irlande, boire
un verre, c'est savourer
une pinte de stout au pub.
La bière en bouteille permet
de renouveler ce plaisir chez soi.

LES BIÈRES

Beamish Red Ale

Récemment ajoutée à la gamme Beamish, c'est une ale rouge onctueuse traditionnelle de type irlandais (4,5 %). Couleur riche donnée par des malts foncés et ambrés. Saveur puissante et douce.

Beamish Stout

Le Beamish Stout chocolaté (4,2 %) n'est brassé qu'en Irlande et même à Cork uniquement. Son goût bien particulier est dû en partie au malt de froment ajouté à l'orge dans le moût. Beamish est exporté en Europe et aux États-Unis.

Black Biddy Stout

Rare stout (4,4 %), conditionné en tonneaux et brassé au pub Biddy Early, comté de Clare.

Caffrey's Irish Ale

Ale irlandaise traditionnelle, forte (4,8 %) et crémeuse, brassée à la brasserie Ulster, comté d'Antrim et portant le nom de Thomas R. Caffrey, fondateur de la brasserie en 1891. Caffrey's se verse comme un stout à l'ancienne. Le liquide onctueux, d'une riche teinte auburn, met environ 3 minutes à se stabiliser, surmonté d'une mousse crémeuse. La bière est servie froide comme la lager mais elle a le goût d'une ale. Lancée en Grande-Bretagne le jour de la saint Patrick, en 1994.

Great Northern Porter

Cette rare porter irlandaise en tonneau est une bière noire de saison traditionnelle, au riche parfum suave de fumée, de la brasserie Hilden.

Guinness Draught

Guinness pression (4,1 %) est un stout lisse et crémeux (grâce en partie à l'azote de la pressurisation), au parfum grillé et rafraîchissant, et à la riche couleur noire. Il est filtré et pasteurisé. Guinness lança en 1989, après 5 années de recherches, ses bières «pression» en bouteille, à déguster à la maison.

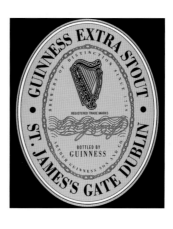

Guinness Extra Stout

Stout de qualité en bouteille (4,3 %), à base d'orge grillée non maltée et très houblonnée qui lui donnent sa couleur rubis presque noir et son goût amer complexe. L'un des grands classiques.

Guinness Foreign Extra Stout

Export stout fort (7,5 %), aux puissantes saveurs astringentes. Mélange utilisant des stouts affinés spécialement.

Guinness Special Export

Export stout, délicieux et moelleux (8 %), exclusivement produit pour le marché belge.

Harp Export

Variété plus forte (4,5 %) de Harp Lager, produite à la Great Northern Brewery de Guinness, Dundalk.

Harp Lager

Créée par Guinness en 1959 pour marquer le bicentenaire de la société, cette lager blonde fut commercialisée en 1960 et baptisée du nom de la harpe irlandaise, célèbre logo de la compagnie. Produite par la Great Northern Brewery, Dundalk.

The Crack

Les pubs irlandais sont célèbres pour leurs bières et leur ambiance chaleureuse. C'est le lieu de réunion traditionnel de la communauté locale, où l'on peut bavarder, écouter de la musique et boire de la bonne bière. «The Crack», comme on l'a baptisée, est l'une des bières exports les plus connues dans les nouveaux pubs irlandais qui surgissent un peu partout, de Milan à Sydney.

Hilden Ale

Bitter blond ambré (4 %),
houblonnée, en tonneau,
produite par la Hilden
Brewery et surtout exportée
en Grande-Bretagne.

Hilden Special Reserve

Mild brune ambrée (4,6 %),
brassée avec des malts foncés
par la brasserie Hilden.

Hoffmans Lager

Lager (3,3 %) produite
à Waterford pour le
sud-est de l'Irlande.

Irish Festival Ale

Bitter fruitée couleur d'ambre
(5 %) brassée à l'origine
pour les fêtes de la bière et
autres festivals, aujourd'hui
produite toute l'année
par la brasserie Hilden.

Kaliber

Lager non alcoolisée
produite par Guinness.

Kilkenny Irish Beer

Cette ale premium rousse
crémeuse (4,3 %) fut créée
en 1987 pour l'exportation,
par Smithwick's. Lancée en
Irlande en 1995. Une variété
plus forte (5 %) est exportée
vers les États-Unis.

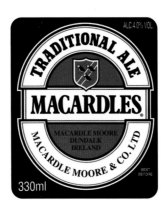

Macardles Ale

Bière irlandaise (4 %),
produite par la petite
brasserie traditionnelle
Marcardle Moore, Dundalk.

Murphy's Irish Stout

Stout onctueux relativement
léger (4 %). Doit être
servi frais à température
de lager, avec une mousse
de 1,5 centimètre.

Murphy's Red Beer

Ale rousse pressurisée (5 %)
lancée par Murphy's en 1995.
Sa couleur rouge est
complètement naturelle.

Oyster Stout

De vraies huîtres sont
ajoutées à cette bière
irlandaise classique (4,8 %)
produite par le pub-brasserie
Porter House, Dublin. Primée
deux fois sa première année.

Phoenix

Ale irlandaise traditionnelle
(4 %) produite chez
Macardle Moore, Dundalk.

Plain Porter

Stout léger classique (4,3 %),
à la saveur sèche, grillée et
de couleur noir d'encre.
C'est une autre bière de
qualité de la Porter House
Brewing Company, Dublin.

Porter House Red

Ale rousse irlandaise
traditionnelle (4,4 %), au
goût houblonné de caramel.
Brasserie Porter House.

Smithwick's Barley Wine

Comme son nom ne l'indique
pas, ce vin d'orge (5,5 %)
est brassé à la brasserie
Macardle, Dundalk.

Smithwick's Export

Ale irlandaise auburn (5 %),
brassée en Irlande pour
le marché canadien.

Whitewater Mountain Ale

Cette ale irlandaise en
tonneau (4,2 %) est produite
par la brasserie Whitewater,
fondée en 1996 à Kilkeel,
comté du Down.

Wrasslers XXXX Stout

Stout de qualité (5 %),
créé vers 1900 par Deasy's,
West Cork à partir de quatre
types de malts différents.
La Hilden Brewing Company
l'appelle « la bière que buvait
votre grand-père ».

LES BRASSEURS

Beamish and Crawford

Basée à Cork, cette brasserie qui produisit de la porter dès 1792 était au début du XIXᵉ siècle la plus grande du pays, devant Guinness. Cependant vers le milieu du XXᵉ siècle, la brasserie déclina et, depuis 1962, elle a été plusieurs fois rachetée par divers brasseurs étrangers. Une brasserie moderne se dresse aujourd'hui à côté des bureaux à colombages de la vieille ville. Outre Beamish Stout, elle produit une Beamish Red Ale.

Guinness

Ce géant international est peut-être l'un des brasseurs les plus connus du monde, dont le nom est presque devenu synonyme de stout irlandais (*voir pp. 78-79*).

Hilden Brewery

Cette petite brasserie située près d'un manoir géorgien à Lisburn, comté d'Antrim et fondée en 1981, est la plus ancienne brasserie indépendante ayant survécu en Irlande du Nord.

Lett's

Le brasseur irlandais Lett's cessa, en 1956, de brasser à Enniscorthy, dans le comté de Wexford ; mais un membre de la famille, George Killian Lett, autorisa deux grands brasseurs étrangers à produire sous licence sa Ruby Ale. Pelforth, en France, produit la Bière Rousse George Killian's et Coors, aux États-Unis, Killian's Irish Red, plus légère. Depuis, les brasseurs anglais Greene King fabriquent également Wexford Irish Cream Ale, selon une recette de Lett's.

Murphy's

Fondée en 1856 par les frères Murphy, sur le site de Lady's Well, à Cork. Après un accord commercial désastreux avec les brasseurs anglais Watney's dans les années 60, sur la vente de la Red Barrel en tonneau en Irlande, la brasserie de Lady's Well fut renflouée par le gouvernement irlandais et un consortium de patrons de pubs, avant d'être rachetée en 1983 par Heineken. Murphy's Stout est aujourd'hui exporté dans plus de 50 pays.

Ci-dessus – Ce pub de Killarney, comté de Kerry, affiche ses atouts : bière, cuisine et musique.

Porter House

Pub-brasserie brassant des bières irlandaises classiques, Porter House ouvrit en 1996, au cœur de Dublin. Ses principales bières sont Porter House Plain Porter (4,3 %), Porter House Red (4,4 %), 4 X Stout (5 %) et un Oyster Stout (4,8 %).

Smithwick's

La plus vieille brasserie d'Irlande, située près des ruines de l'abbaye Saint Francis de Kilkenny, remonte à 1710 et appartient aujourd'hui à Guinness. Smithwick's, bière rouge et douce (3,5 %), est la meilleure vente de pression d'Irlande. Produit aussi Kilkenny Irish Beer (4,3 %).

L'HISTOIRE DE GUINNESS

Arthur Guinness commença à brasser à Dublin en 1759.

Pour beaucoup, Guinness est le seul terme qui désigne la bière irlandaise. Arthur Guinness brassa tout d'abord l'ale ; mais, en constatant le succès de la porter importée d'Angleterre, il commença à brasser cette bière en 1799 et, inversant le marché, se mit à l'exporter en Angleterre. En 1815, la marque était si connue que les officiers blessés à Waterloo demandaient une Guinness pour étancher leur soif.

Vers 1820, le deuxième Arthur Guinness (1768-1855) mit au point un extra-stout porter qui très vite s'appela tout simplement stout. Grâce à lui, Guinness devint la plus grande brasserie d'Irlande. Son fils Benjamin (1798-1868) en fit la plus grande brasserie du monde, dont le stout se vendait sur toute la planète.

McMullen de New York se vit accorder une franchise en 1858 et Speakman Brothers de Melbourne démarra, en 1869, la distribution en Australie. L'étiquette familière portant la harpe celtique (logo déposé) apparut pour la première fois en 1862 et, en 1878, Edward Guinness (1847-1927) bâtit une brasserie entièrement neuve.

En 1910, la société, en plein développement, produisait 2 millions de barriques (tonneaux de 245 litres) de stout par an. Dans les montagnes, sur un emplacement de 26 hectares, 250 000 tonneaux en bois étaient empilés.

En 1936, une deuxième brasserie fut ouverte à Park Royal à Londres, pour répondre à la demande anglaise. Depuis 1962, Guinness a construit des brasseries au Nigeria, en Malaisie, au Cameroun, au Ghana et à la Jamaïque. En outre, le stout est brassé sous licence, de l'Amérique du Nord à l'Australie.

Vers 1950, Guinness refit son entrée sur le marché de l'ale, grâce aux Irish Ale Breweries de Waterford, avec une bière appelée Phoenix. La bière brune reste cependant son activité principale. La compagnie célébra son bicentenaire en 1959 en créant la Harp Lager.

La force et le caractère du stout Guinness varient selon le marché qu'il doit atteindre. Les stouts forts d'exportation sont mélangés avec des bières spécialement affinées. Saint James's Gate exporte aussi du stout concentré, à mélanger avec des Guinness brassées hors frontières, pour lui donner son goût et son parfum caractéristiques.

Ci-dessus – Au XIXᵉ siècle, la brasserie de Saint James's Gate, ville dans la ville, avec sa propre centrale électrique et son système de rails interne, employait une quantité d'ouvriers.

La Guinness forte et sucrée est particulièrement populaire en Afrique et aux Caraïbes.

Outre sa brasserie de Dublin, Guinness Irlande possède aussi des brasseries d'ale et de lager à Kilkenny, Dundalk et Waterford. Depuis sa fusion avec United Distillers en 1986 et Grand Metropolitan en 1997, Guinness est devenu l'une des principales compagnies internationales.

Ci-dessous – Guinness est brassée dans 50 pays et vendue dans 100 autres.

Nutritive et délicieuse

Guinness fut l'un des premiers à être reconnu sur le marché international. Ayant déjà saturé le marché intérieur, il n'avait guère d'autre choix. En 1959, quand le brasseur irlandais célébra son bicentenaire, 60 % de la production de son énorme usine de Dublin étaient destinés à l'exportation. L'importance de son succès n'empêcha jamais Guinness de chercher de nouveaux débouchés et ses campagnes de publicité sont devenues célèbres dans le monde entier.

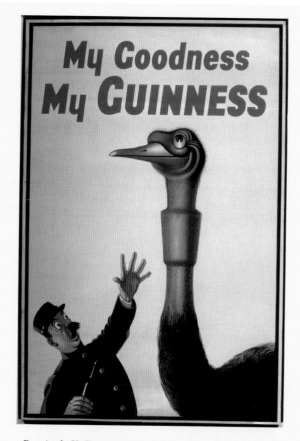

Ci-dessus – Le toucan de Guinness.   – Un verre de bière et la chaleur du foyer.   – Dessin de H. Bateman et J. Gilroy.

Ci-dessus – Les slogans de Guinness sont toujours percutants ; celui-ci (« Guinness est bon pour vous ») est probablement le plus persuasif.

PAYS DE GALLES

*En descendant du train à Cardiff, capitale du Pays de Galles, on ne peut
ignorer le parfum puissant du malt et du houblon venant de la brasserie Hancock,
derrière la gare, et de la vieille brasserie Brains, au cœur de la ville.*

Les Gallois ont une longue tradition du brassage. Dans les années 60 cependant, l'industrie fut secouée par une série de fermetures et de rachats. Aujourd'hui, deux compagnies anglaises – Bass et Whitbread – dominent le sud du pays, en concurrence avec les brasseries familiales Brains et Cardiff. Plus à l'ouest, à Llanelli, Felinfoel et Crown Buckley sont toujours en activité, bien que Brains ait repris Crown Buckley en 1997.

L'industrie de la bière s'est formée au pays de Galles au XIXe siècle, pour répondre à la demande des mineurs et des ouvriers travaillant dans les industries lourdes des vallées. À la même époque cependant, se développait un important mouvement antialcoolique conduit par les puissantes congrégations méthodistes de la région. Les réveils religieux successifs du XIXe siècle condamnaient sans retour le démon de la boisson. Au cours d'un meeting à Tregedar en 1859, 7 000 personnes s'engagèrent à ne plus boire d'alcool. Cet été-là, les recettes de Rhymney, brasserie locale, diminuèrent de £500 par mois. Sous la double influence de l'industrie lourde et des sociétés de tempérance, l'ale galloise typique devint une bière à basse densité.

Les deux principales marques actuelles, Allbright de Welsh Brewers (Bass) et Welsh Bitter de Whitbread, sont des bières légères reflétant cette tendance peu alcoolisée.

Quelques bières traditionnelles plus goûteuses ont survécu, notamment Brains Dark et Worthington Dark. Quand l'industrie redémarra, au début des années 80, 20 nouvelles brasseries répondirent à la demande d'ale classique en tonneau. La plupart firent cependant rapidement faillite. La brasserie Bullmastiff, à Cardiff, et Plassey, près de Wrexham, sont les seuls survivants de cette période. Vers 1995, on vit encore apparaître de nouvelles brasseries, dont Dyffryn Clwyd de Denbigh, Cambrian de Dolgellau et Tomos Watkin de Llandeilo.

*Ci-dessus, à droite –
Roberts d'Aberystwyth
fait partie des nombreuses
brasseries disparues.*

*Ci-dessus – Brains de Cardiff
a longtemps gardé la tradition
des ales mûries en tonneaux.
Depuis peu seulement, il vend sa
bière premium SA en bouteille.*

LES BIÈRES

Allbright
La plus populaire au pays de Galles. Bitter standard en tonnelet, ambre pâle (3,2 %), produite par Welsh Brewers de Cardiff (appartenant à Bass).

Archdruid
Ale savoureuse (3,9 %) faisant partie d'une gamme de bières de la petite brasserie Dyffryn Clwyd, située au cœur de Denbigh.

Brains Bitter
Bitter en tonneau (3,7 %), blonde ambrée et houblonnée, meilleure vente de Brains.

Brains Dark
Mild brune peu houblonnée (3,5 %), traditionnellement servie avec une mousse crémeuse. Bière onctueuse moins sucrée que la plupart des bières brunes de type mild. Dark Smooth en est une version plus forte (4 %).

Brenin
Cette bitter basse densité (3,4 %) de Crown Buckley tire son nom du mot gallois signifiant « roi ».

Brindle
Ale forte (5 %) et goûteuse produite par la petite brasserie Bullmastiff.

Buckley's Best Bitter
Bitter bien équilibrée (3,7 %), à l'agréable saveur houblonnée. Connue depuis des générations dans l'ouest du pays, c'est toujours la meilleure vente de Buckley's. Se vend en tonneau, tonnelet et canette.

Bullmastiff Best Bitter
Bière maltée et fruitée (4 %°), brassée par Bullmastiff, Cardiff.

Cambrian Original
Bitter houblonnée de la brasserie Cambrian de Dolgellau qui propose aussi une Best Bitter maltée (4,2 %) et une Premium bien charpentée (4,8 %).

CPA
Crown Pale Ale est une bitter ambre pâle, rafraîchissante (3,4 %), baptisée autrefois « le champagne des vallées ». Brassée aujourd'hui par Crown Buckley.

Cwrw Castell
Le nom gallois de cette bière se traduit par *Castle Bitter* (bitter de château) en anglais. Produite par Dyffryn Clwyd.

Cwrw Tudno
Premium bitter maltée (5 %) de Plassey. Tudno est le saint patron de la station balnéaire de Llandudno.

Dr Johnson's Draught
Bière pression traditionnelle (3,6 %) de la gamme de Dyffryn Clwyd.

Double Dragon
Premium bitter bien charpentée (4,2 %), de Felinfoel, primée à la Brewer's Exhibition de Londres, en 1976. Bière ambre foncée, peu maltée, délicatement houblonnée. Version plus forte en bouteille, pour l'exportation, surtout aux États-Unis.

Dragon's Breath
Bière d'hiver de Plassey ambre foncé, chaleureuse et épicée (6 %).

Ebony Dark
Rare ale typique en tonneau (3,8 %), produite par Bullmastiff, Cardiff.

Felinfoel Bitter
Bitter ambrée, légèrement houblonnée (3,2 %). Malt pâle ajouté à la maische. Brasserie Felinfoel.

Felinfoel Dark
Bière brune (3,2 %), brassée avec du caramel pour la rendre plus sucrée.

Gold Brew
Ale en tonneau, ambrée, goûteuse (3,8 %), produite par la brasserie Bullmastiff, Cardiff.

Hancock's HB
Bitter en tonneau maltée (3,6 %), de la brasserie Hancock (appartenant à Bass), à Cardiff.

Jolly Jack Tar Porter
Porter traditionnelle brune et sèche (4,5 %), de Dyffryn Clwyd's.

Main Street Bitter
Bitter fine en tonneau, de la brasserie Pembroke.

Off the Rails
Bière forte (5,1 %) produite à la brasserie Pembroke pour la vente directe. On la trouve à la Station Inn, Pembroke Docks.

Old Nobbie Stout
Bière brune de la brasserie Pembroke (4,8 %). On la trouve à la Station Inn.

Pedwar Bawd
Ale forte (4,8 %) de Dyffryn Clwyd, Denbigh. Elle a été primée « Bière galloise de l'année » 1994 par la CAMRA.

Plassey Bitter
Bière couleur paille (4 %), au goût fruité, de la brasserie Plassey.

Reverend James
Premium Ale de Buckley, chaleureuse, épicée, fruitée, bien ronde (4,5 %), porte le nom du révérend James Buckley, pasteur méthodiste qui, non content de sauver des âmes, sut étancher leur soif quand il hérita de son beau-père la brasserie de Llanelli, dans les années 1820.

L'ALE GALLOISE

Il y a plusieurs siècles, l'ale galloise était extrêmement appréciée en Grande-Bretagne. Ainsi, lorsque le roi Ine du Wessex, au sud de l'Angleterre, établit entre 690 et 693 une loi sur les paiements en nature du loyer de la terre, il décréta que pour 10 « hides » (280 hectares) de terre, le paiement en nourriture du loyer devrait inclure 12 « ambers » (ancienne mesure de liquide) d'ale galloise.

Des récits datant de la période saxonne divisent l'ale en trois types : clair, mild et gallois. L'ale galloise, connue alors sous le nom de Bragawd ou Bragot, était beaucoup plus prisée que l'ale claire ou mild. Reconnue comme ale spécifique, elle pouvait être brassée ailleurs qu'au Pays de Galles. Cette boisson savoureuse, parfumée d'épices coûteuses et de miel, gagna l'Ouest avec les envahisseurs saxons, mais revint ensuite en Angleterre où elle était appréciée pour sa saveur vigoureuse. L'ale galloise occupait alors la seconde place après l'hydromel, cette autre boisson au miel.

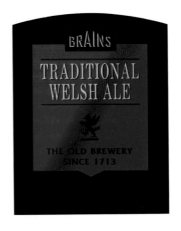

S-A
Bitter premium (4,2 %) ambre foncé, maltée et fruitée de la brasserie Brain's, appelée « Skull Attack » (attaque le cerveau) par les amateurs belges. Son nom vient en fait des initiales du fondateur de la brasserie, Samuel Arthur Brain. S-A est exporté aux États-Unis sous le nom Traditional Welsh Ale.

SBB
Special Best Bitter (3,7 %) brassée par Crown Buckley, Llanelli. Bitter mûrie en tonneau et bien ronde, particulièrement populaire dans la vallée de Cynon.

Son of a Bitch
Cette ale bien charpentée et se laissant boire, est la bière en tonneau la plus forte du Pays de Galles (6 %). Produite par Bullmastiff, Cardiff.

Watkin BB
Bitter maltée (4 %), de Tomos Watkin, Llandeilo.

Watkin OSB
Bitter à l'ancienne un peu plus forte (4,5 %), de Watkin.

Welsh Bitter
Célèbre bitter légère en tonnelet (3,2 %), brassée par Whitbread, Magor.

Worthington Dark
Mild rouge foncé, crémeuse (3 %), de Welsh Brewers, du nom de célèbres brasseurs de Burton. Populaire dans la région de Swansea.

Worthington Draught
Bitter lisse et crémeuse (3,6 %), de Welsh Brewers. Subtile amertume et arôme de poire-pêche.

LES BRASSEURS

Brains

Brasserie familiale à Cardiff depuis 1882. Célèbre pour son slogan « It's Brains you want » (« C'est une Brains que vous voulez »). Produit trois ales en tonneau pour ses 189 pubs.

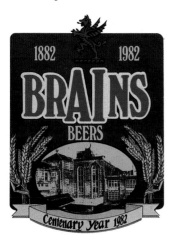

Bullmastiff

Bob Jenkins fonda cette brasserie en 1987 et la baptisa du nom de ses chiens. Aujourd'hui située à Cardiff, elle produit des bières en tonneau originales mais difficiles à trouver, dont Gold Brew et Ebony Dark, Best Bitter, Brindle et la célèbre Son of a Bitch.

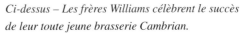

Ci-dessus – Les frères Williams célèbrent le succès de leur toute jeune brasserie Cambrian.

Cambrian

Les frères Kevin et Keith Williams établirent en 1996 la seule brasserie du nord-ouest du Pays de Galles, afin de desservir la région montagneuse Snowdonia National Park. Basée à Dolgellau, la petite brasserie produit Cambrian Original, Best Bitter, Premium et Mountain Ale, ainsi que diverses bières saisonnières.

Crown Buckley

La brasserie Buckley, à Llanelli, serait la plus ancienne du Pays de Galles, remontant à 1767. La brasserie Crown, autrefois D. T. Jenkins de Pontyclun, brasse sous le nom de Crown depuis 1919. D. T. Jenkins devint Crown quand les clubs locaux se réunirent pour acheter leur propre brasserie, dans le but de pallier la pénurie de bière due au rationnement. En 1989, Crown et Buckley fusionnèrent et le brassage fut alors concentré sur le site de Buckley, à Llanelli. L'usine Crown sert pour la mise en bouteille et en tonnelet. En 1997, la compagnie, reprise par Brains de Cardiff, devint Brain Crown Buckley.

Ci-dessus – Tonneaux de Brains destinés aux pubs (vers 1930).

Dyffryn Clwyd

Petite brasserie située dans l'ancien marché au beurre, au cœur de Denbigh.

Felinfoel

Brasserie de village, à Llanelli, l'une des deux brasseries survivantes dans l'ouest du Pays de Galles. En 1935, elle est la première brasserie d'Europe à produire de la bière en canette, pour aider l'industrie locale du fer-blanc pendant la dépression. Felinfoel est connue pour son Double Dragon, ale robuste au nom patriotique (le dragon rouge est le symbole du pays). Elle produit aussi pour ses 85 pubs une bitter fine et une brune goûteuse (3,2 %).

Hancock's

William Hancock reprit la brasserie North and Low's Bute Dock à Cardiff en 1883. La compagnie continua à s'agrandir en rachetant plusieurs autres brasseries du sud du Pays de Galles et finit par devenir le plus important brasseur du pays. Quand cette puissante entreprise régionale fut reprise par le géant anglais Bass en 1968, Welsh Brewers vit le jour, dans une savante fusion de Hancok's avec Wenn's d'Averbeh et Fernvale de Rhondda. Aujourd'hui, seule a survécu Hancock's Brewery de Cardiff.

Pembroke

David Lightley installa sa petite brasserie en 1994, derrière son auberge du XVIIIe siècle, dans des écuries transformées. Pembroke approvisionne surtout son pub, Station Inn, à Pembroke Docks. Il produit entre autres une rare lager mûrie en tonneau (4,1 %).

Plassey

Petite brasserie installée sur un camping pour caravanes à Eyton, en 1985. Plassey produit une bitter Plassey houblonnée (4 %), un dry stout (4,6 %) et deux ales plus fortes, pour les trois bars du camping.

Watkin

Tomos Watkin and Sons tire son nom d'une ancienne brasserie de Llandovery. Établie en 1995 à Llandeilo dans le sud-ouest du Pays de Galles par Simon Buckley, membre de l'illustre famille de brasseurs Buckley, l'usine produit deux bières

en tonneau, Watkin's Brewery Bitter et Watkin's Old Style Bitter. Watkin envisage d'agrandir ses locaux et de construire un pub.

Welsh Brewers

La filiale de Bass, au sud du Pays de Galles, est basée à Cardiff.

Whitbread

Célèbre compagnie, troisième plus grand brasseur d'Angleterre. S'est imposée au Pays de Galles, par son énorme usine de Magor. Outre Welsh Bitter,

Ci-dessous – Le déclin de l'étamage, industrie traditionnelle de l'ouest du Pays de Galles, poussa Felinfoel à adopter la bière en canette, pour relancer l'industrie du fer-blanc et remplir les poches de ses clients.

sa meilleure vente, elle produit à Magor de nombreuses bières étrangères pour le marché gallois.

LES PUBS-BRASSERIES

Il existe quatre pubs-brasseries au Pays de Galles.

• The Joiners Arms, Bishopston. The Swansea Brewing Co. fut installée derrière ce pub en 1996. Sa principale bière est Bishopswood Bitter.

• The Nag's Head, Abercych, près de Newcastle Emlyn, est une vieille forge transformée. Produit Old Emrys (4,1 %).

• The Red Lion, Llanidloes, Powys, produit Blind Cobbler's Thumb (4,2 %), Witches' Brew (7,5 %) et, à Noël, le puissant barley wine Blind Cobbler's Last (10,5 %).

• The Tynllidiart Arms, Capel Bangor, près d'Aberystwyth, est un pub-brasserie-cottage qui produit Rheidol Reserve (4,5 %).

WREXHAM LAGER

Grâce à l'eau pure de ses sources, Wrexham était autrefois le centre de la bière au Pays de Galles. La ville possédait 19 brasseries et ses bières étaient connues dans toute la Grande-Bretagne. La dernière des brasseries d'ale de Wrexham, Border, ferma en 1984 mais il reste encore une entreprise de production.

Des immigrants allemands et tchèques établirent en 1882 la Wrexham Lager Beer Company qui devint la première brasserie de lager de Grande-Bretagne. Sa production était en grande partie exportée, surtout vers l'armée. Le brasseur de Burton, Ind Coope reprit Wrexham en 1949 pour produire des lagers étrangères sous licence. Première brasserie de Grande-Bretagne à brasser Budweiser (américain). Elle produit encore une lager Wrexham légère pour le marché local et l'exportation.

Ci-dessous et ci-dessus – Wrexham tenta de convaincre les buveurs d'ale britanniques de boire sa lager.

ANGLETERRE

*La mild, principale bière anglaise au début du xxᵉ siècle et boisson
de l'ouvrier, a été remplacée depuis la Seconde Guerre mondiale par une
autre ale à fermentation haute, la bitter plus forte et plus chargée en houblon.*

Bien que la marée blonde de la lager ait déferlé sur les rivages d'Angleterre
sous la forme d'imitations de bières étrangères de type pilsner, les ales y sont
toujours très populaires et représentent environ la moitié
du marché, aucun pays du monde n'en buvant autant.
L'ale, dont la couleur varie de l'or pâle au rubis foncé,
est une boisson généralement peu alcoolisée, de 3,5
à 4,5 % APV, bue en société et en grande quantité
(pinte ou demi).

Pour déguster les bières anglaises locales, plutôt
que d'acheter une bouteille ou une canette et de la
boire chez vous, entrez donc dans
un pub *(public house)* où l'on
sert la bière à la pression, à l'aide d'une haute tireuse à
main. La bière anglaise traditionnelle est mûrie en
tonneau ; après avoir quitté la brasserie, elle continue à
fermenter et à mûrir dans la cave du pub, en laissant son
arôme se développer pleinement.

La bière anglaise a la réputation d'être « tiède » ; sans
être aussi froide que la lager, elle devrait toujours être
servie à la température de la cave.

Vers 1960, les principales brasseries d'Angleterre tentè-
rent de remplacer la bière en tonneau par la bière en « keg »
(tonnelet de 45 litres) plus facile à manipuler, filtrée et
pasteurisée à la brasserie et servie froide et carbonatée au
bar. Mais les buveurs anglais se révoltèrent à l'idée de
perdre leurs bières locales traditionnelles. Ils voulaient la
saveur plus charpentée de la bière en tonneau.

Une campagne lancée vers 1970, la CAMRA *(Campaign
for Real Ale),* suscita un nouvel intérêt pour la bière en
tonneau, grâce auquel 55 brasseries traditionnelles ont survécu, certaines
compagnies nationales relançant même leurs propres bières en tonneau.

CAMRA a ainsi entraîné la création de centaines de nouvelles brasseries depuis
les années 1970, dont certaines ont recréé les anciens types d'ale, comme la porter.

*Ci-dessus – La bière anglaise
légère est bue en grande
quantité. Les ales fortes,
comme cette Fuller's 1845,
sont destinées à des
occasions spéciales.*

LES BIÈRES

Abbot Ale
Robuste bitter premium
(5 %), fruitée, brillante et
ambrée, de Greene King, du
nom du dernier abbé de Bury
St Edmunds, East Anglia,
ville natale du brasseur.

Adnams Bitter
Bitter classique (3,7 %)
blond soutenu, à la saveur
d'orange houblonnée.
Adnams produit aussi une
mild brune, lisse et maltée
(3,2 %), Regatta Ale, une
ale d'été légère (4,3 %) et
Extra, une bitter plaisante,
houblonnée et sèche en
bouche, « Champion Beer
of Britain » de 1993.

AK
Ale populaire à la longue
carrière, de McCullens,
Hertford, bitter légère
(3,7 %) et rafraîchissante.

Amazon Bitter
Bière sans additifs (4 %), du
pub-brasserie Masons Arms,
Cartmel Fell, Cumbria.

Ansells Mild
Mild brune (3,4 %), au goût
de réglisse, de Ind Coope,
Burton-on-Trent.

A Pint-a Bitter
Bitter mûrie en tonneau,
goûteuse (3,5 %), de Hogs
Back Brewery, Surrey.
Connue sous le nom APB.

Archers Best
Bitter maltée et fruitée,
de Archers, Swindon.

Arthur Pendragon
Ale premium bien
charpentée (4,8 %), fruitée,
de Hampshire Brewery,
Andover, Hampshire.

Arundel Best Bitter
Bitter blond doré (4 %),
sans additif, produite
par Arundel, Sussex.

Badger
Nom populaire d'une
gamme de bières de la
brasserie historique Hall
and Woodhouse, Blandford
Forum, Dorset.

Ballard's Best
Ale cuivrée et maltée
de la brasserie Ballard's,
Nyewood, Sussex.

Bank's Ale
Mild rouge ambré (3,5 %),
brassée avec du malt Maris
Otter, du houblon Fuggles
et Golding et du caramel.

Bank's Bitter
Bitter douce-amère (3,8 %),
astringente, de la brasserie
Bank, Wolverhampton.

Banner Bitter
Bitter parfumée, brun
clair (4 %), de la brasserie
Butterknowle, Bishop
Auckland.

Barn Owl Bitter
Bitter riche, fruitée, brunâtre
(4,5 %), de la brasserie
Cotleigh, Somerset.

Batham's Best
Bitter blond doré, suave
(4,3 %), de la célèbre
brasserie Black Country,
Batham's, Brierley Hill.

Battleaxe
Bière en tonneau lisse
et sucrée (4,2 %), de
la brasserie Rudgate,
près de York.

Beacon Bitter
Bitter rafraîchissante (3,8 %)
de Everard, Narborough,
près de Leicester.

Beast
Bière d'hiver robuste
(6,6 %), de la brasserie
Exmoor, Wiveliscombe,
Somerset.

Beaumanor Bitter
Cette bitter brun clair
et goûteuse (3,7 %) est
brassée par la brasserie
Hoslins, Leicester.

Beechwood
Bière pression bien ronde
(4,3 %), au parfum de noix,
de la brasserie Chiltern.

Benchmark
Ale maltée plaisamment
amère (3,5 %), brassée par
Bunces Brewery, Wiltshire.

Bishops Ale
Barley wine corsé (8 %),
bien parfumé, de Ridley's
Brewery, près
de Chelmsford.

Bishops Finger
Ale rouge
rubis (5,4 %)
fruitée, à
l'arrière-goût
malté,
de Sheperd
Neame,
dans
le Kent.

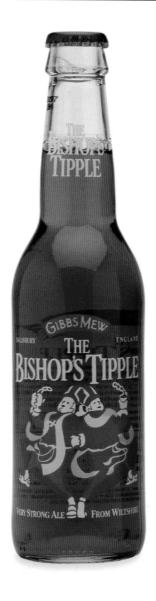

Black Diamond
Bitter rubis foncé, riche et maltée (4,8 %), de la brasserie Butterknowle, Bishop Auckland.

Black Jack Porter
Bière d'hiver brune, riche (4,6 %), sucrée, à la saveur fruitée, d'Archers, Swindon, Wiltshire.

Black Magic
Bitter stout (4,5 %), de la brasserie Oakhill, Somerset.

Black Rock
Ale forte (5,5 %) de la Brewery-on-Sea, Lancing, Sussex.

Black Sheep Best
Bitter houblonnée (3,8 %) fermentée dans les cuves traditionnelles en pierre du Yorkshire, de la brasserie Black Sheep, Masham, North Yorkshire.

Black Sheep Special
Ale ambrée charpentée (4,4 %) brassée dans des cuves en pierre. Vendue en bouteille sous le nom de Black Sheep Ale.

Bishops Tipple, The
Barley wine ambre foncé, fort (6,5 %), riche à la saveur complexe, douce et fumée, brassé près de la cathédrale, à Salisbury, par Gibbs Mew.

Black Adder
Stout brun (5,3 %) au goût de malt rôti, de la brasserie Mauldon, « Champion Beer of Britain » 1991.

Black Cat Mild
Bitter brune au goût de tonneau (3,2 %), de la brasserie Moorhouse, Lancashire.

Blunderbus
Porter intense (5,5 %), de la brasserie Coach House, Warrington.

Boddingtons
Bière jaune paille (3,8 %) de la célèbre brasserie de Manchester du même nom. Autrefois prisée pour son amertume, aujourd'hui beaucoup plus douce.

Bodgers
Barley Wine en bouteille (8 %), de la brasserie Chiltern, près d'Aylesbury.

Bombardier
Bière en tonneau douce (4,3 %), maltée, fumée, par Charles Well, Bedford.

Boro Best
Bière en tonneau bien charpentée (4 %), de North Yorkshire, Middlesbrough.

Bosun Bitter
Bière en tonneau ambrée, lisse, à forte saveur de malt. Par Poole Brewery, Dorset.

Bosun's Bitter
Bitter en tonneau ambrée, rafraîchissante (3,1 %), à l'amertume houblonnée, de Saint Austell Brewery, Cornouailles.

Brakspear Bitter
Bitter légère (3,4 %), aromatique, houblonnée, par cette brasserie, Oxfordshire.

Brakspear Special
Bitter brun doré, sèche, maltée (4,3 %).

Brand Oak Bitter
Bière en tonneau bien équilibrée (4 %), au final un peu sec mais à la saveur douce et citronnée. Wickwar Brewery, Gloucestershire.

Branoc
Bitter ambrée (3,8 %) brassée près de Branscombe Vale, Devon, avec l'eau de la source locale.

Brew XI
Bitter en tonneau maltée, suave (3,8 %), de la brasserie Mitchells & Butlers, Birmingham.

Brew 97
Bière en tonneau maltée, bien charpentée (5 %) au bon goût houblonné, de la brasserie Moles, Wiltshire.

Brewer's Droop

Ale forte (5 %) à la pression et en bouteille, de la brasserie Marston Moor, North Yorkshire.

Brewer's Pride

Bitter en tonneau ambrée, légère (4,2 %), fruitée et rafraîchissante, de la brasserie Marston Moor, North Yorkshire.

Bridge Bitter

Bitter fruitée, houblonnée (4,2 %), de Burton Bridge, Burton-on-Trent.

Bristol Stout

Stout saisonnier brun-rouge (4,7 %), au plaisant goût de malt rôti, de la brasserie Smiles, Bristol.

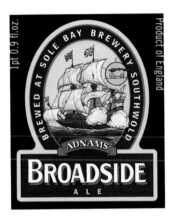

Broadside Ale

Ale forte grenat (4,7 %), houblonnée, amère, de Adnams, brassée pour le 300e anniversaire de la bataille de Sole Bay en 1672. L'ale en bouteille est plus forte (6,3 %) qu'à la pression.

Buccanneer

Bitter or pâle au goût malté et sucré (5,2 %), brassée par Burtonwood.

Bulldog Pale Ale

Pale-ale jaune en bouteille, forte (6,3 %) et houblonnée, produite par Courage, Bristol.

Bullion

Ale brune fruitée (4,7 %), de la brasserie Old Mill, Snaith, Yorkshire.

Bunce's Best Bitter

Bitter fruitée, fraîche et aromatique (4,1 %), brassée dans un moulin, à Netheravon, Wiltshire.

Burton Porter

Cette porter sèche (4,5 %), brun fauve possède un goût léger, malté. Existe aussi mûrie en bouteille. Brassée par la brasserie Burton Bridge, Burton-on-Trent.

Burtonwood Bitter

Bitter onctueuse, à goût de fumée (3,7 %), brassée près de Warrington à la brasserie Burtonwood.

Butcombe Bitter

Bitter sèche et houblonnée (4 %) brassée près de Bristol, dans les Mendip Hills.

Buzz

Bière en tonneau parfumée de miel (4,5 %), produite par la Brewery-on-Sea, Lancing, Sussex.

Cains Bitter

Bitter ambrée, sèche et épicée (4 %), de la brasserie bien connue de Merseyside, Liverpool.

Cambridge Bitter

Bitter ambrée traditionnelle, houblonnée (3,8 %), de la brasserie Elgood, les Fens, Wisbech.

Camerons Bitter

Bitter orangée légère (3,6 %) et maltée, du brasseur Hartlepool, très populaire chez les ouvriers de la région.

Carling Black label

Lager lisse et sucrée (4,1 %), la bière la plus vendue en Grande-Bretagne. Importée du Canada en 1953, elle fut adoptée par Bass et devint sa principale marque de lager.

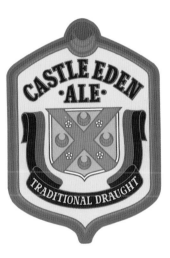

Castle Eden Ale

Ale ambrée, sucrée et maltée (3,8 %), de la brasserie basée à Durham et appartenant à Whitbread.

Castle Special Pale Ale

L'une des bières en bouteille (5 %) de la gamme de la brasserie McMullen, Hertford.

Challenger

Bitter premium (4,1 %) qui porte le nom d'une variété de houblon, mais offre un parfum fruité et malté. Brasserie Ash Vine, Trudoxhill, Somerset.

Chiltern Ale

Bière pression légère (3,7 %) et piquante, de la brasserie Chiltern, Terrick.

Chiswick Bitter

Bitter rafraîchissante (3,5 %), très appréciée, au parfum subtil de fleurs et de fumée, de Fullers, Londres.

Coachman's Best

Bitter brun moyen, bien charpentée (3,7 %), à la saveur houblonnée et fruitée, brasserie Coach House, à Warrington.

Cocker Hoop

Bitter blonde rafraîchissante (4,8 %), au parfum houblonné et fruité, de la brasserie indépendante Jennings, Lake District.

College Ale

Ale forte d'hiver, en tonneau (7,4 %), de la brasserie Morrels, Oxford.

Conciliation

Bitter brune, brun fauve (4,3 %), au bon goût houblonné. Bière phare de la brasserie Butterknowle de Bishop Auckland, County Durham.

Coopers WPA

Bière populaire, en tonneau, or jaune, rafraîchissante (3,5 %), au goût piquant, citronné et houblonné. Brasserie Wickwar, Gloucestershire.

Country Best Bitter
Bitter bien ronde et fruitée,
au goût franc (4,3 %),
de la brasserie McMullen,
Hertford.

Country Stile
Bière à la pression brun
moyen (4,1 %), produite
par la brasserie Daleside,
Harrogate, Yorkshire.

Courage Best
Bitter traditionnelle brun
doré, en tonneau, sèche
et maltée (4 %), brassée
à Bristol par Courage.

Craftsman
Premium ale dorée,
houblonnée (4,2 %),
de la brasserie Thwaites,
Blackburn, Lancashire.

Cromwell Bitter
Bitter en tonneau,
dorée, fruitée (3,6 %),
de la brasserie Marston,
North Yorkshire.

Cumberland Ale
Bitter dorée (4 %) à l'arôme
délicat, de la brasserie
Jennings, Cockermouth,
Lake District.

Daredevil Winter Warmer
Bière lisse et fruitée, à
la saveur robuste (7,1 %)
et bien développée, produite
par Everards, Narborough
près de Leicester.

Deacon
Dry bitter or pâle, orangée
(5 %), de la brasserie Gibbs
Mews, à Salisbury, Wilshire.

Deep Shaft Stout
Stout noir (6,2 %) à
la saveur de malt rôti,
produit par la brasserie
Freeminer, Gloucestershire.

Devon Gold
Bière d'été fruitée
jaune paille (4,1 %), de
Blackawton, South Devon.

Director's
Bitter brune traditionnelle
en tonneau, riche (4,8 %),
brassée à Bristol
par Courage.

Dolphin Best
Bitter sèche et ambrée
(3,8 %), en tonneau, brassée
chez Poole, Dorset.

Dorset Best
(ou Badger Best Bitter)
Ale en tonneau au goût amer
de houblon et de fruit (4,1 %),
de Hall and Woodhouse.

Double Chance
Bitter maltée (3,8 %), de
Malton, North Yorkshire.

Double Diamond
Célèbre pale-ale ambre
foncé de Ind Coope, Burton-
on-Trent qui, après une
promotion peu alcoolisée
en tonnelet, rétablit sa
réputation par la vente
en bouteille (4 %), en
particulier avec la version
export plus forte (5,2 %),
parfois vendue en tonneau.

Double Maxim
Ale brune ambrée classique,
forte (4,7 %) et lisse,
au goût fruité, du grand
brasseur Vaux.

Double Stout
Stout à l'ancienne (4,8 %)
relancé en 1996, après 79 ans
d'absence, par la brasserie
Hook Norton, Banbury.

Dragonslayer
Real ale jaunâtre (4,5 %)
au goût âpre de malt
et de houblon, de B & T,
Bedfordshire.

Draught Bass
Superbe bitter (4,4 %)
à la légère amertume de
houblon et à la saveur
maltée. Plus grosse vente
de premium ale du pays.

Draught Burton Ale
Ale bien ronde (4,8 %),
de la brasserie Carlsberg-
Tetley, Burton-on-Trent.

Drawwell Bitter
Bière en tonneau (3,9 %)
de la brasserie Hanby,
Shropshire.

Eagle IPA
Bière en tonneau ambrée
(3,6 %) sucrée, maltée,
de la brasserie Charles
Wells, Bedford.

Eden Bitter
Bière lisse et sucrée (3,6 %),
de la brasserie Castle Eden,
County Durham.

Edmund II Ironside
Bitter goûteuse
(4,2 %), en
tonneau, de
la brasserie
Hampshire,
Andover.

Elizabethan
Barley wine
doré (8,1 %),
créé pour le
couronnement
de la reine en 1953,
par Harveys.

Enville Ale
Fait partie d'une gamme
de bières au miel produite
par la Enville Farm,
Staffordshire. L'ale or pâle
(4,5 %) est enrichie de miel
après une fermentation
initiale rapide, puis une
seconde fermentation basse
(orge et miel venant
de la brasserie même).

Enville White
Bière au froment dorée
(4 %), sucrée, de la
brasserie Enville Farm.

ESB
La Extra Special Bitter
de Fuller's, Londres, est
beaucoup plus forte (5,5 %)
que la plupart des bitters.
Beaucoup de caractère,
saveur complexe de malt,
de fruits et de houblon.
« Champion Beer of Britain »
trois fois.

ESX Best
Bitter en tonneau fruitée
(4,3 %) produite
par Ridleys, près
de Chelmsford,
Essex.

Everard Mild
Mild brune
(3,3 %) avec
un haut faux
col. Brassée
à Narborough,
près de
Leicester,
par Everard.

Exmoor Ale
Bitter brun pâle, maltée
(3,8 %), de la brasserie
Exmoor, Wiveliscombe,
Somerset, classée meilleure
bitter au *Great British
Beer Festival* en 1980.

Exmoor Gold
Bitter ambrée (4,5 %),
de la brasserie Exmoor.

Fargo
Ale en tonneau ambrée,
riche (5 %), de Wadworth's,
Devizes, Wiltshire.

Farmer's Glory
Premium bitter brune (4,5 %),
fruitée, de Wadworth's,
Devizes, Wiltshire.

Fed Special
Bitter filtrée ambre pâle
(4 %) brillante, brassée
pour les clubs d'ouvriers
par la Federation Brewery,
nord-est de l'Angleterre.

Festive
Ale premium fruitée
(5 %), de King & Barnes,
Horsham, Sussex.

Flowers IPA
Pale-ale cuivrée, crémeuse
(3,6 %), produite par
Whitbread, Cheltenham.

Flowers Original
Bitter goûteuse (3,6 %),
au bon équilibre entre malt
et houblon, de Whitbread,
Cheltenham, Gloucestershire.

Flying Herbert
Bitter en tonneau, rouge,
maltée, rafraîchissante,
de la brasserie du même
nom, North Yorkshire.

Formidable Ale
Ale blond doré forte (5 %),
bien ronde, de la brasserie
Cains, Liverpool.

Fortyniner
Bitter fruitée bien équilibrée
(4,8 %), de la brasserie
Ringwood, Hampshire.

Founders
Bitter brun pâle (4,5 %)
au léger goût d'agrumes et
de malt doux, de la brasserie
Ushers, Wiltshire.

Franklin's Bitter
Bitter florale (3,8 %),
aromatique, houblonnée,
Harrogate, Yorkshire.

Freedom Pilsener
Pilsner fraîche, légèrement
fruitée (5,4 %), de
la brasserie Freedom,
Fulham, Londres.

Freeminer Bitter
Bitter pâle (4 %),
houblonnée,
de Forest of Dean,
Gloucestershire.

Fuggles Imperial
Bitter premium
pâle et forte
(5,5 %), de la
brasserie Castle
Eden, Whitbread,
County Durham.

Gargoyle
Bitter en tonneau
goûteuse (5 %),
de la brasserie
Lichifield, Midlands.

GB Mild
Bière lisse, maltée, fruitée
(3,5 %), de la brasserie
familiale Lees, dans le
nord de Manchester.

Georges Bitter Ale
Bitter légère (3,3 %),
rafraîchissante, de Courage,
autrefois Georges, Bristol.

Gingersnap
Bière au froment brune,
orange (4,7 %), brassée
avec de la racine de
gingembre frais, par
Salopian, Shrewsbury.

Ginger Tom
Ale parfumée au gingembre
(5,2 %), de Hoskins
& Oldfield, Leicester.

Gladstone
Bitter onctueuse
rafraîchissante (4,3 %),
de MacMullen, Hertford.

Golden Best
Mild fine (3,5 %), de la
brasserie Timothy Taylor,
Keighley, Yorkshire.

Golden Bitter
Bitter fruitée (4,7 %),
de Archers, Swindon.

Golden Brew
Bitter dorée (3,8 %),
aromatique, de
Smiles, Bristol.

Gold Label
Le plus connu des vins
d'orge en bouteille
d'Angleterre, épicé,
chaleureux (10,9 %),
produit par Whitbread.

Gothic Ale
Ale brune (5,2 %),
de la brasserie Enville
Farm, Staffordshire.

Governor
Bitter ambrée (4,4 %),
de la brasserie Hull.

Graduate
Premium bitter au parfum
de malt rôti (5,2 %), de la
brasserie Morrells, Oxford.

Granary Bitter
Bière ambrée, saveur fruitée,
amère (3,8 %), de Reepham,
près de Norwich.

GSB
Bitter fruitée, sèche (5,2 %),
de la brasserie Elgood,
près de Wisbech.

Gunpowder

Mild noir réglisse (3,8 %), de la brasserie Coach House, Warrington.

Hammerhead

Ale maltée, forte (5,6 %), riche, vigoureuse, brassée par Clark's, Wakefield, West Yorkshire.

Harrier S.P.A.

Bitter brun clair (3,6 %), au goût léger et houblonné, de la brasserie Cotleigh, Somerset.

Harvest Ale

Ale en bouteille très forte (11,5 %) produite chaque année avec le malt et le houblon nouveaux, par la brasserie Lees, Manchester. Cette bière d'hiver peut mûrir plusieurs années en cave.

Harveys Christmas Ale

Ale forte, chaleureuse, produite chaque année par la brasserie Harveys, Lewes, Sussex.

Harveys Firecracker

Bière mise en bouteille en l'honneur des pompiers qui combattirent le terrible incendie de la brasserie Harveys, en 1996. Pale-ale brune forte (5,8 %), à la saveur fumée.

Harveys Sussex Best Bitter

Bitter dorée, houblonnée (4 %), de Harveys, Lewes.

Harveys Sussex Pale Ale

Ale légère (3,5 %), houblonnée, de Harveys.

Harveys Tom Paine

Pale-ale forte (5,5 %), de la brasserie Harveys.

Hatters

Mild fine et légère (3,3 %), de la brasserie Robinson, Stockport.

Headstrong

Bitter fruitée (5,2 %), de la brasserie Blackawton, Devon.

Heritage

Bière bien ronde (5,2 %) au goût de malt rôti, fruitée, de Smiles, Bristol.

Hersbrucker Weizenbier

Bière au froment légère (3,6 %) de la brasserie Springhead, Nottinghamshire.

Hick's Special Draught

Également appelée HSD. Bière en tonneau fruitée, bien ronde (5 %), de la brasserie Saint Austell, Cornouailles.

High Force

Bière onctueuse, complexe (6,2 %) au goût malté et sucré, de Butterknowle, Bishop Auckland.

Highgate Dark Mild

Mild onctueuse brun foncé (3, 2 %), produite dans cette brasserie victorienne à Walsall, West Midlands. Une vigoureuse levure à quatre souches lui donne sa saveur complexe.

Highgate Old Ale

Ale brune fruitée (5,6 %), brun-rouge, à la saveur complexe, brassée en hiver par la brasserie de Walsall.

High Level

Ale brune filtrée, douce et fruitée (4,7 %), brillante, brassée pour les clubs d'ouvriers par la Federation Brewery, dans le nord-est de l'Angleterre. Emprunte son nom au pont de Newcastle qui traverse la Tyne.

Hobgoblin

Ale rouge robuste (5,5 %), vendue en tonneau et en bouteille en Europe et aux États-Unis. Produite par Wychwood, Oxfordshire.

Holden's Black Country Special Bitter

Bitter bien ronde (5,1 %), sucrée, de la brasserie Holden à Woodsetton dans les West Midlands.

Holt's Bitter

Bitter sèche typique (4 %) encore vendue en barrique (250 litres), à un prix relativement bas, par la brasserie Holt's, Manchester.

Hook Norton Best Bitter

Bière en tonneau sèche
et houblonnée (3,4 %),
de cette ancienne brasserie
de village du Oxfordshire.

Hop and Glory

Bière complexe en bouteille
(5 %), de la brasserie
Ash Vine, Somerset.

HSB

Célèbre bitter bien ronde
(4,8 %), de Gale's,
Horndean, Hampshire.

Imperial Russian Stout

Bière classique
de Scottish Courage,
onctueuse, brun
foncé, à la riche
saveur maltée
(10 %).

Indiana's Bones

Ale brune, riche
(5,6 %), vendue
en tonneau et
en bouteille,
de la brasserie
Summerskills,
South Devon.

Innkeeper's Special

Bière maltée
onctueuse
(4,5 %), riche
couleur rubis
et goût net
de houblon.
Produite par la
brasserie Coach
House, Warrington.

Inspired

Bitter brune en tonneau,
maltée (4 %), de la petite
brasserie Lichfield.

Ironbridge Stout

Stout riche et
sombre (5 %), de la
brasserie Salopian,
Shrewsbury.

Jennings Bitter

Bitter légère (3,5 %),
sèche, maltée, de la
brasserie Jennings,
Cumbria.

John Smith's Bitter

Bitter du Yorkshire
en tonneau, ambre
foncé, douce (3,8 %),
maltée, à la texture
crémeuse. L'une des plus
populaires d'Angleterre.

Kimberley Classic

Bitter premium claire
(4,8 %), sèche
en bouche et
houblonnée, de
la brasserie Hardys
& Hansons,
Nottinghamshire.

King Alfred's

Bière en tonneau
houblonnée
(3,8 %), de
la brasserie
du Hampshire.

Kingsdown Ale

Bière pression
puissante et
fruitée (5 %),
produite par la
brasserie Arkell's
Kingsdown,
Swindon.

Lancaster Bomber

Ale en tonneau jaune paille
(4,4 %), de la brasserie
Mitchell de Lancaster.

Landlord

Bitter premium ambrée
classique (4,3 %), au goût
crémeux, de la brasserie
Timothy Taylor's,
Keighley, Yorkshire.
« Champion Beer of
Britain » en 1994.

Larkins Best Bitter

Bitter bien ronde
(4,4 %), fruitée,
de cette brasserie
du Kent.

London Pride

Best bitter fine
(4,1 %), rouge
sombre, de Fuller's,
au goût riche, sec,
malté et houblonné.

Lynesack Porter

Porter très sombre (5 %),
au final sucré et malté.
Produite par Butterknowle,
Bishop Auckland.

Mackeson's Stout

Le stout léger (3 %) en
bouteille le plus connu
d'Angleterre. Produit par
Whitbread, de couleur très
sombre, au goût sucré et
fruité. Brassé à l'origine,
en 1907, par Mackeson,
Hythe, Kent. La lactose
qu'il contenait lui donnait la
réputation d'un reconstituant.
Le sucre ne fermentant pas,
la bière contient peu
d'alcool. Il perdit son nom
de *milk stout* (« stout au
lait ») en 1946, quand le
gouvernement britannique
en interdit l'usage, mais
Whitbread conserve toujours
la baratte sur son étiquette.
Principale marque du marché
périclitant du stout léger,
il était autrefois exporté
dans 60 pays et brassé
sous licence en Belgique,
en Nouvelle-Zélande, en
Jamaïque et à Singapour.

*Ci-dessus – Publicité Mackeson de 1945, avant que le gouvernement
n'interdise l'usage trompeur du terme* milk stout.

Magnet
Bitter premium au goût de noix de la brasserie John Smith, Tadcaster, North Yorkshire.

Malt and Hops
Ale pétillante (4,5 %) de Wadworth's, Devizes, Wilsthire. Fait partie d'une gamme de bières saisonnières, à base de houblon nouveau.

M&B Mild
Mild en tonneau rougeâtre, bien ronde (3,2 %), de la brasserie Mitchell's & Butlers, Birmingham.

Mann's Original
Ale brune douce (2,8 %) en bouteille la plus renommée d'Angleterre. De texture collante, sucrée et au goût fruité, aujourd'hui brassée par Ushers, Wiltshire.

Mansfield Bitter
Bitter douce (3,9 %), rafraîchissante, brassée dans les cuves traditionnelles du Yorkshire, par Mansfield, Nottinghamshire.

Marston's Bitter
Bitter en tonneau brun clair, houblonnée (3,8 %), de Marston, Burton-on-Trent.

Mauldon Special
Bière en tonneau très houblonnée (4,2 %), de Mauldon, Suffolk.

Millennium Gold
Bière en tonneau ambrée, fruitée (4,2 %), de la brasserie Crouch Vale, Essex.

Ministerley Ale
Bitter en tonneau, pâle, complexe (4,5 %), de Salopian, Shrewsbury.

Mitchell's Bitter
Bitter ambrée, houblonnée, douce (3,8 %), de Mitchell's, Lancaster.

Moles Best
Bitter en tonneau, fruitée (4 %), bière phare de la brasserie Moles, Wiltshire.

Monkey Wrench
Bière brune lisse, sucrée et vigoureuse (5,3 %), produite par la brasserie Daleside, Harrogate, Yorkshire.

Moonraker
Ale orangée, riche, forte (7,5 %), de la brasserie J. W. Lees, Manchester.

Morocco Ale
Ale en bouteille, sombre, riche, épicée (5,5 %), d'après une recette vieille de 300 ans. Produite par Daleside, Harrogate, Yorkshire.

Morrells Bitter
Bitter en tonneau brun doré (3,7 %), de la brasserie Morrells, Oxford.

Mutiny
Ale en tonneau rougeâtre, bien ronde (4,5 %), de la brasserie Rebellion, Buckinghamshire.

Natterjack
Ale blonde, aromatique (4,8 %), portant le nom du crapaud des roseaux, produite par la brasserie de Frog Island, Northampton.

Newcastle Amber
Parente moins connue de Newcastle Brown, créée en 1951, comme version moins alcoolisée. Goût malté, sucré.

Newcastle Brown
Ale brune du Nord (4,7 %), au goût de noix et de caramel. Créée en 1927 par Newcastle Breweries, Newcastle Brown est forte, sèche et brun clair. Cette bière en bouteille, l'une des meilleures ventes anglaises, est exportée dans plus de 40 pays. Brassée aujourd'hui par Scottish Courage, Tyneside.

Nightmare Porter
Porter lisse, sèche (5 %), au goût de malt rôti et de réglisse, de la brasserie Hambleton près de Thirsk, North Yorkshire.

Noel Ale
Bière de Noël (5,5 %), de la brasserie Arkell, Kingsdown, Swindon.

Norfolk Nog
« Champion Beer of Britain » 1992. Ancienne ale goûteuse (4,6 %) produite par Woodforde's de Norfolk.

Norman's Conquest
Ale forte et sombre (7 %),
de la brasserie Cottage,
West Lydford, Somerset.
« Champion Beer of Britain »
au *Great British Beer
Festival* de 1993.

North Brink Porter
Bière d'hiver spéciale,
noir rougeâtre (5 %),
de la brasserie Elgood,
Wisbech.

Nut Brown
Ale brun foncé, sucrée,
au goût de noisette (4,5 %),
de la brasserie Whitby,
North Yorkshire.

OBJ
Ale d'hiver intense
et fruitée (5 %), de la
brasserie Brakspear.

Old Baily
Bitter maltée fruitée,
cuivrée (4,8 %), de
la brasserie Mansfield,
Nottinghamshire.

Old Bircham
Bière d'hiver ambrée,
douce et maltée (4,6 %),
de la brasserie Reepham,
près de Norwich.

Old Bob
Pale-ale en bouteille, ambre
foncé, forte (5,1 %), de la
brasserie Ridley's.

Old Brewery Bitter
Bitter en tonneau, maltée,
au goût de noix (4 %),
de Samuel Smith's
qui produit aussi
une pale-ale spéciale,
orangée, en bouteille.

Old Buzzard
Bière d'hiver presque
noire (4,8 %). Saveur
onctueuse, riche.
Produite par la brasserie
de Cotleigh, Somerset.

Old Ebenezer
Ale riche (8 %), fauve
sombre, de la brasserie
Butterknowle, Bishop
Auckland, County Durham.

Old Expensive
Vin d'orge d'hiver fort
(6,7 %) et fruité, brassé
par Burton Bridge,
Burton-on-Trent.

Old Growler
Porter complexe (5,5 %),
au goût sucré de fruit
et de malt avec un soupçon
de chocolat, qui vient
de la brasserie de
Nethergate, Suffolk.

Old Hooky
Bière forte, brun
rougeâtre (4,6 %),
à la saveur de miel,
d'orange et de malt.
Bière en tonneau,
de la brasserie
Hook Norton,
Oxfordshire.

Old Knucker
Ale ancienne
sombre, riche,
sans additif (5,5 %),
de la brasserie
d'Arundel, Sussex.

Old Masters
Bitter fauve, sèche
(4,6 %), brassée par
Morland's d'Abingdon.

Old Mill Mild
Mild rouge foncée, maltée
(3,5 %), de la brasserie Old
Mill, Snaith, Yorkshire.

Old Nick
Barley wine en bouteille
puissant (6,9 %), brun rouge
foncé, au goût épicé mais
fruité et moelleux, de Young's.

Old Original
Bitter premium (5,2 %)
avec du caractère, riche,
maltée, d'Everard.

Old Peculier
Célèbre ale ancienne de
Theakston, sombre, riche
(5,7 %), à la saveur
de malt rôti, de Masham,
North Yorkshire.
Son nom vient du
Peculier of Masham,
l'ancienne cour
ecclésiastique
de la ville.

Old Smokey
Ale sombre,
chaleureuse, maltée
(5 %), au goût
légèrement amer de réglisse,
brassée par la brasserie
Bunces, Wiltshire.

**Old Speckled
Hen**
Pale-ale premium
blond soutenu
(5,2 %), au bon
équilibre
entre malt et
houblon, de
Morland's
de Abingdon,
Oxfordshire.
Son nom
vient d'une
ancienne
voiture
fabriquée
dans la ville,
mouchetée de
noir et d'or.

Old Spot Prize Ale
Ale en tonneau rougeâtre,
fruitée (5 %), de la brasserie
Uley, Gloucestershire.
Les grains, résidu du
brassage, vont à un élevage
de porc local dont le nom
des ales garde la trace
avec Hogshead, Pig's Ear
et Severn Boar.

Old Stockport Bitter
Bitter en tonneau, maltée,
fruitée (3,5 %), de
Robinson, Stockport.

Old Thumper
Ale forte (5,8 %) de couleur
pâle, à la saveur prononcée
de céréale et de houblon,
de Ringwood, Hampshire.

Old Tom
Barley wine riche et fruité
(8,5 %), de Robinson,
Stockport, Cheshire,
baptisé du nom du chat de
la brasserie. Créé en 1899.

Olde Merryford Ale
Bitter sucrée, brun clair,
bien ronde (4,8 %), au bon
équilibre malt/houblon,
de la brasserie Wickwar,
Gloucestershire.

Olde Stoker
Bitter d'hiver lisse, brun
foncé (5,4 %), de la brasserie
Branscombe Vale, Devon.

Original Porter
Porter brun rubis au goût
de malt rôti et de réglisse
dû au réglisse utilisé dans
la recette (5,2 %). Produite
par la brasserie Sheperd
Neame, Kent.

Owd Rodger
Ale d'hiver crémeuse,
riche, forte (7,6 %), de
Marston's, Burton-on-Trent.

Oyster Stout
Stout crémeux en bouteille
qui, malgré son nom, ne
contient pas d'huître (*oyster,*
en anglais), de Marston's,
Burton-on-Trent.

Pedigree
Pale-ale classique,
cuivrée (4,5 %) au
goût sec de houblon
et de malt, au parfum
sous-jacent boisé,
épicé, de Marston's
de Burton-on-
Trent. Brassée
selon le système
traditionnel
Burton Union.

**Pendle Witches
Brew**
Ale goûteuse,
bien ronde (5,1 %),
de la brasserie
Moorhouse, Burnley,
Lancashire.

Penn's Bitter
Bitter sucrée rougeâtre
(4,6 %), de la brasserie
Hoskins, Leicester.

Peter's Porter
Porter saison (4,8 %),
brassée en automne et en
hiver par la brasserie Arkell,
Kingsdon, Swindon.

Phoenix Best Bitter
Bitter en tonneau fauve clair,
houblonnée (3,9 %),
de la brasserie Phoenix,
près de Manchester.

275 ml ℮   alc 9% vol

Prize Old Ale
Remarquable ale (9 %)
de Gales de Horndean,
Hampshire, très
chaleureuse, au goût
de houblon et de
cake. Mûrie de
6 à 12 mois avant
d'être mise en
bouteille bouchée
de liège, où elle
continue à mûrir
pendant plusieurs
années.

Progress
Ale maltée
(4 %), de
la brasserie
Pilgrim,
Reigate
Surrey.

Rain Dance
Bière au
froment

dorée, fruitée (4,4 %),
de la Brewery-on-Sea,
Lancing, Sussex.

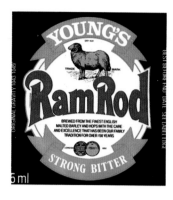

Ram Rod
Ale bien charpentée (5 %),
au goût amer de houblon et
de malt, produite par Young's,
Wandsworth, Londres.

Ramsbottom Strong
Bitter complexe, brun fauve,
riche (4,5 %), brassée
avec l'eau de source locale
par la brasserie Dent,
Yorkshire Dales.

Rapier Pale Ale
Ale en tonneau ambrée,
maltée, fruitée (4,2 %),
de la brasserie Reepham,
près de Norwich.

Rebellion IPA
Pale-ale rafraîchissante,
sucrée, maltée (3,7 %),
de la brasserie Rebellion,
Marlow, Buckinghamshire.

Ridley Champion Mild
Mild brune en tonneau
(3,5 %), au goût fruité
et malté, et au final sec
et houblonné, brassée
par Ridleys, près de
Chelmsford, Essex.

Riggwelter
Ale sombre complexe
(5,9 %), à la saveur rôtie.
Fermentée dans les cuves
en pierre traditionnelles du
Yorkshire. Brasserie Black
Sheep, North Yorkshire.

Roaring Meg
Bitter en tonneau brun clair, maltée (5,5 %), de la brasserie Springhead, Nottinghamshire.

Robinson's Best Bitter
Bière ambrée, houblonnée, maltée, assez amère (4,2 %), de la brasserie de Stockport.

Rooster's Special
Ale ambrée houblonnée, maltée (3,9 %), de cette brasserie de Harrogate, Yorkshire.

Royal Oak
Ale sucrée, ambre roux, fruitée (5 %), produite par Thomas Hardy, Dorset.

Ruddles Best Bitter
Bitter de caractère (3,7 %), en tonneau, de cette célèbre brasserie du Rutland, Langham.

Ruddles County
Bitter en tonneau bien ronde, forte et maltée (4,9 %), de Ruddles.

Rumpus
Ale couleur rubis (4,5 %) à goût de noix, de fruit et de malt, de la brasserie Ridleys, près de Chelmsford.

Ryburn Best Bitter
Bitter fine (3,8 %), en tonneau, houblonnée, de la brasserie Ryburn, Sowerby Bridge, West Yorkshire.

Rydale
Bitter brune en tonneau, maltée (4,2 %), de la brasserie Ryburn.

Salem Porter
Porter sombre (4,7 %), épaisse, au goût de noix, sèche en bouche, de la brasserie familiale Bateman, Wainfleet, Lincolnshire.

Salisbury Best
Bitter suave (3,8 %), de la brasserie Gibb Mews, Salisbury, Wiltshire.

Salopian Bitter
Bitter en tonneau fruitée, houblonnée (3,5 %), de la brasserie Salopian, Shrewsbury.

Samuel Smith's Imperial Stout
Stout en bouteille riche, épais (7 %), de cette célèbre brasserie de Tadcaster, North Yorkshire. À considérer plutôt comme une liqueur.

Samuel Smith's Oatmeal Stout
Stout original (5 %), à la texture épaisse, sombre, de saveur fruitée, presque chocolatée.

SAS
Strong Anglian Special est une bitter en tonneau sèche, bien équilibrée (5 %), de Crouch Vale, Essex.

SBA
Bitter maltée de la brasserie Donnington, Stow-on-the-Wold.

Shakemantle Ginger
Bière au froment et au gingembre, trouble (5 %), de la brasserie Freeminer, Gloucestershire.

Shefford Bitter
Bonne real ale bien équilibrée (3,8 %), de B & T, Bedfordshire.

Shropshire Lad
Bitter savoureuse (4,5 %), de la Wood Brewery, près de Plough Inn, Wistanstow.

Shropshire Stout
Bière en tonneau sèche, riche (4,4 %), rouge foncé, de la brasserie Hanby, Shropshire.

Single Malt
Ale saisonnière vigoureuse (7,2 %), brassée avec du malt à whisky, de la brasserie Mitchell's, Lancaster.

Slaughter Porter
Porter sombre, rôtie, maltée (5 %), produite par la brasserie Freeminer, Gloucestershire.

Smiles Best Bitter
Bitter brune sucrée, riche, au goût franc (4,1 %) et au final amer, sec en bouche, de cette brasserie de Bristol.

Smuggler
Bière douce-amère fruitée, houblonnée (4,1 %), de la brasserie Rebellion, Buckinghamshire.

Sneck Lifter
Bitter premium riche, sombre et maltée (5,1 %), de la brasserie Jennings, Lake District. Existe aussi en bouteille.

SOS
Shefford Old Strong est une real ale maltée, fruitée (5 %), de B & T, Bedfordshire.

Spinnaker Bitter
Cette ale lisse, houblonnée (3,5 %) fait partie de la gamme de bières en tonneau de Brewery-on-Sea. Brassée à Lancing, Sussex.

Spitfire
Ale ambrée, douce, à parfum de malt fumé (4,7 %), de la brasserie Shepherd Neame, Kent.

Stabber's
Bitter brune, forte (5,2 %), à la riche saveur maltée, de la brasserie Ryburn, West Yorkshire.

Stag
Bitter brun clair, douce, maltée (5,2 %), de la brasserie Exmoor, Wiveliscombe, Somerset.

Steeplejack

Bitter en tonneau, brun clair (4,5 %), au goût frais de houblon, de Lichfield, Midlands.

Stig Swig

Ale saisonnière blonde (5 %), brassée par Bunces, Wiltshire, avec l'herbe Sweet Gale *(myrica)*, ingrédient des Vikings.

Stones Bitter

Célèbre bitter jaune paille (3,9 %), au goût sucré de malt et de houblon, créée par la brasserie Cannon Sheffield vers 1940.

Strongarm

Bitter premium rubis (4 %), de Camerons, Hartlepool, à la mousse onctueuse et crémeuse, brassée à l'origine pour les ouvriers des aciéries de Teesside.

Stronghart

Bière forte (7 %), riche et sombre, de la brasserie McMullen, Hertford.

Strong Suffolk

Ale en bouteille complexe et originale (6 %), venant de Greene King, East Anglia. Obtenue en mélangeant une ale mûrie en tonneaux de chêne pendant au moins 2 ans avec une cuvée nouvelle d'ale brune.

Summer Lightning

Remarquable bitter pâle, forte (5 %), de la brasserie Hop Back, près de Salisbury, Wiltshire.

Summerskills Best Bitter

Bonne bitter brune, maltée et houblonnée (4,3 %), de cette brasserie du South Devon.

Sussex Bitter

Bitter claire goûteuse (3,5 %), de la brasserie King & Barnes, Horsham, Sussex.

Sussex Mild

Mild brun foncé maltée (3 %), de la brasserie Harweys, Lewes, Sussex.

Taddy Porter

Porter en bouteille originale, brun foncé, riche, sèche (5 %), de Samuel Smith's, Yorkshire.

Tally Ho

Vin d'orge riche et chaleureux (7 %) brassé à Noël par Adnams. Palmer's, Dorset, brasse aussi une ale sombre à goût de noix (4,7 %) vendue sous le même nom.

Tanglefoot

Bitter ambrée à la fois douce et forte (5,1 %) brassée à la brasserie Badger de Hall & Woodhouse, Blandford Forum, Dorset.

Tetley Bitter

Bitter ambre pâle, houblonnée, fruitée (3,7 %), à la mousse crémeuse. Brassée par Tetley, Leeds, Yorkshire.

Tetley Mild

Mild ambrée, houblonnée (3,3 %), au final malté, de Tetley, Leeds.

Theakston Best Bitter

Bitter légère blond doré, brillante (3,8 %), au goût de noix, créée à la brasserie Theakston du North Yorkshire, Marsham. Également brassée par Scottish Courage, Newcastle.

Thomas Hardy's Ale

Ale en bouteille (12 %) créée en 1968 par Eldridge Pope du Dorset, pour commémorer, à l'occasion du festival d'été Thomas Hardy de Dorchester, le 40e anniversaire de la mort de l'écrivain. L'ale, particulièrement forte, fut brassée l'automne précédent par le brasseur

Denis Holliday, d'après la description de Thomas Hardy dans son roman *The Trumpet Major* : « Sa couleur était la plus belle qui soit, bien ronde et pourtant vive comme un volcan ; piquante mais sans acidité, lumineuse comme un coucher de soleil d'automne, un goût franc et précis mais finalement plutôt grisant. » Après avoir mûri 6 mois en tonneaux, l'ale très houblonnée fut mise en bouteille à bouchon de liège scellé de cire et ornée de rubans de velours. La brasserie affirmait qu'elle devait continuer à mûrir pendant 25 ans. Cette bière « spéciale » eut tant de succès qu'elle fut à nouveau fabriquée et les amateurs peuvent aujourd'hui comparer différents millésimes. Chaque bouteille est datée, la bière riche et fruitée se transformant peu à peu en un breuvage moelleux et profond, tel un vin de Madère épicé.

Three Sieges
Ale d'hiver (6 %)
parfumée de réglisse,
de la brasserie Tomlinson,
Pontefract, Yorkshire.

Thwaites Best Mild
Mild sombre et lisse (3,3 %),
la plus connue de la brasserie
Thwaites, Blackburn,
Lancashire, qui livre
encore avec des chevaux.

Tiger Best Bitter
Bonne bitter parfumée
de malt et de houblon
(4,2 %), brassée par
la brasserie Everard,
Narborough, près
de Leicester.

Tinners Ale
Bonne ale en tonneau
légère (3,7 %), houblonnée,
de la brasserie Saint Austell,
Cornouailles.

Toby
Mild légère (3,2 %),
brassée par le groupe Bass.

Tolly's Strong Ale
Ale en bouteille rougeâtre,
mild, crémeuse (4,6 %),
au goût légèrement
sucré. Brassée par
la brasserie Tolly
Cobbold, Suffolk.

Tom Hoskins Porter
Porter traditionnelle
(4,8 %), brassée
avec du miel et
de l'avoine par la
brasserie Hoskins
and Oldfield,
Leicester.

Top Dog Stout
Bière d'hiver
sombre, fortement
rôtie (5 %) de la
brasserie Burton
Bridge, Burton-
on-Trent.

Top Hat
Bitter maltée, au goût de
noix (4,8 %), de Burtonwood
près de Warrington.

Topsy-Turvy
Ale forte (6 %) se laissant
facilement boire, de la petite
brasserie Berrow, Burnham-
on-Sea, Somerset.

T'owd Tup
Ancienne ale sombre,
forte (6 %), de la brasserie
Dent, Yorkshire Dales.

Traditional Ale
Ale brun clair (3,4 %)
faisant partie d'une gamme
de bières en tonneau de
la brasserie Larkins, Kent.

Traditional Bitter
Bitter cuivrée, lisse,
houblonnée (3,8 %), au
caractère fortement malté
et au final sec, produite
par la brasserie Clark,
Wakefield, West Yorkshire.

Traditional English Ale
Ale brun clair, maltée,
fruitée (4,2 %) de la
brasserie Hogs Back,
Tongham, Surrey.
Connue sous
le nom de TEA.

Trelawny's Pride
Bitter en tonneau,
légère, à la saveur
douce (4,4 %), de la
brasserie Saint Austell,
Cornouailles.

Umbel Ale
Bière épicée au
coriandre (3,8 %),
de la brasserie
Nethergate, Clare,
Suffolk. Umbel
Magna en est
une version
plus forte (5,5 %).

Ushers Best Bitter
Bitter brun doré, houblonnée
(3,8 %), de cette brasserie
du Wiltshire.

Valiant
Bitter dorée, légèrement
fruitée (4,2 %), au goût amer
de houblon, de la brasserie
Bateman, Lincolnshire.

Varsity
Bière en tonneau au bon
équilibre doux-amer, de la
brasserie Morrells, Oxford.

Vice Beer
Bière au froment (3,8 %)
brassée par la brasserie
Bunces, Wiltshire.

Victory Ale
Pale-ale bien ronde, fruitée
(6 %), créée en 1987
pour rappeler la crise
familiale qui faillit
anéantir la compagnie.

Viking
Bière en tonneau, maltée
(3,8 %), houblonnée, au
final fruité, de la brasserie
Rudgate, près de York.

Village Bitter
Bitter légère, houblonnée
(3,5 %), brassée par
Archers, Swindon.

Waggle Dance
Bière au miel dorée (5 %),
brassée par Ward's,
Sheffield, pour Vaux.

Wallop
Bitter légère,
fraîche et fruitée
(3,5 %), au final
houblonné, de
Whitby, North
Yorkshire.

Ward's Mild
Ale en
tonneau
maltée
(3,4 %),
de Ward's,
brasserie
traditionnelle
de Sheffield.

Wassail
Bière bien
ronde (6 %),
pression et
en bouteille,
de Ballard's,
Sussex.

Wherry Best Bitter
« Champion Beer of Britain »
1996. Bitter en tonneau
ambrée, houblonnée (3,8 %),
produite par Woodforde's,
Norfolk.

Whistle Belly Vengeance
Ale rougeâtre maltée
(4,7 %) de Summerskills,
South Devon.

White Dolphin
Bière au froment fruitée
(4 %), de Hoskins
& Oldfield, Leicester.

Willie Warmer
Bière en tonneau fruitée
(6,4 %), produite par
Crouch Vale, Essex.

Wilmot's Premium
Ale forte (4,8 %), brassée
par la brasserie Butcombe
près de Bristol.

Wiltshire Traditional Bitter
Bitter sèche, maltée et
houblonnée (3,6 %), de
la brasserie Gibbs Mews,
Salisbury, Wiltshire.

Winter Royal
Bière bien connue de la
gamme Wethered, riche,
fruitée (5 %), aujourd'hui
brassée par Whitbread,
Castle Eden, County Durham.

Winter Warmer
Ale saisonnière brun-rouge
(5 %), à la riche saveur
de fruits et de malt, et
au final sucré, produite
par Young's, Londres.

Wobbly Bob
Robuste bière en tonneau
(6 %), de Phoenix, Heywood,
près de Manchester.

Worthington White Shield
Pale-ale mûrie en bouteille
(5,6 %), au goût délicat de

levure, houblonnée et maltée.
Brassée aujourd'hui chez
Mitchells and Butlers,
Birmingham. Pendant
des années, White Shield
fut la seule pale-ale en
bouteille vendue partout
et présentant un dépôt de
levure indiquant que la
bière continuait à fermenter.
Cette ale complexe
demandait à être
manipulée délicatement.
Le barman devait la
verser progressivement,
sans troubler le dépôt ;
certains amateurs
préféraient cependant
la boire trouble. Plus
qu'une bière, c'était un rite.

Wye Valley Bitter
Bitter en tonneau,
houblonnée et amère (3,5 %),
de Wye Valley, Hereford.

XL Old Ale
Bière de Noël en
bouteille (6,9 %), de
Holden, Woodsetton,
West Midlands.

XXX
Rare mild sucrée,
sombre (3,6 %)
au final fruité, de la
brasserie Donnington
près de Stow-
on-the-Wold,
Gloucestershire.

XXXB Ale
Bitter premium
au goût complexe
(4,8 %), de
la brasserie
Bateman,
Lincolnshire.

XXXX Mild
Bière sombre,
maltée (3,6 %),
de la brasserie
Saint Austell,
Cornouailles.

Yates Bitter
Bitter fruitée, jaune paille
(3,7 %), de la
brasserie du même
nom, Cumbria.

Young's Ordinary
Bitter classique
(3,7 %), de la
brasserie londonienne
traditionnelle
du même nom.

2XS
Real ale
forte (6 %),
de B & T,
Bedfordshire.

3B
Bière pression
(4 %), de
Arkell's
Kingsdown,
Swindon.

4X
Bière d'hiver
chaleureuse
(6,8 %),
de Hydes,
Manchester.

Le système Burton Union

Avec le système de brassage Burton Union, la
fermentation se fait dans plusieurs tonneaux en chêne
reliés les uns aux autres, la bière en fermentation montant
à travers un tuyau en col de cygne qui relie chaque
tonneau à un bac de la longueur totale du système.
La bière redescend ensuite dans les tonneaux,
abandonnant dans le bac la levure en excès.
Cette circulation continue assure une fermentation
vigoureuse et, en aérant parfaitement la bière, fournit
l'oxygène nécessaire à la multiplication de la levure.
Le géant de Burton-on-Trent, Bass, abandonna
le Burton Union System en 1982, trouvant son coût
excessif. À l'inverse cependant, la brasserie
traditionnelle Marston a investi dans de nouveaux
Burton Unions qu'elle continue à utiliser pour brasser
sa Owd Roger et une partie de sa Pedigree. Le système
fournit également la levure de certaines bières de
Marston, fermentées de façon plus conventionnelle.

6X
Bitter premium fruitée
de Wadworth's (4,3 %),
Devizes, Wiltshire, dont
la réputation dépasse le
sud-ouest de l'Angleterre.
Également vendue en
bouteille dans une version
export plus forte (5 %).

1066
Pale-ale forte (6 %)
vendue en bouteille à
la brasserie Hampshire,
Andover, Hampshire.

LES BRASSEURS

Adnams
Entreprise familiale de Southwold, datant de 1872, dont la renommée grandit dans les années 70, lors du renouveau de la « real ale ». L'un des meilleurs brasseurs actuels de Grande-Bretagne, qui produit surtout des bières pression traditionnelles.

Ansells
Brasserie de Birmingham, connue pour ses ales Aston, qui a fermé en 1981. Sa mild brune au goût de réglisse est néanmoins toujours brassée par Carlsberg-Tetley à Burton-on-Trent.

Archers
Brasseur entreprenant, qui s'installa en 1979 dans les ateliers de l'ancienne Great Western Railway à Swindon, Wiltshire.

Arkell
En 1843, John Arkell, de retour du Canada où sa famille avait fondé le village d'Arkell, près de Toronto, établit la Arkell Company. Sa brasserie Kingsdown, à Swindon, est un établissement victorien classique toujours pourvu de sa machine à vapeur.

Badger
La brasserie historique de Hall & Woodhouse, établie en 1777 à Blandford Forum, Dorset, porte aujourd'hui le nom populaire de « Badger », du nom de ses bières « Badger » traditionnelles.

Ballards
Cette brasserie du Sussex fondée en 1980 commémore annuellement sa fondation avec une bière en bouteille extra-forte. En 1997, la brasserie de Nyewood créa Old Pecker (9,7 %). Chaque bière annuelle est lancée lors d'une marche de charité, début décembre.

Bass
La plus connue des brasseries anglaises fut fondée par William Bass en 1777 à Burton-on-Trent. Draught Bass, l'ale phare de la société en Angleterre, perdit un peu de sa réputation quand le brasseur abandonna le système Burton Union en 1982. L'usine Bass de Burton abrite le plus important musée de la bière d'Angleterre, et une brasserie pilote pour les ales « spécialités ».

Bass est la plus grande entreprise de brassage de Grande-Bretagne. Outre celle de Burton, Bass possède des brasseries importantes à Birmingham (Mitchells & Butlers) et Sheffield (Stones). Il contrôle également Tennents en Écosse, Hancock's au Pays de Galles et la Ulster Brewery en Irlande. Exportateur dans 70 pays, il a repris vers 1990 des groupes de brasseurs de la République tchèque, notamment Staropramen de Prague ; avec Ginsberg Brewery, il s'attaque aussi au marché chinois.

Bateman
Cette brasserie du Lincolnshire, fondée à Wainfleet en 1874, échappa de peu, vers 1985, aux dommages d'une crise familiale, grâce à la détermination du président George Bateman, de continuer à fabriquer ses « Good Honest Ales ».

Batham
Brasserie familiale traditionnelle du Pays Noir, fondée à Brierly Hill, près de Dudley, en 1887.

Black Sheep
Après avoir perdu le contrôle de Theakston's Masham Brewery, Paul Theakston, de la célèbre famille de brasseurs du North Yorkshire, fonda en 1992 la brasserie Black Sheep, dans une ancienne malterie à Wellgarth, Masham. Beaucoup plus grande que la plupart des nouveaux établissements, elle utilise le matériel de l'ancienne brasserie Hartley's en Cumbria, et les bières sont fermentées dans les cuves traditionnelles en pierre du Yorkshire. La brasserie accueille les visiteurs, faisant de Masham un lieu de pèlerinage pour les amateurs de bière.

Boddingtons
Cette brasserie de Manchester fondée en 1778 était autrefois encensée pour sa bitter extra sèche jaune paille. Reprise par Whitbread en 1989.

Brakspear
Brasserie traditionnelle du XVIIe siècle, aux nombreux pubs à Henley-on-Thames, Oxfordshire, ville célèbre par ses régates. C'est l'une des dernières brasseries authentiques de Grande-Bretagne.

Burtonwood
Brasserie régionale du Nord-Ouest, datant de 1867. En 1990, la société bâtit une nouvelle usine à Burtonwood, près de Warrington.

Butcombe
Une brasserie récente des plus prospères, installée en 1978 dans les Mendip Hills, près de Bristol.

Ci-dessus – Pub anglais joliment décoré, avec ses tireuses permettant de servir de la bière pression traditionnelle.

Cains

L'histoire de cette brasserie de Liverpool est aussi chargée que le sont ses locaux victoriens. Après avoir été longtemps occupé par Higson's, la brasserie la plus populaire du Merseyside, le site appartient aujourd'hui à un groupe danois, qui lui a redonné son nom d'origine de Robert Cain.

Camerons

Le principal brasseur de real ale du Nord-Est fut acheté en 1992 par Wolverhampton & Dudley Breweries. La brasserie de Hartlepool est connue pour sa Strongarm, ale rouge rubis autrefois très appréciée des ouvriers des nombreuses aciéries de la région.

Ci-dessous – Strongarm, bière pression de la brasserie Camerons.

Castle Eden

La brasserie Whitbread d'ales « spécialités », du County Durham, produit une large gamme de bières originales à tirage limité, souvent parfumées d'épices. Autrefois Nimmo's Brewery, cette société du County Durham brasse aussi les bières de brasseries fermées par Whitbread, telles Wethered's, Fremlin's et Higson's.

Courage

Courage, à l'origine une brasserie de Londres, fondée en 1787, devint une entreprise nationale avant d'être successivement rachetée par différentes multinationales, d'Imperial Tobacco en 1972 au brasseur australien Foster's. Le contrôle de Courage revint en Grande-Bretagne en 1995, quand Scottish and Newcastle Breweries rachetèrent la société à Foster's pour former la deuxième plus grande compagnie brassicole de Grande-Bretagne, du nom de Scottish Courage. Les bitters traditionnelles en tonneau de Courage sont aujourd'hui brassées à Bristol.

Donnington

Brasserie la plus pittoresque de Grande-Bretagne. Le temps paraît s'y être arrêté depuis l'époque médiévale où fut bâtie une fabrique de tissu, en pierres des Cotswold, près de Stow-on-the-Wold, Gloucestershire. Truites et canards se partagent l'étang de l'usine, qui est actionnée par une roue hydraulique. Richard Arkell ajouta la brasserie en 1865.

Elgood

Brasserie géorgienne au bord de la rivière, à Wisbech, dirigée par la famille Elgood depuis 1878. Les bières y sont refroidies dans des bacs ouverts, tandis qu'une petite usine pilote brasse les bières « spécialités ».

Everard

Brasserie familiale établie en 1849 et qui, à l'origine, brassait à Leicester et à Burton-on-Trent. En 1991, Everard ouvrit à Narborough une nouvelle usine qui concentre aujourd'hui toutes ses activités.

Exmoor

Entreprise installée en 1980 dans l'ancienne brasserie Hancock à Wiveliscombe, Somerset et qui, dès sa première année, gagna le trophée de la meilleure bitter au *Great British Beer Festival.*

Federation

Seule brasserie de ce type survivante en Angleterre, fondée en 1919 à Newcastle par les clubs d'ouvriers pour pallier la pénurie de bière d'après-guerre. La coopérative ouvrit en 1980, à Dunston, une brasserie qui brasse surtout des bières brillantes et filtrées pour les clubs.

Flowers

Ancienne brasserie de Stratford-upon-Avon, reprise et fermée par Whitbread qui en a gardé le nom pour sa brasserie de Cheltenham.

Fuller's

Célèbre famille de brasseurs installée à Chiswick, Londres, depuis 1845. Fuller's s'est agrandi en 1990 pour répondre à la demande de ses ales traditionnelles. Ses trois principales bières, Chiswick Bitter, London Pride et ESB, ont été plus primées au *Great British Beer Festival* que celles de tous les autres brasseurs.

Gales

Brasserie familiale du Hampshire, à Horndean, à l'impressionnante tour-brasserie de 1869.

Greene King

Géant régional de l'East Anglia, basé à Bury St Edmunds, fondé en 1799. En 1995, il ajouta à ses bières IPA et Abbot Ale, une gamme de saisonnières en tonneau.

Hardy & Hansons

Ces deux brasseries du Nottingham, fondées au XIXᵉ siècle à Kimberley, fusionnèrent en 1930, tout en conservant un caractère d'entreprise familiale.

Harveys

Brasserie familiale de qualité, fondée en 1790 à Lewes, Sussex. Brasse toujours sur le même site, malgré un incendie ravageur en 1996.

Highgate

Tour-brasserie victorienne de Walsall, West Midlands, célèbre pour sa Dark Mild. Depuis son rachat par Bass en 1995, Highgate a ajouté Saddlers Best Bitter à sa gamme de bières.

Holden

Brasserie familiale du Pays Noir à Woodsetton dans les West Midlands, remontant à quatre générations.

Holt

Brasserie familiale de Manchester fondée en 1849, connue pour l'amertume de sa bière et ses prix bas. L'une des quelques brasseries qui continue à utiliser des barriques (tonneaux de 245 litres) dans ses pubs.

Hook Norton

Cette tour-brasserie victorienne d'un petit village de l'Oxfordshire, près de Banbury, a gardé en grande partie son matériel d'origine.

Hydes

Brasserie familiale traditionnelle à Manchester produisant depuis 1863 des ales sous la marque Anvil. Hydes brasse deux milds, une blonde et une brune.

Ind Coope

Cette société ancienne était basée à Romford, Essex. Intégrée à Allies Breweries en 1961, elle fusionna avec Carlsberg en 1993, sous le nom de Carlsberg-Tetley. Produit une gamme de

Ci-dessus – Publicité de 1952 pour l'Arctic Ale de Ind Coope, célèbre ale riche et forte dont la production a été arrêtée.

bières « spécialités » appelée Allsopp.

Jennings

Fondée en 1828, c'est la seule ancienne brasserie de Cumbria à avoir survécu.

J. W. Lees

Brasserie familiale du nord de Manchester, bien établie depuis 1828, et livrant toujours ses bières en tonneau de chêne.

King & Barnes

Cette firme familiale de Horsham, Sussex, fondée en 1800, a entièrement modernisé sa brasserie.

McMullen

Brasserie familiale victorienne du Hertford, fondée en 1827.

Mann's

Célèbre brasserie Albion de Londres, reprise en 1958 par Watneys et fermée en 1979. Son nom continue à apparaître sur la plus connue des ales brunes et douces en bouteille, Mann's Original, aujourd'hui brassée par Usher's, Wiltshire.

Mansfield

Brasserie régionale du Nottinghamshire, fondée en 1855 et qui s'est beaucoup agrandie en 1984, avec ses nouveaux bâtiments. Fermente toujours ses ales dans les cuves en pierre traditionnelles du Yorkshire.

Marston Thompson & Evershed

Dernière brasserie de Grande-Bretagne à utiliser le système Burton Union et dernière grande compagnie indépendante de Burton-on-Trent. Outre sa célèbre Pedigree, elle brasse une gamme de bières spéciales en tonneau, sous l'étiquette Head Brewer's Choice.

Mauldon

Brasserie familiale du Suffolk fondée en 1795. La brasserie ferma en 1960 mais recommença à brasser en 1982.

Melbourn

Brasserie de Stamford, Lincolnshire, fermée en 1974 et devenue un musée. Depuis 1993, Melbourn brasse des ales aux fruits dans l'ancienne brasserie, avec des levures naturelles de Belgique.

Mitchell's

Brasserie familiale traditionnelle, à Lancaster depuis 1880.

Mitchells & Butlers

Plus connus sous les initiales M&B, Mitchells and Butlers sont les principaux brasseurs de Birmingham. Ils fusionnèrent avec Bass en 1961. Leur brasserie Cape Hill de Smethwick près de Birmingham a été entièrement modernisée.

Morland

Deuxième plus ancienne brasserie d'Angleterre, fondée en 1711. La société Abingdon étendit sa renommée hors de l'Oxfordshire en 1990, avec sa pale-ale Old Speckled Hen.

Morells

Seule brasserie existant encore dans la ville d'Oxford, dirigée par la famille Morrell depuis 1782.

Oakhill

Brasserie de stout historique, fondée en 1767 à Oakhill près de Bath, qui ferma après avoir été très endommagée par un incendie en 1924. Elle rouvrit en 1984, puis déménagea en 1993 sur un site plus vaste, à Old Maltings.

Palmer

Seule brasserie d'Angleterre à toit de chaume, fondée en 1794 à Bridport, Dorset.

Ridleys

Brasserie familiale établie en 1842 par Thomas Ridley à Hartford End, près de Chelmsford, Essex.

Ringwood

Établie en 1978 par Peter Austin dans cette ville du Hampshire. En 1995, Ringwood sortit du statut de microbrasserie avec l'ouverture d'une brasserie moderne de 125 tonneaux.

Robinson's

Importante entreprise familiale régionale, fondée en 1838 à Stockport, près de Manchester.

Ruddles

L'un des noms les plus célèbres de la bière anglaise, Ruddles perdit son indépendance en 1986 quand Watneys acheta la brasserie Rutland de Langham. Depuis 1992, il appartient au brasseur hollandais Grolsch.

Saint Austell

Seule brasserie familiale indépendante établie de longue date en Cornouailles, fondée en 1851. La brasserie victorienne domine la ville.

Shepherd Neame

La plus vieille brasserie d'Angleterre, remontant à 1698. Située dans le Kent, à Faversham, Shepherd Neame utilise encore les machines à vapeur et deux cuves à maische en teck de 1910. Produit une gamme de bières en tonneau et en bouteille.

Smith John

De magnifiques bâtiments victoriens datant de 1884 abritent la brasserie John Smith's à Tadcaster, North Yorkshire. La société appartient aujourd'hui à Scottish Courage. Les bâtiments anciens cachent une brasserie moderne.

Smith Samuel

Samuel Smith fut le premier des deux brasseurs Smith de Tadcaster et brasse toujours dans la Old Brewery datant de 1758. L'entreprise familiale est restée farouchement indépendante. La bière fermentée dans les cuves en pierre du Yorkshire est conservée dans des tonneaux en bois.

Stones

La brasserie Stones désaltère les habitants de Sheffield, Yorkshire, depuis 1865. Reprise par Bass en 1968.

Taylor

L'un des meilleurs brasseurs d'Angleterre, Timothy Taylor commença à brasser en 1858, à Keighley, Yorkshire.

Tetley

La plus grande brasserie de bitter d'Angleterre, fondée à Leeds, Yorkshire, en 1822. Une brasserie moderne bâtie vers 1980 est complétée par des cuves en pierre du Yorkshire en 1996. A pris le nom de Carlsberg-Tetley en 1993, après sa fusion avec Carlsberg.

Theakston

Brasseur du North Yorkshire, à Masham, depuis 1827. Connu pour son Old Peculier riche et sombre. La famille en perdit le contrôle vers 1970 et, après une succession de reprises, la brasserie appartient aujourd'hui à Scottish Courage. La plupart des bières sont brassées à sa brasserie de Newcastle, ainsi qu'à la brasserie primitive de Masham.

Thomas Hardy

Autrefois Eldridge Pope de Dorchester, cette grande brasserie, fondée en 1837, fut rebaptisée du nom de son plus célèbre client, l'écrivain Thomas Hardy.

Thwaites

Importante brasserie régionale du Lancashire, fondée à Blackburn en 1807 et qui livre toujours avec des chevaux.

Tolly Cobbold

Brasseur à Ipswich, Suffolk depuis 1746. Belle brasserie victorienne, fermée en 1989, avant d'être rachetée par le comité de direction. Son nom vient de la fusion, en 1957, de Cobbold avec une autre brasserie bien connue d'Ipswich, Tollemache. Bâtie en 1894-1896 sur les rives de l'Orwell, la grande brasserie Cobbold d'Ipswich est un exemple classique de tour-brasserie ; elle abrite encore de nombreuses et belles vieilles cuves. Après le rachat de 1990, la brasserie est devenue l'une des principales attractions touristiques de la ville, avec des visites guidées. Les bureaux ont été transformés en un pub, le Brewery Tap Pub.

Ci-dessus – Pintes de bière et jeux de cartes font bon ménage.

Ushers

Brasserie du Wiltshire fondée à Trowbridge en 1824. Elle perdit son identité locale en 1960, après sa reprise par Watneys de Londres. Rachetée par le comité de direction, elle reprit son indépendance en 1991.

Vaux

Brasserie géante du Nord, basée à Sunderland, sur la Wear. Vaux possède aussi Ward's de Sheffield.

Wadworth

Entreprise familiale traditionnelle dont la tour-brasserie domine la ville de Devizes, Wiltshire depuis 1885. Elle possède une remarquable cuve en cuivre.

Ward's

Brasserie traditionnelle fondée à Sheffield, cité de l'acier, en 1840, 15 ans avant la brasserie Stones, plus connue.

Watney's

Brasserie de Londres autrefois célèbre, qui ruina sa réputation avec les bières en tonnelet. Appartient aujourd'hui à Scottish Courage. Sa brasserie de Mortlake brasse Budweiser pour Anheuser-Busch. Les autres bières Watneys sont brassées hors frontières à destination des marchés étrangers.

Wells

Brasserie familiale de Bedford fondée en 1876 et rebâtie un siècle plus tard. Wells brasse sous licence diverses lagers étrangères, dont Kirin (Japon) et Red Stripe (Jamaïque).

Whitbread

Ce célèbre brasseur ferma en 1976 sa brasserie de Londres, fondée en 1742. Whitbread était connu à l'origine pour sa porter. Troisième plus grand groupe d'Angleterre, Whitbread brasse sous licence des lagers étrangères, notamment une version peu alcoolisée de Heineken et Stella Artois. Il produit aussi des bières en tonneau sous des noms locaux, telles Wethered, Fremlins et Higsons, à la brasserie Flowers de Cheltenham, Gloucestershire et à Castle Eden, County Durham. Whitbread possède aussi Boddingtons à Manchester.

Wolverhampton & Dudley

Cette brasserie de Wolverhampton est connue pour sa Bank's mild rouge ambrée, très appréciée dans le West Midlands industriel. Vendue dans le Pays Noir sous les noms de Bank's et Hanson's. Plus grand groupe régional de Grande-Bretagne, il possède 1100 pubs et a racheté Camerons en 1992.

Wood

Petite brasserie derrière la Plough Inn à Wistantow, Shropshire.

Woodforde's

Brasserie de qualité du Norfolk, fondée en 1980, et ayant gagné deux fois le titre de «Champion Beer of Britain».

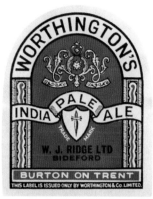

Worthington

Ce célèbre brasseur de Burton fusionna avec Bass en 1927. La brasserie a été démolie depuis mais le nom est resté une marque nationale de bitter. La pale-ale en bouteille, Worthington White Shield, est aujourd'hui brassée à la brasserie Mitchells & Butlers, à Birmingham.

Young's

La Ram brewery de Young's est une brasserie familiale londonienne farouchement traditionnelle, établie à Wandsworth depuis 1831. Young's est connu pour ses bières en tonneau, livrées par des charrettes attelées à des chevaux, spectacle insolite au sud de Londres, malheureusement menacé par la circulation automobile. La brasserie victorienne abrite également des oies, des paons et un bélier (emblème de la compagnie). Young's a récemment ajouté des bières saisonnières à sa production, dont une bière au froment d'été. Ses ales en bouteille se vendent également à l'étranger.

*Ci-dessous –
À votre santé !*

ÉCOSSE

L'Écosse était autrefois célèbre pour sa bière et, au XIXe siècle, Édimbourg, sa capitale, pouvait rivaliser comme centre de la bière avec Burton-on-Trent en Angleterre, Munich en Allemagne et Plzen en République tchèque.

Au début du XXe siècle, Édimbourg possédait 28 brasseries, pour la plupart rassemblées dans le quartier du «Charmed Circle» à l'eau excellente. Alloa, de l'autre côté de la Forth, était aussi un célèbre centre de la bière.

En 1960, Édimbourg possédait encore 18 brasseries et les brasseurs écossais exportaient en quantité mais lorsque se tarit le marché étranger, de nombreuses entreprises, en difficulté, furent reprises et fermées, tel Robert Younger. Deux géants, Scottish & Newcastle et Tennents, dominèrent alors le marché, menant à une disparition rapide la bière traditionnelle en tonneau. Il ne resta bientôt que trois brasseries indépendantes dans toute l'Écosse, dont deux à Édimbourg. Cette industrie autrefois florissante avait presque disparu.

Depuis 1980, on note un léger changement, avec l'apparition de nouvelles brasseries. Les bières écossaises sont plus sombres, plus rondes et plus sucrées que les ales anglaises. L'amertume en est moins puissante, peut-être parce que le houblon n'est pas cultivé dans le pays, et que la chaleur du malt aide à combattre les grands froids.

Parmi les spécialités locales, on note des vins d'orge vigoureux connus sous le nom de «wee heavys», ainsi que de l'oatmeal stout, à base de céréales locales. Les termes anglais de mild et bitter ne sont généralement pas utilisés en Écosse, les bières étant plutôt classées selon leur force évaluée à partir de leur prix au tonneau du XIXe siècle. Avec ce «shilling system», la bière la moins forte est 60/-, la moyenne 70/-, la premium 80/-, les ales fortes 90/-. Ces désignations s'appliquent généralement aux bières en tonneau. Pour les bières en tonnelet, sont appelées légères celles au faible taux d'alcool, mi-fortes les spéciales ou lourdes, tandis qu'export est le nom donné aux ales premium. L'Écosse possède aussi son propre système de distribution pour servir les ales traditionnelles, à l'aide de «fontaines» à air comprimé plutôt qu'avec des tireuses à main.

Ci-dessus – Malgré le déclin de son industrie de la bière et la popularité croissante de la lager, les ales traditionnelles sont encore brassées en Écosse.

LES BIÈRES

Ale of Atholl
Bière riche et maltée
(4,5 %), de la brasserie
Moulin, près de Pitlochry.

Arrol's 80/-
Bière lourde et fruitée
(4,4 %), en tonneau,
au final houblonné, brassée
par la brasserie Alloa.

Auld Alliance
Bitter au goût frais, acide
et houblonnée (4 %), de
la brasserie Fife, Kirkaldy.

Bear Ale
Ale en tonneau (5 %)
fermentée dans des cuves
en chêne au manoir-brasserie
historique, Traquair House.

Black Douglas
Ale d'hiver sombre (5,2 %),
originale, de la brasserie
Broughton.

Borve Extra Strong
Puissante ale extra-forte
(10 %), mûrie dans des
tonneaux à whisky en chêne,
au pub-brasserie Borve.

Broadsword
Ale blonde en tonneau
(3,8 %), au goût malté
et fruité et au final amer,
brassée à Alloa par Maclay.

Buchan Bronco
Bière en tonneau (4,6 %)
de Aberdeenshire, Keith,
fermentée dans des cuves
en pierre du Yorkshire.
La brasserie produit aussi
la Buchan Gold, plus
légère (4 %).

Calder's
Marque déposée pour les
bières en tonnelet brassées
par la brasserie Alloa, dont
la Cream Ale (4,5 %) et 80/-.

Caledonian
Gamme de bières de
la brasserie Caledonian.
La plus faible est une bière
60/- sombre et goûteuse
(3,2 %), avec une pointe
rafraîchissante de malt rôti.
Caledonian 70/- (3,5 %)
est plus ambrée et crémeuse,
et Caledonian 80/- (4,1 %)
offre une saveur complexe
de malt et de houblon.

Cuillin
Red Cuillin (4,2 %) et
Black Cuillin (4,5 %) sont
deux bières en tonneau
de la brasserie de l'Isle
of Skye, Uig on Skye.

Dark Island
Bière rafraîchissante, riche
(4,6 %), couleur de vin,
à l'arôme fruité, de
la brasserie Orkney.

Deuchars IPA
Pale-ale très pâle (4,4 %),
rafraîchissante et houblonnée
en fin de brassage. Brassée
par Caledonian.

Douglas
Voir Gordon's.

Dragonhead Stout
Stout classique onctueux
(4 %), produit par
la brasserie Orkney.

Edinburgh Strong Ale
Premium ale forte (6,4 %),
à la saveur complexe
de malt et de houblon mais
sans la suavité habituelle
aux bières fortes. Brassée
par Caledonian.

Fraoch
Bruce William brasse
la Fraoch (« bruyère »
en gaélique) à la
brasserie Maclay
d'Alloa, à chaque
floraison depuis
1993. Au lieu
d'ajouter du
houblon (qui
ne pousse pas
en Écosse) au
moût bouillant,
il suit l'exemple
des anciens Picts
en préférant les

feuilles de myrtille de la
région. Le liquide bouillant
infuse également avec des
fleurs fraîches de bruyère,
avant sa fermentation.
Il en résulte deux bières
épicées à l'arôme fleuri,
Heather ale (4,1 %)
et Pictish Ale (5,4 %).

Gillespie's
Créé en 1993, le stout
Gillespie crémeux, doux
et malté (4 %) en tonnelet
et en canette, doit son nom
à une ancienne brasserie
de Dumbarton. Produit
par Scottish
Courage,
Édimbourg.

Golden Pale
Bière biologique
blond ambré,
à l'arôme
de houblon
(4 %), de
la brasserie
Caledonian.

**Golden
Promise**
Première bière
biologique
de Caledonian,
légèrement
plus forte (5 %)
que Golden Pale. Bière
de qualité, qui doit son
nom à une variété d'orge
écossaise traditionnelle.

Gordon's
Gamme chaleureuse
d'ales fortes en bouteilles,
brassées à Édimbourg
par Scottish Courage,
surtout pour le marché
belge. Elle comprend
Gordon's Scotch Ale
(8,6 %), Christmas Ale
(8,8 %) et Gold Blond
(10 %). Vendue
en France sous
le nom de Douglas.

Greenmantle

Ale originale fruitée (3,9 %), au goût de fumée, en bouteille et en tonneau. Produite par Broughton.

Grozet

Créée en 1996 par Bruce Williams à la brasserie Maclay d'Alloa, cette bière trouble (5 %) est une ale de froment, à laquelle ont été ajoutées des groseilles à maquereaux entières après fermentation.

Higland Hammer

Ale forte (7,3 %), vigoureuse et parfumée, spécialité saisonnière de la brasserie Tomintoul.

Jacobite Ale

Bière forte (8 %), fermentée en fûts de chêne et parfumée de coriandre. De la brasserie Traquair House.

Kane's Amber Ale

Bière en tonneau ambrée (4 %), au bon goût fruité et malté, produite à Alloa par la brasserie Maclay.

Laird's Ale

La plus faible des ales de tonneau (3,8 %) de Tomintoul. Ale 70/- traditionnelle acajou sombre, au goût malté et bien équilibré en houblon.

McEwan's Export

Ale écossaise sucrée et maltée (4,5 %), de McEwan's, Édimbourg

MacAndrew's

Ale forte ambrée (6,5 %), exportée aux États-Unis par Caledonian.

Maclay

Ale 70/- (3,6 %) fruitée, maltée, bien parfumée, de la gamme en tonneau de la brasserie Maclay. La bière phare est une 80/-Export (4 %), crémeuse, maltée, au final sec. Il existe aussi un oat malt stout (4,5 %).

Malcolm's

Gamme de bières du nom du roi Malcolm III qui tua Macbeth, dont font partie Malcolm's Ceilidh (3,7 %), Folly (4 %) et Premier (4,3 %), de la ferme-brasserie Backdykes, Fife.

Merlin's

Ale blonde originale, houblonnée (4,2 %), d'une gamme de bières de la brasserie Broughton.

Merman

Pale-ale en bouteille, rouge bronze, moelleuse, maltée et fruitée (4,8 %), de Caledonian (recette de 1890).

Montrose

Bière en tonneau, fauve, goûteuse (4,2 %), de Harviestoun.

Murray's Heavy

Traditionnelle bière lourde ambrée écossaise (4,3 %), de Caledonian.

Old Jock

Ale forte originale en bouteille, rubis sombre, sucrée et fruitée (6,7 %), produite par la brasserie Broughton.

Old Manor

Ancienne ale (8 %) brassée chaque hiver par Harviestoun. Sa couleur rubis et son riche goût fruité sont dus à de la mélasse. Fait partie d'une gamme de bières saisonnières.

Ptarmigan

Remarquable bière premium blond doré, fruitée (4,5 %), de la brasserie Harviestoun. Saveur rafraîchissante et légère. Brassée avec du houblon Saaz.

Raven Ale

Ale sèche rouge ambré, à goût de noix (3,8 %), de la brasserie Orkney.

Red MacGregor

Bière brun rouge, onctueuse et bien ronde (4,1 %), de la brasserie Orkney

St Andrew's

Bière en tonneau riche (4,9 %), brune, maltée, au goût fruité de caramel, brassée par Belhaven.

Sandy Hunter's

Bière en tonneau douce-amère, à saveur de malt rôti, houblonnée (3,6 %), de Belhaven. Porte le nom d'un ancien maître brasseur.

Schiehallion Lager

Lager en tonneau de type bohémien (4,8 %), brassée avec le houblon allemand Hersbrucker, de la brasserie Harviestoun. Médaille d'or au *Great British Beer Festival* de 1996. Schiehallion est une montagne de la région.

LES ÉCOSSAIS ET L'EXPORTATION

L'empressement des brasseurs écossais à exporter leurs produits est dû en partie à la modestie relative de leur marché intérieur. Leurs bières sombres, fortes et riches sont appréciées depuis des siècles dans toute la Grande-Bretagne et, autrefois, par ses anciennes colonies, des États-Unis à l'Australie et à l'Inde. Les ales étaient exportées en grande quantité vers ces pays lointains, pour étancher la soif des Écossais émigrés. Elles étaient si populaires en Europe que les brasseurs belges commencèrent à produire leurs propres « Scotch » ales, type d'ale qui existe encore aujourd'hui.

À gauche – Au début du XXᵉ siècle, de nombreux brasseurs exportaient leur bière, mais l'effondrement du marché entraîna la disparition de la plupart d'entre eux.

Skull Splitter
Vin d'orge ambre foncé, fort et vigoureux (8,5 %), de la brasserie Orkney.

Stag
Ale maltée foncée (4,1 %), de la brasserie Tomintoul, Highlands, en tonneau et en bouteille.

Stillman's 80/-
Bière mild, blond soutenu (4,2 %), au goût complexe, produite par la brasserie Tomintoul. Son nom vient de l'industrie locale du whisky de la Spey Valley.

Sweetheart Stout
Bière très faible (2 %), douce et fruitée, qui ne ressemble guère à un vrai stout, brassée par Tennents.

Tennent's Lager
Lager blonde et pétillante (4 %), de la large gamme de la brasserie Tennents (plus grand brasseur de lager d'Écosse) qui comprend une pilsner blond pâle (3,4 %), une extra plus forte (4,8 %), Gold (5 %) et une super ambrée, forte (9 %), suave et bien ronde.

The Ghillie
Ale originale en bouteille (4,5 %), produite par la brasserie Broughton.

Traquair House Ale
Ale forte classique, sombre, fermentée en fût de chêne (7,2 %), de Traquair House. Un peu sèche, au goût fruité, malté, elle est exportée aux États-Unis.

Triple Diamond
Ale d'exportation spéciale, extra-forte (8,5 %) produite par la brasserie Alloa.

Wallace IPA
Pale-ale fruitée, houblonnée (4,5 %) et au final amer, produite par Maclay.

Waverley 70/-
Bière en tonneau, marron, houblonnée (3,7 %), de la brasserie Harviestoun.

Wild Cat
Ale ambre soutenu (5,1 %), au goût complexe, de la brasserie Tomintoul.

Young Pretender
Ale blonde sèche (4 %), de la brasserie Isle of Skye, du nom de Bonnie Prince Charlie. Créée en 1995 pour marquer le 250ᵉ anniversaire de la révolte jacobite.

Younger's Tartan
Ale écossaise ambre foncé, en tonnelet (3,7 %), au goût fruité et sucré, de William Younger, Édimbourg.

LES BRASSEURS

Alloa

Fondée en 1810, Alloa se fait connaître vers 1930 pour sa lager Graham's, puis par Skol (3,6 %) après sa fusion avec Allied Breweries. Produit aussi des ales en tonnelet sous le nom de Calder et des marques « special export » comme Triple Diamond. Fabrique de la bière en tonneau depuis 1982, dont Arrols 80/-.

Belhaven

La plus ancienne brasserie d'Écosse, qui remonte au moins à 1719. Bâtie sur la côte, à Dunbar, ses ales se vendaient aussi hors d'Écosse et jusqu'à la cour d'Autriche où l'empereur les appelait le « bourgogne d'Écosse ». Le titre s'applique toujours à sa robuste ale 80/- (4,2 %). Parmi les autres bières en tonneau, on note 60/- (2,9 %), 70/- (3,5 %), St Andrew's et Sandy Hunter's, outre une riche et chaleureuse 90/- (8 %).

Ci-dessus – *La brasserie Caledonian à Édimbourg, restaurée en 1994 après un incendie, produit une large gamme de bières en tonneau et en bouteille dont Caledonian 80/-, Champion Beer of Scotland en 1996.*

Borve

Installé à l'origine sur l'Isle de Lewis en 1983, ce pub-brasserie est aujourd'hui à Ruthven.

Broughton

David Younger, descendant de George Younger, membre de la famille de brasseurs d'Alloa, installa la brasserie de Broughton en 1980.

En 1995, il relança ses ales en tonneau et en bouteille, les « Bières de Caractère ».

Caledonian

Seul survivant de l'époque où Édimbourg possédait 30 brasseries indépendantes. La brasserie victorienne utilise encore des cuivres ouverts chauffés par un feu extérieur, dont l'un date de la fondation de la compagnie par Lorimer et Clark, en 1869. Sa large gamme de bières en tonneau et en bouteille comprend 60/- (3,2 %), 70/- (3,5 %), 80/- (4,1 %), Deuchars IPA, Murray's Heavy, Double

Amber, Merman, Edinburgh Strong Ale (6,4 %) et deux bières biologiques. La Caledonian 80/- a été la première « Champion Beer of Scotland », en 1996.

Harviestoun

Brasserie de village créée en 1985, dans une ancienne laiterie en pierre de Dollar, près de Stirling, Harviestoun offre une gamme de bières en tonneau, dont Waverley 70/-, Original 80/- (4,1 %), Montrose, Ptarmigan et Old Manor.

McEwan's

Célèbre société créée en 1856, fusionnée avec Younger's en 1931 et aujourd'hui incorporée à Scottish Courage. McEwan's brasse encore à sa brasserie Fountain d'Édimbourg. Surtout connu pour ses bières en tonnelet et en canette (Export est la plus grosse vente de bière en canette de Grande-Bretagne), il produit aussi quelques bières en tonneau classées selon l'ancien système, 70/- et 80/-.

ALLOA

La ville d'Alloa sur l'estuaire du Firth of Forth est depuis longtemps un centre de brassage, grâce à l'eau des monts Ochil, à l'orge locale et au charbon des mines voisines. Au début du XXe siècle, elle possédait neuf brasseries dont la plus célèbre était George Younger's (fermée en 1963) ; en 1996, il n'en reste plus que deux : Alloa (appartenant aujourd'hui à Bass) et Maclays (indépendant).

LES PUBS-BRASSERIES

L'Écosse possède quelques pubs-brasseries,
pour la plupart établis vers 1995.
• Aldchlappie Hotel, Kirkmichael, Perthshire
• Harbour Bar, Kirkcaldy, Fife
• Lugton Inn, Lugton, Ayrshire
• Mansfield Arms, Sauchie, Alloa
• Moulin Hotel, Moulin, Pitlochry
• Rose Street, Édimbourg

Ci-dessus – Le moût est mélangé dans des cuves en cuivre luisant.

Maclay's

Dernière brasserie familiale
indépendante d'Alloa,
fondée en 1830. La tour-
brasserie traditionnelle date
de 1869. Maclay's utilise
toujours de l'eau de source
pompée à 100 mètres de
profondeur. Les bières
en tonneau comprennent
70/- (3,6 %), la bière phare
Export (4 %), Maclay's Oat
Malt Stout (4,5 %), Wallace
IPA et aussi une Scotch Ale
(5 %) blonde et forte.

Orkney

Située sur la plus grande île
de l'archipel des Orcades,
au large de la côte nord
d'Écosse. Créée à Quoyloo
en 1988, par Roger White.
Raven Ale, Dragonhead
Stout, Red MacGregor,
Dark Island et la vigoureuse
Skull Splitter font partie
de ses bières en tonneau
et en bouteille.

Scottish Courage

Deuxième plus grand
groupe de Grande-Bretagne,
basé à Édimbourg. Il fut
constitué en 1995 lorsque
Scottish and Newcastle
achetèrent l'entreprise
Courage d'Angleterre.
Il n'a qu'une seule
brasserie en Écosse,
à Édimbourg. Ses bières
se vendent toujours
sous le nom McEwan's
et William Younger.

Tennent's

Fondée à Glasgow vers
1776, la Wellpark Brewery
est, en 1885, le premier
producteur de lager d'Écosse.
La brasserie produit
aujourd'hui une gamme
de lagers pour le marché
britannique et étranger,
ainsi que des ales en tonnelet
et du stout en bouteille.

Tomintoul

La plus haute brasserie de
Grande-Bretagne, dans les
Highlands, près de Glenlivet.
Installée en 1993 dans
un ancien moulin à eau
par Andrew Neame, membre
de la famille de brasseurs
du Kent, Angleterre.
Ses bières en tonneau
comprennent Laird's Ale
(3,8 %), Stag (4,1 %),
Stillman's 80/- (4,2 %),
Wild Cat (5,1 %) et
Highland Hammer
(7,3 %).

Traquair House

Rare survivante
d'une époque
où toutes
les grandes
demeures
possédaient
leur propre
brasserie,
Traquair
House, à
Innerleithen
près de
Peebles,

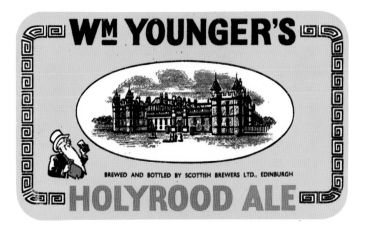

remonte au XIIᵉ siècle. Sa
bière est mentionnée pour
la première fois dans le
récit d'une visite de Mary,
reine d'Écosse en 1566.
La brasserie actuelle,
datant de 1730, fut
relancée en 1965 par
Peter Maxwell Stuart, puis
agrandie pour répondre
à la demande. Toute
la bière est fermentée
dans des cuves en chêne.

Younger's

Fondée en 1749 par William
Younger (groupe Scottish
Courage). En 1986, la
production passa chez
McEwan's. Connu pour
sa Tartan ale. Ses bières en
tonneau, Younger's Scotch
et Younger's IPA sont les
mêmes que McEwan's.
Younger's n° 3 est la
McEwan's 80/- avec
un apport de caramel.

DANEMARK

*Peut-être parce qu'il est situé plus au sud et davantage ancré à l'Europe
continentale que ses voisins scandinaves, le Danemark a toujours eu
une attitude relativement décontractée à l'égard de son industrie de la bière.*

Quand des buveurs de bière mentionnent le Danemark, un nom vient sur toutes les lèvres, la célèbre Carlsberg. Outre sa réputation internationale, le groupe Carlsberg domine le marché intérieur. En 1970, il a absorbé Tuborg, son plus gros rival ; il contrôle aussi les autres grands brasseurs. Cette suprématie engendre un choix restreint et les amateurs de Copenhague ne trouvent guère que les bières Carlsberg et Tuborg.

Les types de bières sont également peu variés, sous le règne des pilsners.

Le Danemark a joué un rôle important dans la popularité des lagers à fermentation basse, et la pilsner mild et maltée est aujourd'hui la bière la plus courante, remplaçant les bières au froment à fermentation haute, autrefois brassées par la plupart des brasseurs. Plus que tout autre, Carlsberg a rendu populaire dans le monde entier la lager blonde créée en Europe centrale. En 1993, ses ventes mondiales étaient cinq fois supérieures à son marché intérieur. La contribution de la compagnie au développement de la lager a été si importante que la levure à fermentation basse, *Saccharomyces Carlsbergensis,* a reçu le nom du brasseur de Copenhague.

On trouve cependant au Danemark, outre les lagers blondes, quelques bières saisonnières et autres brunes et même, à l'occasion, la porter, rappelant l'époque où l'ale anglaise était vendue dans les pays baltes. Il existe aussi une tradition de bière de table très faible, sombre, à fermentation haute, la hvidtol, si peu alcoolisée qu'elle échappe aux taxes.

Malgré ce manque de variété et une fiscalité relativement élevée sur l'alcool, les Danois apprécient leur bière, arrivant troisième consommateur mondial par tête, après la République tchèque et l'Allemagne.

Ci-dessus – On trouve parfois des bières peu courantes au Danemark, telle cette bière rouge de Ceres, mais l'industrie et le marché brassicoles du pays sont dominés par la lager blonde de Carlsberg, célèbre dans le monde entier.

LES BIÈRES

Albani porter
Porter forte (7,8 %), onctueuse, pur malt, de la brasserie Albani d'Odense.

Bering
Bering est un mélange original de stout fort et épicé et de lager parfumée de citron et de rhum (6,3 %), brassée par Ceres.

Bjorne Bryg
« Bière d'ours » forte (8,3 %), doré brillant, à l'arrière-goût amer de houblon, de Harboe.

Buur
Bière blond foncé, forte (7,6 %), sucrée, houblonnée, de type dortmunder, de Thor (groupe Ceres).

Carlsberg Let
Bière de table faible (2,7 %), légère, blonde, au goût amer de houblon malté, de Carlsberg.

Carlsberg Master Brew
Bière fortement alcoolisée (10,5 %), que Carlsberg créa pour son 150ᵉ anniversaire.

Carlsberg Pilsner
Connue aussi sous le nom de Carlsberg Lager Beer (ou parfois Hof). Lager (4,6 %) à l'étiquette verte, au goût net et moelleux.

Ceres Royal Export
Forte lager blonde (5,8 %) produite par Ceres, au goût malté, profond, avec un final houblonné.

Dansk Dortmunder
Lager blonde, forte (7,7 %), maltée, brassée par Ceres et exportée sous le nom de Ceres Strong Ale.

Dansk LA
Bière peu alcoolisée, la plus connue de Wiibroe, branche de Carlsberg à Elseneur, fondée en 1840, et qui produit surtout des bières bon marché.

Elephant
Lager blonde riche (7,5 %), de style bock allemand, de Carlsberg. Son nom vient de l'éléphant représenté sur les portes de la brasserie.

Faxe Premium
Lager maltée au léger final de malt (5 %), de la brasserie Faxe.

Gamle Special Dark
Lager brune (4,2 %) de Carlsberg rappelant la lager maltée originale de la brasserie, de type Munich.

Gammel Porter ou Imperial Stout
Stout fort (7,5 %) à fermentation basse, de style baltique, de Carlsberg, à la saveur riche et rôtie. *Gammel* signifie « vieux ».

Giraf
Lager blonde, forte (6,8 %), étiquette à long « cou », par Albani d'Odense. Créée pour sponsoriser l'achat de girafes du zoo local.

Gron
Principale marque de Tuborg, du nom de la couleur verte de l'étiquette, avec une premium Guld (or) et une lager brune Rod (rouge).

Hof
Voir Carlsberg Pilsner.

La domination de la bière en bouteille

Le marché danois a ceci de particulier que la plus grande partie de la bière se vend en bouteille consignée et relativement peu à la pression. Les Danois, soucieux de l'environnement, sont farouchement opposés à la bière en boîte dont la vente est interdite dans les espaces verts, ce qui va à l'encontre des directives de l'Union européenne.

Kongens Bryg
Lager blonde peu alcoolisée (1,7 %), produite par Tuborg.

Red Erik
Lager de Ceres nommée d'après le Viking qui découvrit le Groenland et y établit la première brasserie.

Silver Pilsner
Pilsner goûteuse de la brasserie Harboe.

Sort Guld
Sort Guld ou « Or noir » est une bière brune, maltée (5,8 %), de Carlsberg.

LES BRASSEURS

Albani

L'une des plus grandes brasseries indépendantes du Danemark, fondée à Odense en 1859. Surtout connue pour sa lager Giraf pâle, forte, à long «cou», elle brasse aussi une porter, Albani Porter (7, 8 %), et une bière de Pâques, Albani Paske Bryg, Albani Christmas Jule, ainsi qu'une gamme de pilsners.

Apollo

Pub-brasserie de Copenhague, près des célèbres jardins de Tivoli. Établi en 1990 au restaurant Herford Beefstouw, en coopération avec la brasserie Wiibroe d'Elsinore. Produit une gamme de lagers non filtrées.

Carlsberg

Voir p. 115.

Ceres

Après sa fusion avec les brasseries Thor et Faxe, Ceres, de Aarhus, Jutland, fait aujourd'hui partie du deuxième plus grand groupe du Danemark. La brasserie fondée en 1856 porte le nom de la déesse des moissons. Outre une gamme de pilsners, elle brasse un Ceres Stowt (stout à 7,7 %) sombre et fort, et des lagers blondes plus fortes, très exportées.

Faxe

Cette brasserie de Fakse connut une certaine popularité dans les années 70, avec sa Faxe Fad Beer en bouteille, non pasteurisée. La brasserie a rejoint Ceres pour former Brewery Group Denmark, le deuxième plus grand groupe brassicole du pays.

Harboe

Brasserie familiale indépendante fondée en 1833, à Skaelskor, Zealand. Au hvidtol sans alcool de ses débuts succéda la lager, en 1890. Sa brasserie moderne, bâtie en 1960, est connue à l'étranger pour sa puissante Bjørne Bryg (Bière d'ours), mais sa meilleure vente est la Silver Pilsner. Brasse aussi une premium Harboe Guld (5,9 %) et une gamme de bières saisonnières. Harboe, seul producteur danois d'extrait de malt, fabrique toujours des bières maltées peu alcoolisées.

La dynastie danoise

On a pu dire que l'histoire de Carlsberg ressemblait à une saga. La télévision danoise l'a bien compris et, en 1996, elle en fit une super production de 12 épisodes, appelée *Le Brasseur* et basée sur la vie étonnante de J.-C. Jacobsen.

Tuborg

Bien que Tuborg soit moins connue sur le marché international que sa jumelle Carlsberg, cette brasserie de Copenhague dépasse Carlsberg sur le marché intérieur et dans les autres pays nordiques. Tuborg fut fondé en 1873 par un groupe de banquiers, à Tuborg, au nord de Copenhague.

Après avoir d'abord vendu les lagers brunes de type Munich introduites par Carlsberg, le brasseur de Tuborg Hans Bekkevold lança en 1880, la première pilsner du Danemark. La brasserie fut aussi l'une des premières du pays à mettre ses bières en bouteille. La pilsner à étiquette verte connut un tel succès auprès des consommateurs qu'en 1903, il fallut bâtir une nouvelle brasserie de sept étages pour répondre à la demande.

L'une des curiosités de la brasserie Tuborg de Copenhague qui, comme Carlsberg, accueille les visiteurs, est une énorme bouteille de bière de 26 mètres de haut. Construite à l'origine en 1888 pour la Grande Foire Industrielle nordique dans les jardins de Tivoli et équipée du premier ascenseur hydraulique du Danemark, l'immense bouteille fut transportée dans le centre ville pour son centenaire, en 1988.

Tuborg et Carlsberg coopérèrent au cours du XXe siècle pour finalement fusionner en 1970, la compagnie ainsi formée représentant actuellement 80 % du marché intérieur. Chacune garde cependant sa direction indépendante et le contrôle de son marketing.

Tuborg continue aussi à produire en sa propre brasserie de Copenhague. La société, qui tient une place de choix sur la scène internationale, vend et brasse dans plus de 130 pays. La gamme de Tuborg est semblable à celle de Carlsberg, bien que ses pilsners soient un peu plus légères et houblonnées.

Sa vente principale est Gron (vert, comme la couleur de son étiquette). Il brasse aussi une premium Guld et une lager brune, À l'instar de Carlsberg, Tuborg produit enfin des bières saisonnières et une porter brune, riche et crémeuse.

LA SAGA CARLSBERG

Depuis 1901, quatre éléphants de pierre montent la garde devant les portes de la brasserie Carlsberg à Copenhague. Ils symbolisent la puissance et la pérennité de l'un des noms les plus célèbres de l'industrie de la bière. L'histoire de Carlsberg est une véritable épopée.

La brasserie Carlsberg fut fondée en 1847 par Jacob Christian Jacobsen sur une colline, à Valby, près de Copenhague. Il la baptisa du nom de son fils de 5 ans, Carl, ajouté au nom danois *berg* signifiant « colline ». À l'époque, de nombreuses petites brasseries danoises (dont l'une dirigée par son père) brassaient des bières au froment à fermentation haute mais Jacobsen était déterminé à brasser à grande échelle les nouvelles lagers à fermentation basse lancées en Bavière.

Jacobsen partit étudier à Munich sous la tutelle du célèbre Gabriel Sedlmayr de la brasserie Spaten et, selon la légende, revint en 1845, avec 2 litres de la précieuse levure à fermentation basse, qu'il garda au frais pendant le long trajet en diligence, en l'arrosant d'eau froide et en couvrant le récipient avec son chapeau haut de forme.

Après plusieurs essais réussis pour produire la lager brune munichoise, dans les caves sous les remparts de la cité, pendant que l'on construisait sa nouvelle brasserie, il commença à brasser la première cuvée dans son usine de Valby, le 10 novembre 1847.

Jacobsen devint l'un des pionniers de cette nouvelle science du brassage et construisit ses célèbres laboratoires. C'est là qu'en 1883, Emil Hansen isola la première culture de levure unicellulaire, *Saccharomyces Carlsbergensis,* qui permit aux brasseurs de contrôler la qualité de leur bière en éliminant les souches de levure indésirables. Jacobsen établit aussi la fondation Carlsberg en 1876, pour promouvoir la recherche scientifique.

Après sa mort en 1887, la fondation devint propriétaire de la brasserie. Le fils de Jacobsen, Carl, souvent en désaccord avec son père, installa sa propre entreprise sur un site voisin,

pour y brasser des pilsners. Passionné par les arts, il conçut une nouvelle brasserie en 1901, d'architecture élaborée à l'italienne, avec ses célèbres éléphants. La fondation Carlsberg reprit cette cathédrale de la bière en 1902. Aujourd'hui, la compagnie fonctionne uniquement pour financer la recherche scientifique et, grâce à l'intervention de Carl, la vie intellectuelle et artistique du pays. En 1913, ce dernier offrit à Copenhague le symbole de la ville, une statue de la *Petite Sirène.* Carlsberg commença à se faire connaître hors frontières en 1868, par l'exportation de sa bière en Écosse, bientôt suivie par les autres pays scandinaves

et les Antilles. Carlsberg se vend particulièrement bien en Extrême-Orient. La première brasserie hors frontières fut bâtie au Malawi, en Afrique, en 1968. En 1970, Carlsberg fusionna avec Tuborg pour former United Breweries, devenues Carlsberg en 1987.

Carlsberg possède environ 100 filiales et compagnies associées, surtout à l'étranger. Plus de 80 % de ses ventes se font hors frontières. Sa bière est vendue dans 150 pays et brassée dans 40. Monopolisant 80 % du marché danois, il possède aussi Wiibroe à Elseneur ; et, en 1979, il ouvrit une nouvelle brasserie à Fredericia, desservant l'ouest du Danemark.

Ci-dessus – L'imposante brasserie Carlsberg à Copenhague.

NORVÈGE

Les terres glacées du nord de l'Europe sont souvent associées à l'image des Vikings, solides buveurs engloutissant leur ale, mais en réalité, peu de pays ont fait davantage pour essayer de réduire la consommation d'alcool.

R ares sont les pays qui enferment leurs boissons alcoolisées dans un carcan aussi serré. En Norvège, les taxes sur la bière sont les plus élevées du monde. Il en résulte une tradition de brassage-maison, utilisant parfois les baies de genièvre du jardin.

Les types de bières commerciales et leur force sont strictement définis par l'État ; le côté positif de ces mesures sévères est une loi sur la pureté de la bière, imitée de celle de l'Allemagne, qui donne à la bière pur malt norvégienne un goût franc et velouté. Depuis 1995, ont été votées une série de taxes, s'appliquant aux bières selon leur degré d'alcool. La différence entre les classes C (bières contenant de 2,75 à 3,75 % d'alcool) et D (3,75 à 4,75 %) est considérable. Malgré cette augmentation de prix, le niveau D, de loin le plus populaire, représente plus des trois quarts des ventes globales (de type pilsner en grande majorité). Il existe aussi une variété brune de pilsner, du nom de baierol ou bayer. Les trois catégories les plus fortes, jusqu'à un maximum de 7 %, comprennent des lagers de type export ou gullot (bière dorée), ainsi que quelques bières saisonnières plus sombres, comme la bokkol ou juleol, à Noël. Les bières faiblement alcoolisées sont appelées brigg ou lettol. Toutes sont à fermentation basse. Il existe peu de marques nationales, les bières régionales prenant la première place dans leur région. Ainsi, Dahls Pils domine Trondelag ; Tou Pils, Stavanger ; et Arendal Pils règne sur la région de Sorlandet. Vers 1985, il y avait environ 15 brasseries indépendantes. Ringnes, la plus grande compagnie, a depuis racheté ses rivales et contrôle aujourd'hui les principales marques susnommées. Cette concentration de l'industrie a inévitablement conduit à la fermeture de quelques brasseries.

Ci-dessus – La bière est très taxée en Norvège et ses variétés sont limitées. Les plus populaires sont les lagers blondes, et la principale brasserie est Ringnes, fondée en 1877.

LES BIÈRES

Aass Bock

Bière bock cuivrée, crémeuse
et maltée (6,1 %), de Aass.

Aass Classic Special Brygg

Lager or foncé, aromatique
(4,5 %) au goût franc et
bien houblonné, de la
brasserie Aass, Drammen.

Akershus Irish Stout

Stout noir sans
compromission (4,6 %),
de Akershus, velouté,
riche, au goût de chocolat.

Akershus Pale ale

Pale-ale cuivrée,
houblonnée (4,6 %), de
la brasserie Akershus.

Akershus Weissbier

Bière au froment filtrée,
de type allemand (4,6 %),
brassée avec du blé et
de l'orge par Akershus.

Arctic Pils

Pilsner dorée, houblonnée
(4,5 %), brassée par Mack.

Christmas Juleol

Bière saisonnière brassée
par Aass, Drammen, à la
couleur de caramel foncé
et à la saveur de malt rôti.

Frydenlund Pilsener

Pilsner traditionnelle, bien
houblonnée, brassée par
Ringnes, depuis la fermeture
de la brasserie Frydenlund
d'Oslo, en 1995.

Hansa Bayer

Bière brune, goûteuse,
de type bavarois (4,5 %),
de Hansa.

Hansa Eksportol

Lager fauve doré (4,5 %),
au goût malté et salé.
Brassée pour l'exportation.

Hansa Premium

Bière au froment au goût
léger (4,5 %), de Hansa,
Bergen, très populaire
dans l'ouest de la Norvège.

Lauritz

Bière de type dortmunder,
portant le prénom
du fondateur de
la brasserie Aass.

Ludwig Pils

Pilsner blonde houblonnée
de la brasserie Hansa.

Lysholmer

La brasserie Dahl's de
Trondheim (appartenant
à Ringnes) produit cette
gamme de bières nationales
populaires, dont la spéciale
blonde et une ice beer.

Mack Bayer

Bière brun chocolat,
de type bavarois, de
la brasserie Mack.

Mack Polar Bear

Lager ambrée, trouble
au goût malté, de Mack.

Pilsener Mack-Ol

Pilsner dorée, maltée, de
la brasserie Mack, au nord
du pays, connue comme
la meilleure bière pour
accompagner les œufs de
mouette, régal régional.

Ringnes Pils

Lager blonde de type
pilsner, au goût frais et léger
de houblon et de malt.
Bière phare de Ringnes.

LES BRASSEURS

Aass

Compagnie indépendante
et plus ancienne brasserie de
Norvège, fondée à Drammen
en 1834, qui a su fidéliser
sa clientèle. Son club de
buveurs de bière compte
plus de 8 000 membres. Elle
offre aussi l'une des plus
larges gammes de bières,
avec plus de 10 variétés.

Akershus

Société fondée à Enebakk
(banlieue d'Oslo) en 1992.
Brasse diverses bières
à fermentation haute.

Hansa

Grande brasserie de Bergen
fondée en 1891, connue
pour sa Ludwig Pils, mais
qui brasse aussi une large
gamme d'autres bières, dont
une boisson au genièvre.
Possède une ferme-brasserie
traditionnelle ouverte
au public. La compagnie
retrouva son indépendance
en 1996, après la fusion
de Ringnes et Pripps.

Mack

Brasserie la plus nordique
du monde, à Tromsø, sous
le cercle polaire, fondée
en 1877. Outre sa bière
phare Pils, Mack brasse
aussi Mack Norges et
Pils, plus houblonnée,
ainsi que d'autres bières
de type bavarois.

Mikro

Premier pub-brasserie
de Norvège (Oslo), appelé
Mikro Bryggeri. Brasse
des bitters et stouts pression
à fermentation haute, de
type anglais, depuis 1990.

Ringnes

Principale brasserie
de Norvège, fondée
à Oslo en 1877,
qui possède aussi
d'autres marques
et brasseries.
Produit Ringnes
Pils et Lysholmer
Ice de Dahl's
Brewery,
Trondheim.
Fusion en 1995
avec Pripps
de Suède,
pour former
Pripps Ringnes.

SUÈDE

Les brasseurs suédois s'efforcent depuis longtemps de survivre, en dépit
des lois sévères sur l'alcool. Cependant, ces lois se sont récemment assouplies,
et l'on voit réapparaître les petites brasseries.

Comme ses voisins, la Suède s'est trouvée confrontée à un puissant mouvement antialcoolique. Politiciens et ministres du culte stigmatisent régulièrement l'alcool comme source de tous les maux. Jusque récemment, la production et la vente de la bière étaient sévèrement réglementées, le taux d'alcool étant soumis à une stricte classification : Classe I jusqu'à 1,8 %, Classe II, 3,5 % et Classe III, 5,6 %, souvent sous la même étiquette. Les bars et les magasins ne pouvaient vendre que des bières Classe I et Classe II. Pour diminuer encore la consommation des bières fortes de Classe III, déjà très lourdement taxées, la loi n'en autorisait la vente que dans les restaurants ou les magasins d'État (fermés le soir et le week-end).

En 1960, le pays possédait 85 brasseries mais les lois strictes finirent par avoir raison des compagnies déjà en difficulté, dont beaucoup fermèrent au cours des années qui suivirent. Les autres brasseurs se résignèrent à brasser des bières peu alcoolisées. À une certaine époque, l'État possédait même quelques brasseries, dont Pripps, la plus importante.

Cependant, depuis l'entrée de la Suède dans l'Union européenne en 1995, les monopoles d'État et les lois restrictives ont dû être assouplis pour se conformer aux règles sur le libre-échange au sein de l'Union. L'interdiction des bières dépassant 5,6 % est oubliée et le système à trois classes qui favorisait les bières peu alcoolisées est abandonné au profit d'une taxe uniforme sur l'alcool. Un pub-brasserie a même obtenu une licence pour s'établir à Stockholm, et l'on voit apparaître de nouvelles petites brasseries locales, surtout attachées au brassage des bières fortes de Classe III.

Ci-dessus – Les brasseurs suédois luttent depuis longtemps contre un puissant mouvement antialcoolique. Spendrup est l'un des quelques survivants.

LES BIÈRES

Dart
Bitter cuivrée de type anglais, houblonnée, brassée par Pripps.

Falcon Export
Pilsner blonde au goût amer et houblonné, et au final légèrement malté. Produite par Falcon, Falkenberg.

Gorilla
Nouvelle bière extra-forte (7,6 %), l'une de celles apparues sur le marché suédois depuis l'assouplissement des mesures restrictives sur l'alcool. Produite par la brasserie de « spécialité », Abro, Vimmerby.

Pripps Bla
Meilleure vente de bière suédoise, dans les trois classes. Pilsner douce, blond miel. Il existe aussi une nouvelle Extra Strong Pripps Bla, classe forte (7,2 %).

Royal Pilsner
Marque déposée d'une gamme de pilsners houblonnées et maltées de Pripps, dont l'étiquette a été conçue par le prince Sigvard Bernadotte de Suède.

Spendrup's Old Gold
Lager de type pilsner blond soutenu, houblonnée, pur malt (5 %), dans une bouteille brune rainurée caractéristique. Brasserie Spendrup de Grangesberg.

Spendrup's Premium
Premium pilsner pur malt, goûteuse, bien ronde, de la brasserie Spendrup, Grangesberg.

Tom Kelley
Bière forte et goûteuse (7,5 %), créée par Pripps quand les lois restrictives furent assouplies.

Carnegie Porter, une bière écossaise en Suède

De nombreuses bières suédoises portent des noms anglais mais l'une des bières les plus caractéristiques de Pripps vient tout droit d'Écosse. Un émigré Écossais nommé David Carnegie installa sa propre brasserie à Gothenburg en 1936, pour y brasser les porters populaires de l'époque. Absorbée plus tard par Pripps, la compagnie continua à brasser la bière brune à fermentation haute. Aujourd'hui, elle produit à Stockholm une Carnegie Porter en deux qualités – l'une (5,6 %) à la riche saveur rôtie ; l'autre, une pâle réplique à 3,6 % –, ainsi qu'une stark (forte) porter millésimée, mûrie pendant 6 mois. En 1992, cette bière parfumée revint en Grande-Bretagne pour gagner une médaille d'or à l'Exposition internationale de la bière de Burton-on-Trent.

LES BRASSEURS

Abro
Brasserie familiale établie à Vimmerby depuis 1856. Connue pour ses « spécialités », dont Gorilla dans la nouvelle classe extra-forte (7,6 %). On peut citer également Abro Guld et une brune, Abor Bayerskt.

Falcon
Grande firme, à Falkenberg depuis 1896. Outre une gamme de pilsners, elle offre une Falcon Guldol maltée et une Falcon Bayerskt brune, de type Munich.

Gamla Stans
Premier pub-brasserie de Stockholm, ouvert en 1995. Brasse une lager fraîche, non filtrée, Faerskoel (5 %).

Gotlands
Petite brasserie de Visby, sur l'île de Gotland, relancée par Spendrup en 1995. Outre une lager Munkeol sèche, elle brasse deux bières de type écossais, un oat malt stout crémeux (4,5 %) et une scotch ale (4,2 %), ainsi qu'une Klosteroel fruitée, non filtrée (6 %).

Pripps
Plus importante brasserie de Suède ayant absorbé de nombreuses petites compagnies. Fondée à Gothenbourg en 1828, elle fusionna avec Stockholm Breweries en 1963. À cette époque, l'entreprise possédait 30 brasseries. La marque phare de sa principale usine, à Bromma près de Stockholm, est la pilsner Pripps Bla (bleue) sucrée. En 1995, Pripps fusionna avec le Norvégien Ringnes. Pripps a aussi des intérêts chez Harwall, en Finlande, les deux compagnies s'ouvrant vers l'Est et les nouveaux États de la Baltique.

Spendrup's
Les lois restrictives imposées par l'État suédois pendant de nombreuses années faillirent faire disparaître, comme beaucoup d'autres, cette brasserie locale de Grangesberg. La société dont la marque était alors Grangesberg retrouva sa vitalité en reprenant l'ancien nom de famille de Spendrup's et en lançant une gamme de pilsners pur malt, dans ses bouteilles caractéristiques.

FINLANDE

Plus que tous les autres pays scandinaves, la Finlande a réussi à garder ses anciennes traditions brassicoles et, malgré une vigoureuse campagne antialcoolique, l'industrie moderne de la bière est également en plein essor.

La « sahti », bière traditionnelle finlandaise, est si populaire qu'elle a quitté les fermes rurales pour devenir un produit commercial. Les Finlandais sont nombreux à déguster un verre de sahti après ou même pendant le sauna rituel. Bien que le pays offre de nombreuses bières traditionnelles plus classiques, le développement de cette industrie fut très perturbé par la législation antialcoolique. Comme les États-Unis, la Finlande dut subir une longue période de prohibition, de 1919 à 1932. Cependant, contrairement à ses voisins scandinaves, les lois antialcooliques finlandaises commencent à s'assouplir, mais les taxes sur la bière restent très élevées (40 % sur les bières fortes, plus une TVA de 16 %).

La réglementation concernant les ventes et les taxes varie selon le taux d'alcool des bières. Seule la classe I (moins de 2,8 % APV) peut être vendue en magasin et bénéficier de publicité. La classe III, très populaire (3,7 à 4,7 %), est beaucoup plus taxée et ne se trouve que dans les magasins d'État. Presque toutes les bières de classe III sont de type pilsner.

Plus le taux d'alcool est élevé, plus l'étau de l'État se resserre, et les ventes de bières fortes (jusqu'à 5,7 %) sont contrôlées de près par Alko, monopole étatique pour la vente au détail. Seuls les boutiques Alko et les restaurants sous licence ont le droit de vendre ces lagers export. Quelques bières « spécialités » contiennent jusqu'à 7,8 % d'alcool.

Ci-dessus – Hartwall, le plus gros brasseur de Finlande, produit une lager blonde, Lapin Kulta qui, sous sa forme la plus forte (5,3 %), ne peut être vendue que dans certains magasins.

Malgré toutes ces restrictions, l'industrie de la bière finlandaise réussit à rester florissante avec deux principaux groupes, Hartwall et Sinebrychoff, dominant un marché très contrôlé, et de nouveaux petits « restaurants-brasseries » s'ouvrent un peu partout.

LES BIÈRES

Cheers

Ale cuivrée à fermentation basse, produite par l'un des géants finlandais, Sinebrychoff.

Jouloulot Christmas Beer

Bière de saison rougeâtre, à la riche saveur (5 %), produite par Sinebrychoff.

Karhu 3

Lager brunâtre, sombre, au goût vigoureux et puissant (4,6 %). Fait partie d'une gamme de la seconde brasserie de Sinebrychoff, à Pori.

Karjala

Pilsner de couleur fauve, au goût riche, épicé et houblonné, brassée par Hartwall, et meilleure vente après Lapin Kulta. La compagnie vient d'ajouter à sa gamme Harwall 1836 Classic, ale pur malt créée en 1996.

Koff Porter

Sinebrychoff brasse encore l'une de ses plus anciennes bières (7,2 %), ale brune dense relancée après la Seconde Guerre mondiale, avec une levure à fermentation haute, cultivée à partir d'une bouteille de Guinness. Centrifugée mais non filtrée, au riche arôme rôti. Brassée avec quatre malts différents, la bière mûrit 6 semaines avant d'être pasteurisée. Autrefois exportée aux États-Unis sous le nom Imperial Stout.

Lammin Sahti

Ce producteur de sahti vend la spécialité finlandaise dans un cubitainer en carton. Boisson trouble et rougeâtre (8 %), au goût épicé et acide.

Koff

Koff est le nom abrégé donné aux bières de la brasserie Sinebrychoff, dont font partie une pilsner populaire, brun clair, au goût plaisant (4,5 %), une pale-ale Extra Strong puissante (7,5 %) et une lager export (5,2 %).

Lapin Kulta

Pilsner phare de Hartwall, de sa brasserie du Nord, brassée avec les eaux glacées de Laponie. La plus forte (5,3 %) est onctueuse et maltée.

Leningrad cow-boy

Lager blonde export au curieux nom (5,2 %), brassée par Sinebrychoff et reflétant les liens de la brasserie avec la Russie.

Pilsner Nikolai

Premium pilsner sucrée (4,5 %) de la brasserie Sinebrydhoff. Porte le nom du fondateur de la brasserie.

Postin Oma

Michael Jackson (« le chasseur de bière ») décrit ainsi cette bière brune de la petite brasserie Ravintola Wanha Posti qu'il visita en 1995 : « Elle présente une agréable couleur cuivrée et une mousse haute et dense. On y goûte un parfum de noix et de chocolat noir s'épanouissant en saveurs maltées. Elle se boit avec plaisir. » Le brasseur était si content de cette appréciation de M. Jackson qu'il l'a immortalisée sur l'envers des sous-bocks !

Sahti

Bière traditionnelle de Finlande, forte (autour de 8 %), non filtrée, trouble, rouge ambré et assez plate, au goût doux-amer épicé. Son principal ingrédient est du seigle et non de l'orge, ce qui, ajouté aux baies de genévrier (plutôt que du houblon) lui donne une saveur acide et rafraîchissante. La bière est traditionnellement passée sur des branchettes de genévrier et les céréales sont parfois chauffées dans des saunas. La sahti se faisait autrefois à la maison et la levure de boulanger encore utilisée dans la recette confirme ses origines domestiques.

Sandels

Lager finlandaise traditionnelle de Olvi, brun clair, légèrement houblonnée, onctueuse et maltée. Porte le nom du colonel Sandels, célèbre soldat de la guerre russo-finlandaise.

Vaakuna

Lager brune de type märzen bavarois (4,5 %), dorée, maltée, caramélisée. de la brasserie Olvi.

Un pays céréalier

Le climat froid de la Finlande est propice à la culture céréalière, et le pays est l'un des premiers producteurs d'orge du monde. Ses céréales maltées sont exportées jusqu'au Japon.

*Ci-dessus et ci-dessous –
Le soleil de minuit finlandais
a inspiré les couleurs de
l'étiquette de Lapin Kulta.*

LES BRASSEURS

Hartwall

Hartwall contrôle plus de la moitié du marché de la bière en Finlande, avec des brasseries à Helsinki, Lahti et Tornio. La brasserie de Tornio, ville de trappeurs et de chercheurs d'or, fut fondée en 1873. Le nom Lapin Kulta (« or lapon ») était celui d'une vieille mine. C'est l'une des rares brasseries à tirer son eau des rivières.

Hartwall, fabricant de boissons non alcoolisées, acheta sa première brasserie en 1966. Il produit Lapin Kulta, sa principale pilsner, mais aussi Karjala et Hartwall 1836 Classic. En 1991, il créa, avec le Suédois Pripps, Baltic Beverage Holdings (BBH), pour s'étendre dans les États baltes, avec des brasseries en Estonie, Lettonie, Lituanie et Russie.

Kappeli Brasserie

Brasserie d'Helsinki. Lagers non filtrées et bières saisonnières.

Olvi

Troisième groupe de Finlande, à Iisalmi. Outre une gamme de pilsners, il produit une lager export maltée, Vaakuna et la Sandels brun clair.

Sinebrychoff

Plus ancienne brasserie de Finlande, établie en 1819, à Helsinki, par un marchand russe, Nikolai Sinebrychoff. À la porter, à l'hydromel et aux bières à fermentation haute de ses débuts, la brasserie ajouta la lager en 1853. Les bières sont

L'industrie nordique

Il existe des milliers de producteurs de sahti locaux, brassant environ 4 millions de litres chaque année, essentiellement dans la région que les Finlandais appellent « le Nord », et qui s'étend sur 150 kilomètres au nord de Tampere. Les producteurs commerciaux les plus connus sont Joutsa, Sysmä et Honkajoki.

surtout vendues sous le nom abrégé de Koff, mais il existe aussi une premium pilsner Nikolai et une export lager au curieux nom de Leningrad cow-boy.

ISLANDE

L'Islande, cette petite île du Grand Nord, a une longue tradition de bières très peu alcoolisées, en raison des lois de prohibition qui, pendant 74 ans, ont freiné la production des bières « normales ».

En 1989, l'Islande s'est libérée du carcan de la prohibition, en mettant fin à l'interdiction de la bière imposée en 1915. Avant cette date, la brasserie familiale Egill de Reykjavik et d'autres compagnies semblables ne produisaient que des boissons non alcoolisées et des bières légères. Depuis la fin de la prohibition, elles ont pu ajouter à leur production un certain nombre de bières plus fortes, très appréciées par la population de 250 000 habitants, dont la moitié vit à Reykjavik, la capitale. Depuis la fin de l'embargo, les distractions ne manquent pas à Reykjavik et les jeunes Européens s'y retrouvent de plus en plus nombreux, pour y mener joyeuse vie, surtout en été. Parallèlement, l'alcoolisme est devenu un problème de société, peut-être dû en partie aux longs hivers sombres, pendant lesquels la clarté du jour ne luit que 4 heures.

Ci-dessus – Viking est une nouvelle bière qui apparut en Islande après la levée de l'interdiction de fabriquer des boissons alcoolisées.

Réjouissances vikings

L'Islande est la patrie du plus vieux « parlement » du monde, le Thingvellir. Les récits de l'époque viking racontent les séances annuelles où les lois étaient élaborées, les conflits tranchés et les marchés conclus, occasion idéale pour festoyer et, bien sûr, faire couler la bière à flots.

LES BIÈRES

Dökkur
Cette bière forte (du point de vue islandais : 3,8 %) fut créée par Egill après la fin de la prohibition, en 1989. Son nom signifie « brune ».

Egils Malt
Egill, de Reykjavik, continue à brasser cette bière peu alcoolisée de type traditionnel (1 %).

Egils Pilsner
Pilsner légère, or pâle (2,25 %), de la brasserie Egill, Reykjavik. Bière rafraîchissante, brassée avec l'eau pure des glaciers. La plus populaire des bières légères.

Gull
Lager pilsner export blonde (5 %), créée par la brasserie Egill après la fin de l'interdiction des bières fortes. La plus populaire du pays.

Viking Bjor
Lager or pâle et limpide, de type pilsner (5 %), produite par Viking.

LES BRASSEURS

Egill
Dirigée par la famille Tomasson depuis 1913, Egill se consacra jusqu'en 1989 à la production des bières peu alcoolisées comme Egils Malt, auxquelles il a depuis ajouté la Dökkur et la Gull plus fortes. Il brasse également Tuborg, sous licence.

Viking
Producteur de boissons non alcoolisées (Sanitas), Viking ouvre une nouvelle brasserie à Akureyri en 1988, pour produire des bières fortes après la levée de l'interdiction en 1989.

BELGIQUE

La Belgique est le pays de la bière. Aucune nation n'en offre une telle variété, bière naturelle à fermentation spontanée, bières aux fruits, bières épicées ou ales bénies des trappistes toujours brassées dans les monastères.

Sur un certain plan, le marché belge de la bière s'est certainement concentré au cours de ce siècle. Le nombre des brasseries est passé de 3 000 en 1900 à un peu plus de 100 aujourd'hui. Les bières de type pilsners, telles Stella Artois et Jupiler, des grandes brasseries Interbrew et Alken-Maes, dominent la consommation domestique ; elles ne peuvent néanmoins être comparées aux lagers de luxe de République tchèque et d'Allemagne. Cependant, la réputation de la bière belge ne tient pas à ses pils mais à l'extraordinaire gamme d'autres bières que l'on trouve dans ses bars. Ce que la France est au vin, la Belgique l'est à la bière, petit pays grand par la variété et l'originalité de ses bières. Pour l'amateur entreprenant, la Belgique est le paradis sur terre, le paradis de la bière.

Des monastères y fabriquent encore les ales des trappistes, fortes et riches, comme Chimay et Orval, copiées aujourd'hui par des brasseries commerciales sous le nom de bières d'abbaye. Près de Bruxelles, on produit des bières lambic à fermentation spontanée. Certaines brasseries ajoutent des épices ou des fruits à d'anciennes bières au froment, comme la kriek brune aux cerises, d'autres aigrissent leurs bières par des moyens mystérieux.

C'est cette variété colorée et complexe qui a donné sa réputation à la Belgique. Les bières « spécialité » peuvent se répartir en sept groupes principaux : lambic (parfois écrit lambik), bière blanche, bière brune, bière rouge, ale, trappiste et saisonnière. À l'intérieur de ces catégories la gamme de parfums, types et forces est stupéfiante, certaines bières restant uniques et défiant toute classification. Cafés et bars offrent une carte incroyablement fournie et presque chaque bière a son verre spécifique.

Ci-dessus – Les bières « spécialité » belges sont appréciées dans le monde entier. La kriek aux cerises, à l'opulente couleur rouge foncé, est faite avec des fruits entiers.

LES BIÈRES

Abbaye d'Aulne
Nom d'une gamme de bières d'abbaye, produites par la brasserie familiale Smedt, Opwijk.

Abbaye de Bonne Espérance
Cette tripel (7,5 %) blonde et trouble de la brasserie Levebvre, Quenast, est plus connue sous le nom de Floreffe.

Adler
Lager premium blonde et forte (6,5 %), de Haacht, troisième plus grand producteur de lager de Belgique.

Affligem
Les bières d'abbaye de De Smedt, Opwijk, sont brassées d'après des recettes originales de l'ancienne abbaye bénédictine Affligem, dans la région d'Aalst. Produit une Affligem dubbel brune, sèche, une blonde dorée (toutes deux à 7 %) et une tripel ambrée et fruitée (8,5 %).

Agnus Dei
Tripel pâle, forte (8 %), complexe. Cette bière d'abbaye est vendue sous le nom Corsendonk. Création de Jozef Keersmaekers datant de 1982, elle est brassée par Du Bocq.

Augustijn
Parmi les bières fortes d'abbaye de la brasserie Van Steenberge, Ertvelde, on note Augustijn (8 %) et Grand Cru (9 %).

Avec les Bons Vœux de la Brasserie
Bière du nouvel an, forte (9,5 %), blonde, épicée, de la brasserie Dupont, Hainaut. Existe aussi en version biologique.

Bel Pils
L'une des meilleures pilsners (5,3 %) de Belgique, or pâle, au goût malté. Produite par la brasserie familiale indépendante Moortgat, qui fabrique aussi les bières d'abbaye Duvel et Maredsous.

Belle-Vue
Gueuze, kriek et frambozen (5,2 %) de cette grande brasserie de lambics sont agréables, mais manquent d'originalité.

Blanche de Namur
Bière blonde de froment (4,3 %), au goût épicé et fruité, brassée dans la province de Namur par la brasserie familiale Du Bocq.

Blanche des Honnelles
Bière au froment trouble (6 %), avoine maltée ajoutée à la maische. Épicée au genièvre, au zeste d'orange et à la coriandre. Produite par Abbaye des Rocs.

Block Special 6
Block produit à Peizegem cette bière aigre, unique. Block Special 6 (6 %), mélange de lambic avec des pale-ales jeunes et affinées. Brasse aussi la gamme des ales Satan.

Bokkereyer
Lager forte (5,8 %), de type viennois, de la brasserie familiale du Limbourg, Saint Jozef, Opitter.

Bourgogne des Flandres
Timmermans d'Itterbeck, brasseur de lambic, produit cette ale rouge et aigre, à base de lambic (6,5 %).

Brigand
Ale robuste (9 %), couleur bronze, au goût suave, très populaire et proposée en bouteille à bouchon de liège par la brasserie Van Honsebrouck de Ingelmunster, Flandre-Occidentale.

Brugs Tarwebier
Ou Blanche de Bruges, cette bière trouble au froment (5 %) est la plus célèbre de Gouden Boom, Bruges. *Tarwe* signifie « froment ».

Brugse Straffe Hendrik
Voir Straffe Hendrik.

Brugse Tripel
Cette bière blonde forte (9,5 %) vient de la petite brasserie Gouden Boom, à Bruges, qui possède son propre musée de la bière.

À droite – Transfert
des tonneaux d'ale belge
de fabrication artisanale
du camion au bar, au
début du siècle.

Bush

La plus forte bière de
Belgique, Bush (12 %),
est un vin d'orge ambré de
type anglais, de la brasserie
Dubuisson, Pipaix, Hainaut.
Brassée depuis 1933,
cette boisson chaleureuse,
sèche, moelleuse, au goût
de chêne, devint la seule
bière régulière de cette
entreprise familiale.
Appelée Scaldis aux États-
Unis pour éviter la confusion
avec Anheuser-Busch.
Dubuisson brasse aussi à
Noël une Bush Noël brune
ambrée (12 %). En 1994,
la brasserie lança une Bush
Beer houblonnée et moins
forte (7 %), pour fêter
son 225e anniversaire.

Celis White

Bière au froment (5 %),
aujourd'hui brassée par
De Smedt sous licence
de son premier producteur
Pieter Celis, Belge qui brasse
actuellement aux États-Unis.

Chapeau

Gamme de bières lambics
légères aux fruits, dont la
banane, la fraise et l'ananas,
produite par De Troch.

Charles Quint

Ale brune forte et suave
(7 %), produite par Haacht.

Chimay Blanche

Voir Chimay Cinq Cents.

Chimay Bleue

*Voir Chimay Grande
Réserve.*

Chimay Cinq Cents

Tripel trappiste blonde,
ambrée au goût malté
(8 %), la plus houblonnée
et la plus sèche de l'abbaye
de Notre-Dame de
Scourmont, près de Chimay.
En petite bouteille,
elle s'appelle Chimay
Blanche, d'après la
couleur de la capsule.

Chimay Grande Réserve

Ale trappiste riche et fruitée,
la plus forte (9 %) et la
plus complexe des ales de
l'abbaye de Notre-Dame
de Scourmont. Capsule et
étiquette bleues. Créée
à l'origine comme bière
de Noël, elle est brassée
régulièrement depuis 1958.
Millésimée, elle gagne à être
vieillie pendant quelques
années. En petite bouteille,
elle s'appelle Chimay Bleue.

Chimay Première

Riche ale trappiste rouge
ambré (7 %), au goût fruité
et épicé, de l'abbaye de
Notre-Dame de Scourmont.
Capsule et étiquette
rouges. En bouteille
de 33 centilitres, elle
s'appelle Chimay Rouge.

Chimay Rouge

Voir Chimay Première.

Cochonne

Ale annuelle (9 %),
de la petite brasserie Vapeur,
Pipaix, Hainaut.

La brasserie De Koninck d'Anvers, fondée en 1833, utilise une bouilloire flamande traditionnelle, habillée de briques, avec un tamis à houblon actionné par un système de poulie. La recette est pur malt (sans additifs) et houblon de Saaz. La meilleure façon de déguster la De Koninck est à la pression, au café Pilgrim face à la brasserie. Les habitués ajoutent souvent un peu de levure dans le verre.

Corsendonk

Ces deux bières d'abbaye dans leur élégante bouteille brune ne datent que de 1982. Elles portent le nom de l'ancien prieuré augustinien près de Turnhout, établi au XVe siècle et récemment restauré. Ces bières sont la création de Josef Keersmaeker, d'une célèbre famille de brasseurs. La dubbel brun chocolat, Pater Noster, est brassée par la brasserie Van Steenberge et la pale-ale tripel, plus forte (8 %), Agnus Dei, à la brasserie Du Bocq.

Cristal Alken

Bière non pasteurisée, considérée comme la plus houblonnée des pilsners belges (4,8 %). Brassée par le groupe Alken-Maes, c'est la meilleure vente de sa région, le Limbourg.

Cuvée d'Aristée

Ale au miel originale (9,5 %), de la brasserie Praille, Peissant près de Mons.

Cuvée de l'Hermitage

Cuvée, de même que les termes « luxe » et « spéciale », ne signifie plus grand-chose, mais cette ale rousse et riche (8 %), de la brasserie Union, Jumet, mérite une telle distinction.

De Koninck

Ale pur malt, à fermentation haute (5 %), qui tient de la bitter anglaise et de l'alt allemande. Elle est mûrie en tonneau, puis pasteurisée dans la bouteille. Cuvée de Koninck (8 %) en est une version plus forte.

Delirium Tremens

Cette ale blonde bien nommée, forte, épicée (9 %), de la brasserie Huyghe près de Gand, se sert dans un verre décoré d'éléphants roses.

Dentergems Wit

La brasserie Riva, Dentergem lança cette bière en 1980, pour concurrencer les bières blanches de Hoegaarden. Blonde, trouble (5 %) au goût de froment, délicat et citronné, elle ressemble davantage à une bière allemande au froment.

Doppelbock Bugel

L'une des bières à fermentation basse les plus fortes de Belgique (8 %). Lourde bière de Noël, produite par Domus, première brasserie artisanale belge établi à Leuven en 1984. Cet ancien brasseur de Cristal Alken brasse aussi une lager fraîche et goûteuse et une bière au froment trouble, Leuven Witbier (5 %).

Double Enghien Brune
Cette ale brune intéressante, forte (8 %), crémeuse, à goût de noix, ainsi que l'ale blonde ambrée, viennent de la brasserie Silly, Silly.

Duivelsbier
Bière originale (6 %), de la brasserie Vander Linden, mélange de pale-ale classique et de lambic.

Duvel
Bière à la réputation satanique, une des plus célèbres et des plus prisées de Belgique. Ale blonde à mousse blanche dans son verre ballon, elle paraît agréable mais sans plus ; pourtant, il suffit de sentir son parfum houblonné entêtant et de goûter sa complexe saveur fruitée alliée à une force vigoureuse (8,5 %) pour se rendre compte que cette bière sort de l'ordinaire.

Après la Première Guerre mondiale, Moortgat, de Breendonk (qui brasse Duvel), après avoir analysé l'ale McEwan d'Édimbourg, créa une ale brune avec de la levure McEwan's. « C'est la bière du diable », s'exclama un des premiers dégustateurs qui donna ainsi son nom à la Duvel, en 1923. En 1968, Moortgat en fit une version blonde.

La Duvel existe aujourd'hui en deux catégories : l'une succulente, en bouteille, portant Duvel en lettres rouges ; l'autre, filtrée et moins originale, en lettres vertes. D'autres brasseurs belges ont tenté sans succès de copier la Duvel.

Ename
Gamme de bières d'abbaye brassée par la brasserie Roman, en Flandre-Orientale, dont une dubbel brune (6,5 %) et une tripel blonde (8 %).

Felix
La brasserie Clarysse d'Oudenaarde produit cette gamme d'ales brunes sucrées de Flandre-Orientale. En font partie Felix Oud Bruin (5,5 %), Special Oudenaards (4,8 %), ainsi que deux kriekbiers (6 % et 5 %).

Floreffe
Cette gamme de bières d'abbaye de qualité, en bouteille, de la brasserie familiale Lefebvre, Quenast, au sud-ouest de Bruxelles, a pris le nom de l'abbaye de Prémontrés Norbertins de Floreffe. La meilleure, ale épicée (8 %) acajou, s'appelle simplement La Meilleure. L'Abbaye de Bonne Espérance, qui est une tripel blonde (7,5 %), ainsi qu'une dubbel goûteuse et une blonde (toutes deux à 7 %), complètent la gamme.

Gildenbier
Ale brune forte (6,6 %), sucrée, produite par Haacht.

Goudenband
Voir Liefmans Goudenband.

Gouden Carolus
Ale brune crémeuse, originale (7 %), de la brasserie familiale Anker de Mechelen, dont le nom vient d'une pièce d'or sans doute frappée sous Charles Quint qui grandit dans la ville. Mechelsen brune (5,5 %) est plus légère et moins épicée, tandis que Toison d'Or tripel est une pale-ale jaune (7 %).

Grimbergen
Gamme de bières d'abbaye du grand groupe Alken-Maes, brassée à sa brasserie Union de Jumet et portant le nom de l'abbaye de Grimbergen. Elle comprend la chaleureuse

Optimo Bruno (10 %), une tripel blonde, voluptueuse, corsée, (9 %) et deux dubbels fruitées, l'une blonde (7 %), l'autre brune (6,5 %).

Hapkin
Louwaege produit cette ale blonde et forte (8,5 %), en bouteille, qui cherche à concurrencer Duvel.

Het Kapittel
La brasserie Van Eecke de Watou produit cette gamme de bières d'abbaye de qualité, dont une abbaye forte (10 %), une délicieuse prior sombre (9 %), une dubbel (7 %), et une pater (6,5 %).

Hoegaarden
Créée par Pieter Celis à sa Kluis Brewery de Hoeggarden en 1966, elle suscita un nouvel intérêt

pour les bières troubles au froment. Elle relança l'art de brasser des bières « blanches » épicées de coriandre et de curaçao. Outre la Hoegaarden trouble et rafraîchissante, or pâle (5 %), la brasserie produit un Grand Cru blond, plus corsé et une Julius orangée, épicée (toutes deux à 8,7 %), ainsi qu'une riche ale brune fruitée, Verboden Vrucht (8,8 %), toutes mûries en bouteille.

Horse-Ale
Pale-ale de type anglais (4,8 %), au goût houblonné, aromatique, brassée par Interbrew.

Ichtegems Oud Bruin
Ale rouge flamande rafraîchissante, au goût malté sucré, de la brasserie Strubbe, Ichtegem.

Jacobins
Gamme de bières lambic sucrées, les Jacobins – gueuze ambrée, gueuze douce-amère, kriek rouge à la cerise et frambozen (toutes à 5,5 %) – viennent de la brasserie Bockor de Bellegem.

Jupiler
Meilleure vente de Belgique, cette pilsner maltée (5,2 %) vient de Jupille, près de Liège. Fondée en 1853, la brasserie appartient aujourd'hui à Interbrew.

Kasteel
Ale brune en bouteille, très forte (11,5 %), ambrée, au goût riche de porto. La brasserie Van Honsebrouck la laisse mûrir dans les caves de Ingelmunster Castle, demeure du XVIIIᵉ siècle entourée de fossés, qui appartient à cette famille de brasseurs.

La Chouffe
Cette ale blonde (8 %), de la brasserie Achouffe, est épicée de coriandre.

La Divine
Ale ambrée intéressante, sombre, forte (9,5 %), au goût profond et épicé, brassée par la brasserie Silly.

La Gauloise
Ales fortes de la brasserie Du Bocq de Namur comprenant une ambrée (6,5 %), une blonde (7 %) et une brune rouge sombre (9 %). Les grandes bouteilles sont bouchées de liège.

La Meilleure
Ale épicée, couleur acajou, en bouteille (8 %), la meilleure (comme son nom l'indique) des bières d'abbaye de Floreffe.

Leffe
Interbrew produit cette gamme de bières du nom de l'abbaye de Leffe à Dinant, près de Namur. Outre une blonde ambrée et une brune sombre, maltée, fruitée (toutes deux de 6,5 %), on note une tripel dorée (8,4 %) et deux ales brunes, Vieille Cuvée (7,8 %) et Radieuse (8,2 %).

Liefmans Frambozenbier
Bière à la framboise rose pâle, aigre (5,7 %), qui peut remplacer le champagne en apéritif.

Liefmans Goudenband
Ale brune-brun chocolat, acide, douce-amère (8 %), brassée par Liefmans avec quatre variétés de houblon et une souche de levure vieille de 100 ans. Une partie de la bière est mûrie pendant 6 à 8 mois, puis mélangée avec de la bière nouvelle pour donner cette ale originale.

Liefmans Kriekbier
Bière aigre traditionnelle à la cerise (6,5 %), produite par la brasserie Liefmans d'Oudenaarde, à la couleur trouble brun rouge sombre. Se garde jusqu'à 4 ans, s'affine et mûrit avec le temps.

Limburge Witte

Bière au froment goûteuse (5 %), de la brasserie familiale Martens.

Lucifer

L'une des rivales de Duvel. Ale blonde forte (8 %), brassée par la brasserie Riva, Flandre.

McChouffe

Ale forte cuivrée des Ardennes, crémeuse, maltée, complexe (8,5 %), à la vague ascendance écossaise, de la brasserie Achouffe.

McGregor

Bière brune au malt à whisky (6,5 %), de la brasserie familiale Huyghe, Melle.

Maes Pils

Pilsner populaire à grosse production, blond soutenu, au goût prononcé de houblon (5,1 %), de la brasserie Maes près d'Anvers.

Marckloff

Pale-ale wallonne voilée (6,5 %), qui vient du café-brasserie La Ferme au Chêne, Durbuy.

Maredsous

Gamme d'ales d'abbaye de la brasserie Moortgat à Breendonk dont une quadrupel brune forte (10 %), une tripel brune (8 %), une dubbel blonde assez douce (6 %) et une ale blonde orangée. Ces bières sont classées selon leur degré d'alcool : 10, 8 et 6. Elles portent le nom de l'abbaye bénédictine de Denée, au sud de Namur.

Moinette

Ales fortes de la brasserie Dupont, Hainaut, dont une blonde et une brune, complexes et épicées (toutes deux à 8,5 %), et une bière biologique (7,5 %).

Mort subite

Lambics commerciales sucrées, de la brasserie De Keersmaeker, dont la gueuze ambrée Mort Subite, une kriek sucrée à la cerise, (toutes deux à 4,5 %), une framboise et une pêche sucrées (toutes deux à 4 %) et une cassis (4 %) faite avec du jus de cassis. Le nom vient d'un jeu de cartes.

Oerbier

Ale brune populaire de type écossais, ambrée, voilée (7,5 %), première bière produite par De Dolle Brouwers.

Op-Ale

Ale claire, sucrée, maltée (4,8 %), produite par la brasserie familiale De Smedt, Opwijk.

Optimo Bruno

Bière de l'abbaye Grimbergen (10 %), de la brasserie Union du groupe Alken-Maes.

Orval

Ale Trappiste belge classique (6,2 %), seule bière de l'Abbaye d'Orval. Orangée, arôme houblonné intense, acidité astringente. Son caractère complexe vient en partie de trois fermentations séparées et du houblon local.

Oud Beersel

Lambics traditionnels non filtrés (brasserie Vandervelden de Beersel), dont Oud Beersel Lambik (5,7 %), une gueuze (6 %) et une kriek (7 %).

Oud Kriekenbier

Seule bière à la cerise qui ne soit pas lambic (6,5 %), faite avec des cerises entières et non du jus. Produite par la petite brasserie Crombe.

Oudenaards Wit Tarwebier

Bière blanche au froment (4,8 %), produite par Clarysse, Oudenaarde, Flandre-Orientale.

Palm

Palm Spéciale (5,2 %), brassée par la brasserie indépendante Palm, Steenhuffel, est l'ale la plus vendue en Belgique. Bière ambrée, fraîche et fruitée. Une version brune, Dobbel Palm (5,5 %), est produite à Noël. La brasserie de village, qui remonte à 1747, brasse aussi une ale en bouteille cuivrée et plus forte, Aerts 1900 (7 %), et une bière au froment, Steendonk (4,5 %).

Pater Noster

Dubbel brun foncé, au goût de fumée et de malt (7 %), de la brasserie Van Steenberge, vendue sous la marque Corsendonk.

Pauwels Kwak

Ale chaleureuse, couleur de vieux Xérès (8 %), du nom d'un aubergiste. Se sert dans le verre Kwak spécial, à fond arrondi et posé sur un support en bois.

Petrus

Les bières à fermentation haute de la brasserie Bavik comprennent une imitation brune de Rodenbach, mûrie en tonneau de chêne (5,5 %), une blonde spéciale (5,5 %) et une tripel (7,5 %).

Poperings Hommelbier

Ale ambrée saisonnière, crémeuse, houblonnée (7,5 %), brassée par la brasserie Van Eecke de Watou, pour fêter la récolte du houblon à Poperinge.

Primus Pils

Pilsner jaune, houblonnée, sèche, très prisée (5 %), produite par Haacht.

Rodenbach

Ale spécifique (5 %) obtenue en mélangeant une bière millésimée mûrie en tonneau de chêne pendant plus d'un an, avec de la bière nouvelle, âgée seulement de 5 à 6 semaines. La boisson en résultant est si acide qu'elle doit être adoucie avec du sucre, qui lui donne une fraîcheur douce-amère. Une partie de la bière millésimée est mise en bouteille, non sucrée et non diluée, et donne un

Grand Cru très vigoureux (6,5 %). Alexander, mélangée avec de l'extrait de cerise, en est une version plus douce (6,5 %).

Rose de Gambrinus

Le lambic frambozen (5 %) le plus prisé vient de la brasserie Cantillon, Bruxelles. Outre des framboises, il contient une petite proportion de cerises et un soupçon de vanille. Couleur d'orange sanguine et goût fruité, acide.

Saint Benoît

Les fines bières d'abbaye de la brasserie Du Bocq, Namur comprennent une Saint Benoît blonde au froment et une brune ambrée (toutes deux à 6,5 %), au frais goût sec et boisé, et une tripel blonde houblonnée (8 %), également vendue sous le nom de Triple Moine.

Saint Idesbald

Ces bières aigres inhabituelles, de la brasserie Damy, Flandre-Orientale, comprennent une light et une dubbel (toutes deux à 6 %) et une tripel brune (8 %).

Saint Louis

Gamme de lambics sucrés de la brasserie Van Honsebrouck, comprenant gueuze, kriek, framboise et cassis (toutes à 5 %), ainsi qu'une Gueuze Fond Tradition (5 %) non filtrée, à caractère plus prononcé.

Saint Sebastiaan

Ces bières d'abbaye de la brasserie Sterkens de Meer, vendues dans des bouteilles spécifiques en grès, comprennent une Grand Cru (7,6 %) et une brune (6,9 %), également vendue sous le nom de Poorter.

Saint Sixtus

Voir Saint Bernardus.

Saison de Pipaix

La petite brasserie Vapeur produit cette « saison » fraîche et épicée.

Saison Régal

Bière ambrée, de type saison, épicée (6 %) et houblonnée, de Du Bocq, province de Namur.

Saison de Silly

Bière saisonnière fruitée (5 %), de la brasserie Silly, Hainaut.

La magie du lambic

Des milliers de minuscules cellules de levure portées par l'air passent par les fenêtres ouvertes des brasseries de lambic. Dans les salles sombres et poussiéreuses (dont les brasseurs de lambic se gardent bien de nettoyer les murs), elles s'installent sur les toiles d'araignée et les moisissures. D'autres se posent sur les cuves de bière tiède, commencent à festoyer sur les sucres et fermentent le moût. Ces auxiliaires naturelles et imprévisibles produisent une ale acide et rafraîchissante. Cette méthode de fermentation, reposant sur l'action de levures naturelles invisibles flottant dans l'air, est la plus ancienne du monde et les brasseurs la considéraient autrefois comme magique. Les brasseurs de lambic de Belgique continuent à maintenir la tradition.

Satan

Ales fortes, rouges, blonde et brune (toutes à 8 %), de Block, Peizegem.

Sezuens

Ale saisonnière or ambré, houblonnée, ensoleillée (6 %), de la brasserie Martens, Bocholt. Du type des bières saisonnières rafraîchissantes, brassées pendant l'hiver pour apaiser la soif de l'été. Martens brasse aussi une Sezuens Quattro plus forte, rouge ambrée (8 %) et la Sezuens Europe moins puissante (6,5 %).

Silly Brug-Ale

Bière fruitée (5 %),
de la brasserie Silly, dans
la ville du même nom.

Sloeber

La brasserie Roman produit
cette riche ale blonde,
forte et maltée (7,5 %),
de type Duvel. Son nom
signifie « joker ».

Steenbrugge Dubbel

Ale d'abbaye (6,5 %),
de la petite brasserie
Gouden Boom, Bruges.

Steenbrugge Tripel

Bière d'abbaye blonde,
crémeuse (9 %), de
Gouden Boom, moins
lourde que sa Brugse tripel.

Stella Artois

Lager blonde la plus connue
de Belgique, pilsner phare
(5,2 %) du géant Interbrew.

Stille Nacht

Dolle Brouwers produit
en hiver cette ale saisonnière
orangée, forte (9 %), en
bouteille. Son nom vient
du chant *Voici Noël*
(*Stille Nacht* en allemand).

Straffe Hendrik

Pale-ale très houblonnée
(6,5 %), seule bière produite
par Straffe Hendrick, Bruges.

Titje

Bière spécifique au
froment, dorée, trouble
(5 %), au goût fruité et
épicé, de la brasserie Silly.

Tongerlo

Bières d'abbaye
de la brasserie Haacht,
dont une dubbel blonde
(6 %), une brune (6,5 %)
et une tripel ambrée (8 %).

Unic Bier

Bière de table légère avec
du caractère (3,2 %), de Gigi.

Verboden Vrucht

Verboden Vrucht de
Hoegaarden, ale brun orangé,
forte (9 %), spécifique,
qui signifie « fruit défendu »
et se vend sous ce nom
en France. L'étiquette
portant Adam et Ève,
empruntée à Rubens,
choqua les responsables
de la douane américaine,
qui essayèrent d'interdire
l'importation de cette bière
par trop « sexy ».

Vieille Provision

Ale saisonnière excellente
et houblonnée (6,5 %),
de la ferme-brasserie
Dupont. S'appelle aussi
Saison Dupont et
Vieille Réserve. Cette bière
rurale classique a un goût
complexe et frais, et une
solide mousse crémeuse.

Vieux Temps

Pale-ale maltée (5 %),
d'Interbrew, Leuven,
populaire dans le sud du pays.

Vigneronne

Lambic acide (5 %), fait
de raisins verts et de bières
lambics mélangées, de
la brasserie Cantillon.

Westmalle

La dubbel brune (6,5 %)
et la tripel blonde (9 %)
de cette brasserie monastique
ont une seconde fermentation,
sucre et levure leur étant
ajoutées avant la mise
en bouteille. La dubbel
est complexe et curieusement
sèche. La tripel, cuivre
jaune, au délicieux goût
de citron et de miel,
a souvent été copiée.

Westvleteren

Gamme de bières très
prisées, du monastère
Westvleteren, dont une
spéciale brune fruitée
(6,2 %), une extra,
semblable mais plus forte
(8 %), et une abt (*abbot*
signifie « abbé ») ronde
mais sévère (11,5 %),
l'une des plus fortes bières
du pays. Toutes sont un
peu sucrées pour des ales
trappistes. Les bouteilles
sont classées par la couleur
du bouchon : rouge
(spécial), bleu (extra)
et jaune (abbaye).

Whitkap

Gamme d'ales d'abbaye
de qualité, dont le nom
signifie « tonsure », de la
brasserie Slaghmuylder,
Ninove, fondée en 1860.
On y trouve la Stimulo,
pale-ale houblonnée (6 %),
une riche Dubbel Pater (7 %)
et une tripel blonde, fruitée
et amère (7,5 %).

Yperman

Pale-ale robuste (6 %),
de la brasserie familiale
Leroy, près d'Ypres.

LES BRASSEURS

Abbaye d'Orval

L'abbaye d'Orval, située
au milieu des bois, près
d'un lac, dans les collines
des Ardennes, est le plus
pittoresque des monastères
trappistes. L'abbaye qui
s'élevait depuis 1070 sur
ce site près de Florenville
fut régulièrement pillée et
détruite. La construction
des bâtiments actuels en
pierre ne fut commencée
qu'en 1926. Les travaux
n'étant pas achevés 5 ans
plus tard, la communauté
décida d'ajouter une
brasserie, en forme de
chapelle, pour trouver
les fonds nécessaires.
Celle-ci ouvrit en 1931,
à la grande satisfaction
des buveurs de bière.

Orval signifie « val de
l'or » et le vrai trésor du
monastère est sa précieuse
bière. Contrairement aux
autres brasseries trappistes,
Orval ne produit qu'une
seule bière, une ale
délicieuse et très sèche.
Les moines du monastère
fabriquent également
du pain ainsi qu'un délicat
fromage qui, tous deux,
s'accommodent parfaitement
d'une bouteille d'Orval.

Abbaye des Rocs

Brasserie commerciale
de Montignies-sur-Roc,
qui brasse des ales wallonnes
fortes depuis 1984. Surtout
connue pour son Abbaye
des Rocs brune, épicée
et pour La Montagnarde
blonde (toutes deux à 9 %).

Achouffe

Ferme-brasserie des
Ardennes qui utilise
sa propre source pour
brasser. Le gnome barbu
de son enseigne est un
spectacle familier de
la région depuis 1982.

Alken-Maes

La filiale belge du géant
français Kronenbourg
contrôle un cinquième
du marché belge de la bière,
avec Cristal Alken et Maes
Pilsner ainsi que d'autres
marques, tels les ales de
l'abbaye Grimbergen et
les lambics Mort Subite.

Artois

Connue pour sa pilsner
internationale, Stella Artois
(5,2 %), Artois fut fondée
à Leuven en 1366. Elle
fait aujourd'hui partie
d'Interbrew, deuxième plus
grand groupe d'Europe.
Une nouvelle brasserie
ouvrit à Leuven en 1995,
près de la première usine.

Bavik

Brasserie régionale
de Bavilove, Flandre-
Occidentale, fondée en
1894. Gamme de pilsners
et une witbier, ainsi que
des ales à fermentation
haute du nom de Petrus.

Belle-Vue

Le plus grand brasseur de
lambics, Belle-Vue a deux
brasseries près de Bruxelles,
une traditionnelle à
Molenbeek et une autre
à Zuun. La brasserie de
Molenbeek possède
10 000 tonneaux en bois
emplis de lambic en cours
d'affinage. La qualité de ces
bières n'est guère connue
parce qu'elles sont diluées
avec des jeunes lambics
non affinés, brassés dans
des cylindres d'acier à Zuun.
Depuis 1990, l'usine de
Molenbeek produit aussi une
excellente Sélection Lambic
non filtrée (5,2 %). Belle-Vue
exporte ses bières en France
sous la marque Bécasse.

Binchoise

Petite brasserie du Hainaut
fondée en 1989 dans une
ancienne malterie. Produit
une gamme d'ales fortes,
épicées, dont la blonde
citronnée aussi vendue
sous le nom de Fakir
(6,5 %) et une Bière des
Ours au miel (9 %).

Block

Brasseurs à Peizegem,
Brabant, depuis 1887,
connus pour leur large
gamme d'ales Satan.

Bockor

Brasserie régionale
de Bellegem, Flandre-
Occidentale, fondée en 1892,
connue pour sa pilsner
et sa gamme de lambics
Jacobins. Brasse aussi
une bière brune, Bellegems
Bruin (5,5 %), fabriquée
avec un apport de maïs
et en la mélangeant avec
une bière lambic.

Boon

Frank Boon, qui commença à brasser à Lembeek en 1975, a beaucoup contribué au renouveau du lambic. Ses bières comprennent une gueuse suave Boon, une kriek et une frambozen, ainsi qu'une gamme plus aigre vendue sous l'étiquette Mariage Parfait. Il brasse aussi Lembeek, une bière de table légère (2 %) et Pertotale Faro (6 %), lourd mélange de lambic, de pale-ale et de sucre.

Bosteels

Depuis 1791, la famille de brasseurs Bosteels brasse en Flandre-Orientale, à Buggenhout. Célèbre pour sa Pauwels Kwak cuivre rouge (8 %) et son verre spécifique à fond arrondi. Bosteels brasse aussi Prosit Pils (4,8 %).

Brunehaut

Après avoir brassé en Afrique, Guy Valschaerts établit sa brasserie en 1992 à Rongy, dans le Hainaut. Outre ses ales blondes et ambrées originales, il brasse une bière organique au froment, Blanche de Charleroi (5 %), une bière au genièvre, Abbaye de Saint Amand (7 %) et une blonde, Bière du Mont Saint Aubert (8 %).

Cantillon

Cette brasserie-musée de Bruxelles produit de vrais lambics. Dirigée par la famille Van Roy depuis 1900, elle est ouverte certains jours au public. Ses bières aigres comprennent une lambic Cantillon, des kriek, une super gueuze et une gueuze mûrie en tonneau à porto, appelée Brabantiae (toutes à 5 %).

Caracole

Petite brasserie de Falmignoul près de Namur, Caracole produit une large gamme d'ales fortes wallonnes sous l'insigne de l'escargot, dont Caracole ambrée et brune (toutes deux à 6,5 %), Cuvée de l'An Neuf pour la nouvelle année et une bonne bière au froment, Troublette (5 %).

Clarysse

Brasse à Oudenaarde en Flandre-Orientale depuis 1946. Rivale locale de son voisin Liefmans Brewery, elle produit surtout des ales brunes du nom de Felix. Brasse aussi une Oudenaards Wit Tarwebier au froment (4,8 %).

Crombe

Petite brasserie de village, à Zottegem près de Gand, fondée en 1798. Connue pour sa Oud Kriekenbier (6,5 %), la seule bière aux cerises non-lambic à être fabriquée avec des fruits entiers et non du jus.

De Dolle

Voir encadré Le pari des brasseurs, *p. 135.*

De Keersmaeker

Brasserie de lambic de Kobbegem. Brasse des lambics commerciaux sous la marque Mort Subite, mais produit aussi sous son nom une gueuze plus traditionnelle (5 %).

De Koninck

Fondée en 1833 à Anvers. A continué fructueusement à produire des ales quand la plupart de ses concurrents se convertissaient aux pilsners.

CHIMAY

Chimay est la plus grande et la plus connue des brasseries trappistes belges. Depuis 1862, elle commercialise ses bières fabriquées à l'abbaye de Notre-Dame de Scourmont près de Chimay. La brasserie s'abrite derrière les murs de l'abbaye et utilise ses puits ; mais le travail, comme pour les autres brasseries trappistes, est surtout effectué par des laïques, sous la supervision des moines. L'embouteillage se fait dans une usine moderne près de Baileux. Chimay brasse trois ales spécifiques, à capsules rouge, blanche ou bleue. Chimay Rouge (7 %), la bière originale de l'abbaye, en fut le seul produit pendant près d'un siècle.

La qualité des bières doit beaucoup à un savant belge, le professeur Jean De Clerck de l'université de Louvain, qui aida la brasserie monastique à redémarrer après les perturbations causées par la Seconde Guerre, en créant sa propre souche de levure. Mort en 1978, il est enterré à l'abbaye.

Le monastère produit aussi une gamme de produits alimentaires, dont quelques excellents fromages, que la bière de Chimay accompagne fort bien. L'un d'eux, le Chimay à la bière, est affiné dans la bière.

De Smedt

Large gamme de bières d'abbaye, notamment la gamme Affligem mais aussi Abbaye d'Aulne, produites par cette brasserie familiale, basée à Opwijk depuis 1790. Parmi les autres bières, on note Op Ale et Celix White au froment.

De Troch

Un des plus anciens brasseurs de lambic, basé à Wambeek depuis 1820. Produit une rare gueuze aigre, orangée, et une kriek douce et fruitée (5,5 %) mais surtout une gamme de lambics légers aux fruits, sous la marque Chapeau.

Du Bocq

Brasserie familiale située à Purnode, province de Namur, depuis 1858. Brasse une excellente gamme d'ales, souvent sous diverses étiquettes. Connue pour ses bières La Gauloise, elle produit aussi des ales d'abbaye sous le nom de St Benoît, une bière au froment, Blanche de Namur (4,3 %), et une Saison Régal houblonnée, épicée (6 %).

Dupont

Ferme-brasserie familiale de Tourpes, Hainaut, en activité depuis 1850. Elle produit une excellente saison Vieille Provision (6,5 %) et une gamme d'ales fortes wallonnes sous l'étiquette Moinette. Elle brasse aussi des versions biologiques de ces bières, ainsi qu'une bière forte du nouvel an.

Eupener

Vieille brasserie de la ville d'Eupen, aux racines allemandes. Cette petite région de langue allemande, à l'est de Liège, fut reprise par la Belgique après la Première Guerre mondiale. Outre une pils agréable (4,7 %), Eupener brasse une bock fauve et sucrée appelée Klosterbier (5,5 %) et deux bières brunes de table légères de type Malzbier allemand.

Facon

Brasserie familiale depuis 1874 à Bellegem, qui brassait des pilsners et des bières de table légères. Depuis peu, elle brasse aussi des ales « spécialité », dont une brune scotch ale (6,1 %) et un extra stout (5,4 %).

Friart

Belle brasserie ancienne en briques rouge de Le Roeulx, Hainaut, fermée en 1977 et rouverte en 1988, Friart brasse surtout des bières d'abbaye sous le nom Saint Feuillien, dont une Cuvée de Noël, lourde et rôtie. Quelques bières sont vendues en bouteille Mathusalem de 6 litres.

Le pari des brasseurs

Quand trois frères reprirent une ancienne brasserie pour l'empêcher de fermer, à Esen, près de Diksmluid, Flandre-Occidentale, leur banquier pensa qu'ils étaient totalement inconscients, mais le succès de leur ale brune de type écossais, Oerbier (7,5 %) lui prouva le contraire. De Dolle Brouwers produit aujourd'hui une gamme d'ales en bouteille fortes et saisonnières, dont Stille Nacht (9 %), une bière de Noël forte, Ara Bier, Boskeun et Oeral.

Gigi

Vieille brasserie de Gérouville qui produit la meilleure bière de table légère de Belgique, notamment Double Blonde houblonnée (1,2 %) et Unic Bier (3,2 %). Vend aussi des ales blondes et brunes (5 %) sous l'étiquette La Gaumaise.

Girardin

Petite ferme-brasserie traditionnelle de St Ulriks Kapelle. Produit des lambics fruités (avec son propre froment), notamment les lambic, gueuze et kriek Girardin (toutes à 5 %), ainsi qu'une Framboo aromatique aux framboises.

Haacht

Plus grande brasserie indépendante de Belgique, basée à Boortmeerbeek, Brabant, depuis 1890. Produit une gamme de lagers, dont Primus Pils (5 %) et une premium Adler (6,5 %), une bière au froment Haacht (4,7 %), deux ales brunes fortes et suaves, Charles Quint (6,7 %) et Gildenbier (6,6 %), ainsi qu'une gamme de bières d'abbaye sous l'étiquette Tongerlo.

Interbrew

Géant belge de la bière, formé en 1988 par la fusion d'Artois et de Jupiler. A racheté plusieurs petites brasseries belges et produit une large gamme de bières en Belgique. Après la reprise des brasseurs canadiens Labatt en 1995 et l'expansion vers l'Europe de l'Est suite à la chute du rideau de fer, c'est aujourd'hui l'un des plus grands groupes mondiaux.

Lefebvre

Brasserie du Brabant, à Quenast depuis 1876. Large gamme d'ales, dont les bières d'abbaye Floreffe.

Liefmans

Producteur classique d'ales brunes de Flandre-Orientale. Ses bières fortes sont vendues en bouteilles à bouchon de liège, que l'on doit laisser bonifier en cave. Toutes les bières sont mûries 3 mois en bouteille avant de quitter la brasserie.

Lindemans

Ferme-brasserie de lambic, à Vlezenbeek depuis 1816. Vend aujourd'hui ses bières jusqu'aux États-Unis. Les exigences du marché mondial l'ont conduit à produire une gamme de lambics suaves dont les faro, gueuze, kriek et framboise Lindemans. A récemment lancé une gamme plus spécifique, Cuvée René, du nom du brasseur.

Martens

Bien que familiale, c'est une des plus grandes brasseries indépendantes de Belgique. Brasse à Bocholt, Limbourg, depuis 1758. Connue pour sa bière Sezuens mais brasse aussi une bière au froment, Limburgse Witte (5 %), une gamme de pilsners et un tafelstout.

Moortgat

Brasserie familiale de Breendonk, au nord de Bruxelles, célèbre pour sa délicieuse ale phare, Duvel.

Riva

Groupe de Flandre ambitieux, basé à Dentergem, qui comprend Liefmans. Connu surtout pour son ale Lucifer (8 %) et sa witbier Dentergems.

Rochefort

La moins connue et la plus secrète des brasseries trappistes, située au cœur des Ardennes, à l'abbaye de Saint Rémy, près de Rochefort. La première brasserie de l'abbaye (qui utilise houblon et orge

poussés sur ses terres) datait de 1595, mais le bâtiment actuel a été bâti en 1960. Plus que dans les autres brasseries trappistes, le travail est fait par des moines, qui brassent trois riches bières brunes typiques, d'une même catégorie de base mais de plus en plus fortes, allant de 6 (7,5 %) à 8 (9,2 %) et 10 (11,3 %), et qui portent le nom de leur degré d'alcool.

Jusque récemment, les bouteilles ne portaient pas d'étiquette et étaient identifiées par la couleur de la capsule, rouge (6), verte (8) et bleue (10). La 8, marron roux et puissamment fruitée, complexe, à la riche texture est de beaucoup la plus populaire. La plus légère et la plus sèche, la 6, ne se vend que localement, et la 10 est d'une intensité redoutable.

KWAK

L'histoire de la kwak est une leçon de marketing ou «comment faire remarquer votre bière parmi toutes les autres». Dans un pays où chaque bière paraît posséder son verre spécifique, la brasserie Bosteels de Buggenhout créa un verre impossible à poser. Si vous demandez une Kwak au bar, elle vous sera servie dans un verre à fond arrondi reposant sur un support en bois et tous les consommateurs présents sauront aussitôt que vous buvez une Kwak. Pauwels Kwak (8 %) est une ale cuivre rouge portant le nom d'un célèbre aubergiste qui servait la bière aux cavaliers, dans de curieux verres qu'ils pouvaient fixer sur leur étrier.

Roman

Grande brasserie familiale près de Oudenaarde, datant de 1545. Gamme d'ales brunes de Flandre-Orientale, dont Oudenaards (5 %), la spéciale onctueuse et amère (5,5 %) et la Dobbelen Bruinen en bouteille (8 %), ainsi qu'une ale de Noël et diverses pilsners – sous l'étiquette Romy –, une bière au froment – Mater – et des bières d'abbaye sous le nom Ename.

Saint Bernardus

Brasserie fondée en 1946, à Watou, spécialisée dans les bières d'abbaye, sous son propre nom et celui de Saint Sixtus, la brasserie monastique de Westvleteren. La bière est mûrie trois mois puis mise en bouteille sans être filtrée. Le monastère autorisait autrefois la brasserie à produire sous licence des copies de ses propres bières. Saint Bernardus brasse une pater (6 %), ainsi qu'une prior brunes (8 %), une blonde tripel (7,5 %) et une forte abt (10 %).

Saint Jozef

Brasserie familiale d'Opitter, Limbourg. Produit une lager rougeâtre forte, Bokkereyer (5,8 %).

Silly

Depuis 1950 dans cette ville du Hainaut. Vaste gamme de bières dont Saison de Silly (5 %).

Slaghmuylder

Brasserie de Ninove connue pour ses bières d'abbaye, sous l'étiquette Witkap.

Straffe Hendrik

Petite brasserie au cœur de Bruges, qui brasse une seule ale, Brugse Straffe Hendrik (6 %), pale-ale belge classique, houblonnée.

Timmermans

Brasseurs de lambic à Itterbeek depuis 1888. Gamme de lambics dont une fine kriek et une Gueuze Gaveau (toutes deux à 5 %), et des framboise, pêche et cassis (toutes à 4 %), ainsi qu'un lambic au froment (3,5 %) et une Bourgogne des Flandres rouge (6,5 %).

Vander Linden

Petit brasseur de lambic, à Halle depuis 1893, Vander Linden brasse une gamme de lambics forts dont une frambozenbier (7 %), la gueuze et la kriek Vieux Foudre (toutes deux à 6 %), ainsi que Dobbel Faro (6 %) et une Duivelsbier originale.

Westmalle

Cette brasserie monastique belge, plus que toute autre, a influencé et défini le type abbaye. Le monastère, à côté du village de Westmalle, près de la frontière hollandaise et d'Anvers, fut fondé en 1794 par des moines du monastère de la Trappe (France). Brasse depuis 1836, mais seulement depuis 1920 à une échelle commerciale. C'est actuellement la deuxième plus grande brasserie des cinq trappistes belges. Les frères y brassent les dubbel et tripel brunes, ainsi qu'une single, mais cette bière de table (4 %), connue aussi sous le nom Extra, est surtout réservée aux moines. Les moines fabriquent également des fromages.

Westvleteren

L'abbaye Saint Sixtus à Westvleteren, près d'Ypres, brasse depuis 1839. C'est la plus petite des brasseries trappistes et ses bières sont très recherchées, en partie à cause de leur rareté. Les buveurs de bière de la région font la queue à la porte de l'abbaye quand ils apprennent qu'un lot de bouteilles est mis en vente.

Afin de répondre à la demande, après la Seconde Guerre mondiale, l'abbaye de Westvleteren accorda provisoirement une licence à la brasserie Saint Bernardus à Watou pour brasser des copies de ses bières Saint Sixtus. Cet arrangement a pris fin aujourd'hui, mais Saint Bernardus brasse toujours des bières Sixtus pour l'abbaye Saint Sixtus.

Rodenbach

Rodenbach est l'une des plus remarquables brasseries de Belgique. Ses longues rangées de vieux fûts en chêne donnent l'impression de retourner dans le passé. Les grandes brasseries de porter d'Angleterre devaient autrefois ressembler à celle-ci, mais une telle quantité de fûts ne se trouve qu'à Rodenbach, 300 en tout, remplissant plusieurs entrepôts. Certains peuvent contenir jusqu'à 60 000 litres et datent de plus d'un siècle.

La brasserie, fondée en 1820 à Roeselare, se spécialisa peu à peu dans les bières rouges aigres de la région, ale classique brassée avec du malt cristal de Vienne pour lui donner une teinte rouge. Le caractère spécifique de Rodenbach vient de la maturation. Après une deuxième fermentation, la bière repose dans d'énormes fûts en chêne pendant au moins 18 mois. Pendant ce temps, elle mûrit et aigrit. L'intérieur du fût n'est pas doublé pour que le bois nu donne son parfum à la bière.

Rodenbach ne produit que trois bières – Rodenbach, Grand Cru et Alexander – parfois appelées les bourgognes des Flandres. D'autres brasseries plus conventionnelles ont essayé d'imiter ces ales classiques, mais sans posséder le savoir-faire propre à Rodenbach.

Pays-Bas

Prise entre les grandes bières allemandes et l'extraordinaire variété de la Belgique, la bière hollandaise, par comparaison, a toujours paru un peu plate. Le pays est surtout connu pour ses marques internationales.

Plus que tout autre pays, les Pays-Bas ont souffert de la concentration de leur industrie brassicole. À la fin du XIXe siècle, il existait plus de 1 000 brasseries, en grande partie dans le sud du pays car le nord était sous l'influence de l'église protestante anti-alcoolique. Il n'en reste que 30 aujourd'hui.

Les produits standards de ces premières brasseries étaient une lager de table brune traditionnelle, légère, sucrée, appelée oud bruin, et des boks brunes (type hollandais spécifique). Ces bières furent pour la plupart remplacées au cours du XXe siècle par une lager blonde, universelle et assez banale.

Le géant international Heineken domine le marché actuel, suivi de près par le géant belge Interbrew qui, en 1995, reprit Orangeboom. Bavaria, l'une des plus grandes brasseries indépendantes du monde, est hollandaise et produit des lagers sous sa propre marque pour toute l'Europe. Cependant, les Hollandais ont un attrait grandissant pour les bières « spécialité », et l'on voit apparaître des petits brasseurs produisant des variétés plus intéressantes, influencées par les traditions belges et allemandes.

Ces microbrasseries développent surtout les ales, avec de nouvelles alts, des ales de type kölsch et, parfois, des bières au froment. Certains producteurs importants ajoutent également à leur gamme des meiboks et des dark boks. Les bières d'abbaye sont brassées par des brasseries laïques, sous licence ou non. Les Pays-Bas sont aussi la patrie de Schaapskooi de Koningshoeven, sixième brasserie trappiste (les cinq autres étant en Belgique), produisant des ales à fermentation haute.

Ci-dessus – Les marques de lager hollandaises, comme Amstel, sont connues dans de nombreux pays. Leur renommée est surtout due au marketing efficace des compagnies.

LES BIÈRES

Alfa

Gamme de bières pur malt de la brasserie du même nom, dont une Edel (Noble), pils à la rondeur épanouie (5 %), mûrie 2 mois, et deux des meilleures Dutch boks (toutes deux 6,5 %), Lente Bok brassée au printemps et la brune Alfa Bokbier brassée à l'automne. Alfa produit aussi une midzomerbier non filtrée (3,9 %) en juin.

Amber

Ale de type alt, ambrée, à fermentation haute (5 %), de Grolsch, au bon goût houblonné et amer.

Amersfoorts Wit

Bière au froment épicée (5 %), brassée par Drie Ringen, Amersfoort.

Ammerroois

Ale forte mûrie en bouteille (7 %), de la brasserie Kuipertje, Heukelum.

Amstel

Deuxième nom de marque de Heineken recouvrant une gamme de bières, dont une lager légère, une Amstel 1870 houblonnée (5 %), une Amstel Gold forte (7 %), une bokbier Amstel brune, maltée (7 %) et la blonde Amstel Lentebok (7 %).

Arcener

Voir Arcen.

Bavaria 8,6

Les chiffres du nom indiquent la force de la bière (8,6 %). Brassée par la brasserie indépendante Bavaria.

Bethanien

Type kölsch (4,5 %), brassée par le pub-brasserie Maximiliaan.

Brand Duppelbok

Bière de type bok, rouge rubis, à fermentation basse, de la brasserie Brand qui brasse aussi une meibok blonde, à fermentation haute (7 %).

Briljant

Dort maltée, moelleuse (6,5 %), produite par la brasserie Kroon, Oirschot.

Budel Alt

Ale de type allemand, ambre soutenu, onctueuse, forte (5,5 %), au goût de noix et de malt, de la brasserie Budel.

Buorren

Ale aigrelette cuivrée (6 %), produite par Us Heit.

Capucijn

Bière de type abbaye ambrée, opaque, fruitée, au goût de fumée (6,5 %), brassée par Budel. Son nom rappelle le lien des bières d'abbaye avec l'église.

Casper's Max

Tripel cuivrée, sucrée, maltée (7,5 %), produite par le pub-brasserie Maximiliaan, Amsterdam.

Château Neubourg

Bière « de luxe » (5 %), la meilleure pilsner de la brasserie Gulpener, près de Maastricht.

Christoffel Blond

Bière pur malt de qualité, à fermentation basse (5 %), sèche et très houblonnée. Ni filtrée, ni pasteurisée, elle se vend en bouteilles, dont une de 2 litres. La brasserie produit aussi une bonne lager de type Munich.

Columbus

Ale blonde forte (9 %), brassée par la brasserie artisanale t'IJ, Amsterdam.

Dominator

Dort riche et fruitée (6 %), de la brasserie Dommelsch. Également vendue sous la marque Hertog Kan Speciaal.

Drie Hoefijzers

Voir Oranjeboom Pilsner.

Drie Ringen Hoppenbier

Bière très houblonnée, richement fruitée et maltée (5 %), de la brasserie Drie Ringen.

Egelantier

Lager de type Munich, cuivrée, bien ronde (5 %), produite par la brasserie Kroon, Oirschot.

Enkel

Voir La Trappe.

Frysk Bier

Pale-ale amère (6 %), brassée par Us Heit.

Gladiator

Cette bière dorée, forte (10 %), de la brasserie Gulpener, a été créée en 1996.

Gouverneur
Lager bronze, de type viennois, suave, de la brasserie Lindeboom, Neer.

Grand Prestige
Vin d'orge puissant (10 %), sombre, produit par la brasserie Arcen.

Grolsch Bokbier
Bok brune sucrée (6,5 %), bière fine, moins connue, de Grolsch. Brasse aussi une meibok blonde et sèche.

Grolsch Pilsner
Pilsner fraîche, houblonnée (5 %), qui contient seulement du malt, du houblon, de la levure et de l'eau. Pasteurisée en canette (premium lager) mais pas en bouteille.

Gulpener Dort
Lager forte, moelleuse, maltée (6,5 %), avec un ajout de maïs et de caramel à la maische. Brasserie Gulpener.

Heineken Oud Bruin
Bière de table légère (2,5 %), onctueuse, légèrement houblonnée, brassée depuis 50 ans. Il existe aussi une Heineken Special Dark plus forte (4,9 %), pour l'exportation.

Heineken Pilsner
Pilsner universellement populaire mais plutôt banale (5 %). Marque phare du géant hollandais.

Imperator
Bokbier ambrée pur malt de qualité (6,5 %), brassée avec des malts clair, foncé et Munich par la brasserie Brand de Wijlre.

Jubileeuw
Pislner pur malt (5 %), de la brasserie Leeuw.

Koningshoeven
Voir La Trappe.

Korenwolf
Bière blanche aromatique, épicée (5 %), de la brasserie Gulpener. Faite avec du froment, de l'orge, de l'avoine et du seigle. Porte le nom du hamster, amateur de céréales.

Kylian
Ale rouge de fermentation haute (6,5 %), nouvelle venue chez Heineken, au léger goût de houblon. Elle est basée sur la Bière Rousse de George Killian, recette irlandaise brassée par sa filiale française Pelforth.

La Trappe
Gamme de quatre ales trappistes en bouteille, à fermentation haute, du monastère trappiste de Koningshoeven, de plus en plus fortes, en partant de la Enkel ambrée fraîche et fruitée (5,5 %). Enkel est l'une des quelques « single » des ales trappistes brassées pour la consommation quotidienne des moines et que l'on trouve dans le commerce. La dubbel brune, rouge foncé, sèche (6,5 %), est la deuxième, suivie par une tripel bronze plus épicée (8 %). La quadrupel extra-forte (10 %), riche, rougeâtre, millésimée fait un excellent digestif du soir pour l'amateur de bière.

Lente Bok
L'une des meilleures boks hollandaises (6,5 %), brassée par Alfa.

Lingen's Blond
Bière de table légère (2 %), produite par Heineken.

Maltezer
Lager dort forte (6,5 %), maltée, de Ridder, Maastricht.

Maximator
Bière au froment forte (6,5 %), épicée, produite par Maximiliaan, pub-brasserie d'Amsterdam ouvert en 1992, dont l'usine est intégrée au bar.

Maximiliaan Tarwebier
Tarwebier sucrée (5 %), brassée au pub-brasserie Maximiliaan. *Tarwebier* signifie « bière au froment ».

Mestreechs Aajt
Bière d'été douce-amère rafraîchissante, à basse densité (3,5 %), de la brasserie Gulpener. Mélange d'oud bruin et d'une bière à fermentation spontanée, vieillie en tonneau de bois pendant un an.

Mug Bitter
Cette Mug Bitter de type anglais (5 %) est brassée par la microbrasserie t'IJ.

Natte
Ale double brune de type abbaye (6 %), également brassée par la microbrasserie t'IJ.

Oranjeboom Pilsner

Pilsner blonde assez douce
(5 %), principale bière
de la brasserie Drie
Hoefijzers, Breda.

Parel

Bière or pâle de type kölsch,
goûteuse et crémeuse (6 %),
de la brasserie Budel,
Brabant du Nord.

Quintus

Vieille et rare ale brune
(6,5 %), de la minuscule
brasserie Onder de Linden,
Wageningen.

Robertus

Bière rougeâtre, maltée,
à fermentation basse (6 %),
de Christoffel, vendue
en bouteille, non filtrée
ni pasteurisée.

Schele Os

Remarquable pale-ale
de type belge (7,5 %),
orangée, aromatique, faite
avec de l'orge, du blé et
du seigle par Massland, Oss.

Sjoes

Les amateurs hollandais
mêlent parfois leur pilsner
sèche avec une douce
oud bruin. Sjoes (4,5 %),
de Gulpener, est un mélange
des deux bières.

Struis

Bière brune fruitée,
épicée, autre ale forte
(10 %) du pub-brasserie t'IJ.
Son nom signifie
« autruche », cet animal
étant l'enseigne du pub.

Super Dortmunder

La dort hollandaise la plus
forte du marché (7 %),
lager de type export bien
affinée, fruitée, brassée par
la petite brasserie Alfa.

Superleeuw

Dort riche, forte (6,5 %),
maltée, de la brasserie
indépendante Leeuw.

Sylvester

Ale d'hiver forte (7,5 %),
cuivrée, fruitée, à
fermentation haute, de
la brasserie Brand, Wijlre.

Tarwebok

Bière de la nouvelle gamme
de Heineken. Bok au froment
brune, riche (6,5 %), créée
en 1992.

Urtyp Pilsner

Bière pur malt également
connue sous le nom UP
(5 %), brassée par Brand.

Valkenburgs Wit

Bière au froment fruitée,
non filtrée (4,8 %), créée
en 1991 par la brasserie
Leeuw, Valkenburg.

Van Vollenhoven Stout

Bière bien ronde, à
fermentation basse,
enrichie de caramel et
de sucre, appelée stout
mais en réalité une lager
brune et crémeuse (6,5 %).
Brassée par Heineken.

Porte le nom d'une brasserie
reprise par la compagnie
et fermée.

Venloosch Alt

Alt maltée (4,5 %),
de la brasserie Leeuw,
près de Maastricht.

Volkoren Kerst

Ale d'hiver brune, maltée,
de type belge (7 %), de la
brasserie Maasland, Oss.

Wieckse Witte

Bière au froment trouble,
légèrement épicée, au
goût de citron (5 %),
de la brasserie Ridder,
Maastricht, filiale
de Heineken.

Witte Raaf

Bière au froment fruitée,
acidulée (5 %), de la ferme-
brasserie Raaf, Gelderland.
Raaf signifie « corbeau ».

Zatte

Tripel de type abbaye
(8 %), au goût houblonné
et épicé. Brassée par
la brasserie artisanale t'IJ.

Commerce et tradition

Le plus grand exportateur
de bière du monde,
Heineken, est une
compagnie hollandaise
et cela n'a rien
de surprenant. Les
Pays-Bas ont en effet
une longue tradition
de commerce extérieur.
Les marchands de cette
grande nation maritime
exportent au-delà des
mers depuis des siècles.

LES BRASSEURS

Alfa

Brasserie familiale
indépendante de Schinnen,
réputée pour ses bières
pur malt de qualité, brassées
avec l'eau de ses sources.

Amstel

Brasserie d'Amsterdam
achetée par Heineken
en 1968. Son nom se
perpétue en tant que
marque de Heineken.

Arcen

Pionnier des bières
« spécialité » au Limbourg
depuis 1981, Arcen brasse
aujourd'hui des lagers.
Ses bières, vendues sous les
étiquettes Arcener et Hertog
Jan, comprennent une dubbel
brune de type abbaye (7 %)
et une tripel ambrée (8,5 %).

Bavaria

Grande brasserie
indépendante, brassant
Lieshout depuis 1719.
Prospère grâce aux
pilsners qu'elle brasse
sous son étiquette
pour les supermarchés.

Brand

La brasserie Brand, à Wijlre, qui brasse une gamme de bières spécifiques, est la plus ancienne du pays (XIVe siècle).

Budel

Petite brasserie indépendante à Budel, près de la frontière belge, en activité depuis 1870. Brasse une Budel Pilsner et une gamme d'ales fortes originales.

Christoffel

Petite brasserie fondée à Roermond en 1986, par Leo Brand, de la famille des brasseurs hollandais. Porte le nom du saint patron de la ville. Bières pur malt de qualité, ses pilsners sont parmi les meilleures du monde.

De Kroon

Petite brasserie indépendante de Oirschot, remontant à 1627. « La Couronne » produit une gamme de lagers goûteuses, bokbiers blondes et brunes (toutes à 6,5 %), une brune Egelantier et une dort nommée Briljant.

Dommelsch

La brasserie de Dommelen produit surtout des pilsners. Sa pilsner (5 %) se vend également sous le nom Hertog Jan Pilsner. Brasse aussi une bokbier plus sombre (6,5 %).

Drie Ringen

Les bières « Trois Anneaux » sont brassées à Amersfoort depuis 1989. Cette grande compagnie brasse une bière au froment, une pale-ale, une meibok et une tripel ambrée.

Grolsch

Probablement aussi connue pour sa bouteille que pour sa bière, cette grande brasserie indépendante de Groenlo, fondée au XVIIe siècle par Peter Cuyper, se fait remarquer par cette bouteille originale à bouchon mécanique, datant de 1897. Ce procédé était alors abandonné par les autres brasseries, en raison de son prix excessif. La pilsner en bouteille de Grolsch est vendue non pasteurisée, même dans sa version export. Depuis 1990, la compagnie s'est développée dans d'autres pays.

Gulpener

Brasseur près de Maastricht, dans le sud des Pays-Bas, depuis 1825, Gulpener est probablement l'une des compagnies les plus créatives du pays. Produit une gamme de pilsners, une oud bruin et une dort. Gulpener brasse également deux versions hollandaises de bières de type belge.

Koningshoeven

L'Évangile et la bière n'ont jamais été plus intimement associés que dans la création, en 1884, de la seule brasserie trappiste hors Belgique, à Koningshoeven près de Tilburg. La bière vint en premier, les moines ayant établi la brasserie Schaapskooi afin de récolter les fonds nécessaires à la construction du monastère. Cette bière eut du succès et le monastère fut construit. La brasserie commença par produire des lagers, dues à un maître brasseur bavarois puis, à partir des années 1950, des ales en bouteille à fermentation haute. Les moines brassent aujourd'hui quatre bières de marque La Trappe, également vendues sous l'étiquette Koningshoeven.

Leeuw

La brasserie indépendante « Lion » fut fondée en 1886, à Valkenburg près de Maastricht, sur le site d'une ancienne usine de poudre à canon à l'immense roue hydraulique. Elle brasse aujourd'hui une gamme de lagers, dont une pilsner Jubileeuw pur malt créée pour le centenaire de la compagnie, en 1986, ainsi qu'une alt, une oud bruin, un wit d'hiver, une meibok et une bokbier (6,5 %).

Lindeboom

La petite brasserie indépendante Linden Boom fut fondée en 1870 à Neer, au nord de Roermond. La brasserie produit aujourd'hui une variété de lagers, dont une Gouverneur de type viennois, une bokbier Lindeboom brune, sèche, assez amère et une meibok sucrée (toutes deux à 6,5 %), une pilsner sèche (5 %) et une oud bruin.

Maasland

Brasserie installée en 1989 à Oss et considérée comme brassant les meilleures ales épicées des Pays-Bas. Outre les bières de type belge, elle brasse deux boks goûteuses.

Oranjeboom

La brasserie « Oranger » fondée à Rotterdam en 1671 était autrefois l'une des plus grandes des Pays-Bas. Elle ferma pourtant en 1990 et sa production se fait maintenant aux Drie Hoefijzers (« Trois fers à cheval ») à Breda.

Oudaen

Imposant pub-brasserie d'Utrecht, connu pour ses bières au froment, dont une tarwebok forte (6,8 %).

Raaf

La ferme-brasserie du Gelderland rouvrit en 1983, et brasse une large gamme de bières, dont une tripel goûteuse (8,5 %).

Ridder

Fondée en 1857 sur les rives de la Meuse à Maastricht. Brasse une bière au froment trouble, Wieckse Witte, une dort maltée, Maltezer, une Ridder bokbier brune (7 %) et une Ridder pilsner (5 %).

t'IJ

Probablement la brasserie artisanale la plus pittoresque du monde, t'IJ, établie depuis 1984 sur les quais d'Amsterdam, est couronnée par un moulin à vent Parmi ses bières, on note deux type abbaye et deux ales fortes, la blonde Columbus et la brune Struis (« autruche », symbole de la brasserie). Brasse aussi une Mug Bitter de type anglais.

Us Heit

Fondée dans une étable en Frise, en 1985, la brasserie « Notre Père » produit une bonne gamme d'ales aigrelettes. Brasse aussi une bokbier (6 %) et deux pilsners (toutes deux à 5 %).

L'HISTOIRE DE HEINEKEN

L'histoire de Heineken commença le 16 décembre 1863, quand Gerard Adriaan Heineken, 22 ans, acheta à Amsterdam la brasserie Haystack fondée en 1572. Il avait l'intention, dit-il à sa mère, de résoudre le problème crucial de l'alcoolisme en offrant au public une bière légère, pour diminuer la consommation excessive d'alcools forts comme le gin. Le marché lui était grand ouvert. Haystack devint la plus importante brasserie de la ville, mais elle fut bientôt trop petite et, 5 ans plus tard, Heineken en ouvrit une plus grande, toujours à Amsterdam.

En 1874, le brasseur exportait déjà ses bières et, en 1886, il demandait au Dr Elion, élève de Louis Pasteur, de venir l'aider à créer une pilsner fiable.

Après la Première Guerre mondiale, Heineken exporta ses bières jusqu'en Indonésie. En 1933, la brasserie envoya aux États-Unis la première cargaison légale de bière de l'après-prohibition ; elle est aujourd'hui la première marque d'importation de ce pays.

Heineken possède 100 brasseries à l'étranger et a des intérêts dans les brasseries locales du monde entier. Seul le géant américain Anheuser-Busch produit davantage, mais

Anheuser est avant tout un brasseur américain, tandis que Heineken est une puissance internationale. La majeure partie de son marché se trouve hors frontières. En 1996, il vendait 6,7 millions d'hectolitres dans son pays natal contre 1 553 millions dans le monde entier. Sa bière est commercialisée dans 170 pays, et sa seconde marque, Amstel, dans 85. Heineken a deux vastes usines aux Pays-Bas, à 's Hertogenbosch et à Zoeterwoude, et il possède

Brand et Ridder. Sa vieille brasserie d'Amsterdam est devenue un centre touristique.

Heineken cherche avant tout à plaire à tous les goûts. Cependant, depuis 1990, il commence à brasser des bières pur malt, en rejetant les additifs bon marché comme le maïs utilisé par de nombreux grands brasseurs. Il a également élargi la gamme de ses bières.

LUXEMBOURG

Le grand-duché de Luxembourg, malgré sa position au cœur des pays brasseurs d'Europe, n'est guère renommé pour ses bières. Ce petit pays est pourtant fier de l'histoire de sa bière et en produit chaque année une surprenante quantité.

B ien que le Luxembourg soit entouré de l'Allemagne et de la Belgique, ses bières sont plus apparentées à celles de son autre voisine, la France. Elles n'ont pas l'incroyable variété des bières belges ni la pureté des bières allemandes. Néanmoins, le Luxembourg possède une longue tradition brassicole qui remonte à 1083, avec l'abbaye d'Altmünster, site des Brasseries Réunies de Luxembourg Mousel et Clausen, l'une des principales brasseries luxembourgeoises. Ce petit pays possède deux autres grandes compagnies : Bofferding, qui fusionna avec Funck Bricher en 1975 pour former la Brasserie Nationale, le groupe luxembourgeois le plus important ; et Diekirch, qui brasse dans la ville du même nom depuis 1871. Ces brasseries produisent surtout une pilsner mild et une lager export, mais offrent aussi des spécialités intéressantes : bières de Noël fortes ou dunkels de type allemand.

Une des familles les plus connues de l'histoire du brassage au Luxembourg, est celle des Funck ; Henri Funck en particulier donna son nom à la lager pils produite aujourd'hui par le groupe Mousel. La brasserie Henri Funck qu'il fonda fut pendant des années à la pointe de la technologie du brassage, et l'une des premières à utiliser du matériel réfrigérant et des tanks en acier. Elle fusionna avec les Brasseries Réunies en 1982. Parmi les petites brasseries, deux sont particulièrement intéressantes. L'une est la brasserie Battin, fondée par Charles Battin en 1937, qui produit quatre bières vendues sous l'étiquette Battin. L'autre est la brasserie Wilts, appartenant à la famille Simon depuis 1891 qui, totalement détruite dans l'offensive des Ardennes à la fin de la Seconde Guerre, fut rebâtie en 1954. Le marché intérieur du Luxembourg étant insuffisant, les grands groupes ne survivent que grâce à l'exportation, essentiellement vers la France et la Belgique, un tiers ou presque de la production étant exporté.

Ci-dessus – Au début du XIXᵉ siècle, il y avait environ 60 brasseries au Luxembourg. Diekirch est l'un des quelques brasseurs qui ont réussi à se maintenir au XXᵉ siècle.

LES BIÈRES

Altmünster

Bière de type dortmunder, bien ronde (5,5 %), des Brasseries Réunies.

Bofferding Christmas Beier

Ale brune saisonnière (5,5 %), produite chaque année par Bofferding.

Bofferding Lager Pils

Lager de type pilsner, fraîche (4,8 %), brassée avec du malt clair et du maïs, mûrie pendant un mois.

Diekirch Exclusive

Lager forte de type pilsner (5,2 %), produite par l'un des plus gros brasseurs du Luxembourg.

Fréijoers

Bière fraîche non filtrée (4,8 %), produite par Bofferding.

Hausbeier

Bière pur malt goûteuse (5,5 %), de Bofferding.

Henri Funck Lager Beer

Pilsner (4,8 %) brassée par Mousel d'après la recette de Pousel Premium, avec un ajout de 10 % de riz dans la maische. Bière blonde brillante, légère et fraîche.

Luxembourg

Deux bières sont produites sous cette marque, Luxembourg Lager (3 %) et Luxembourg Export, plus forte (4 %), toutes deux brassées par Mousel.

Mansfeld

Pilsner maltée (4,8 %), de Mousel.

Régal

Bière de type export (5,5 %), de la brasserie Wilts.

Simon Noël

Bière de Noël brune, riche (7,5 %), de la petite brasserie dirigée par la famille Simon à Wiltz, qui produit également Simon Pils (5,8 %) et Simon Régal (5,5 %).

LES BRASSEURS

Battin

La plus petite brasserie du grand-duché, avec la brasserie Wilts. Produit sans doute les meilleures bières luxembourgeoises. Fondée en 1937 à Esch-sur-Alzette, elle brasse une Edelpils, une Gambrinus, une ur-typ plus ronde et une Battin Dunkel sombre.

Bofferding

La brasserie de Bascharge, datant de 1842, fusionna avec Funck-Bricher en 1975 pour former le plus grand groupe du pays, Brasserie Nationale. Elle brasse surtout Bofferding Lager Pils (4,8 %), mais aussi une Hausbeier pur malt, une Bofferding Christmas Beier brune (toutes deux à 5,5 %) et la fraîche Fréijoers, non filtrée.

Ci-dessous – Bofferding, qui fait partie de Brasserie Nationale, remonte à 1842.

Diekirch

L'une des trois plus grandes brasseries du Luxembourg. Existe depuis 1871. Outre sa Diekirch Light (2,9 %) et sa blonde Diekirch Premium Pilsner (4,8 %), elle brasse une lager moelleuse, Diekirch Exclusive (5,1 %), la Diekirch Grande Réserve ambrée (6,9 %) et une brune (5,2 %).

Mousel

Les Brasseries Réunies de Luxembourg Mousel et Clausen brassent deux pilsners semblables, Mousel Premium et Henri Funck (4,8 %), et une Mansfeld maltée.

Wiltz

Cette petite brasserie fondée en 1824 fut achetée en 1891 par la famille Simon, qui la dirige depuis cette date. Les bâtiments furent totalement détruits pendant la Seconde Guerre mondiale.

ALLEMAGNE

Les buveurs de bière du monde entier ont tendance à considérer l'Allemagne comme le pays de la lager et des bières à fermentation basse. La bière allemande existe pourtant en bien d'autres variétés.

Aucun pays n'est davantage attaché à la qualité de sa bière et, bien que la *Rheinheitsgebot* (loi sur la pureté de la bière) implique l'impossibilité pour les brasseurs allemands d'imiter les extravagances de leurs confrères belges, on trouve en Allemagne une grande variété et une excellente qualité de bières.

On y brasse toujours les ales à fermentation haute, notamment les alts de Düsseldorf et les kölsches de Cologne. Les bières au froment connaissent également un renouveau. Sur le marché de la lager, les bières varient, des pilsners astringentes et houblonnées du Nord aux bières plus douces, plus maltées de Bavière. Les verres brillent de toutes les couleurs de l'orge mûre, helles or pâle, märzens cuivre rouge, dunkels et bocks brunes, bières noires. Il existe même quelques types exotiques comme les bières fumées de Bamberg. Toutes ces boissons se conforment aux lois interdisant l'utilisation d'additifs et de produits de qualité inférieure.

Aucun peuple n'est plus fidèle à ses bières locales. Le marché de la bière est très fragmenté régionalement et proche des traditions. Contrairement à la plupart des autres pays, il existe peu de marques nationales, les amateurs préférant leurs bières artisanales et régionales. En raison de cette particularité, l'Allemagne a conservé beaucoup plus de brasseries que les autres pays d'Europe, environ 1 200. Cologne, ville d'1 million d'habitants, possède 23 brasseries et on en trouve environ 700 en Bavière, où presque chaque village possède sa brasserie artisanale. Quelques entreprises locales ont fermé mais, depuis la fin des années 70, une nouvelle vague est apparue ; et, au cours des 10 dernières années, 150 pubs-brasseries ont ouvert, produisant une large variété de bières. Environ 30 % du nombre total de brasseries dans le monde se trouvent en Allemagne.

Ci-dessus – La popularité des bières au froment est due en partie à leur réputation de boisson de santé, grâce à la levure de bière qu'elles contiennent.

LES BIÈRES

Abtstrunk

Le mot « abt » (*abbot* signifie « abbé ») révèle les liens monastiques des fabricants de cette bière épaisse, puissante, aux allures de liqueur (11,5 %), brassée dans une ancienne abbaye de Irsee, près de Munich.

Achd Bambarcha Schwarzla

Bière brune moelleuse (5,3 %) dont le nom signifie « vraie noire de Bamberg ». Brassée par la Klosterbräu de Bamberg, plus ancienne brasserie de rauchbier, fondée en 1533 et dirigée autrefois par des moines.

Aecht Schlenkerla Rauchbier

Bière fumée classique (4,8 %) de la région de Bamberg. Frais et léger goût fumé, et final sec et malté. Produit par la Heller Brauerei, Bamberg, pour la taverne Schlenkerla.

Alt Franken

Voir Urfrankisch Dunkel.

Altstadthof Hausbier

Lager brune fruitée, non filtrée mais assez plate (4,8 %), produite par la petite brasserie Altstadthof, Nuremberg.

Alt Wetzlar

N'est pas de type altbier mais lager brune, brassée par Euler, Wetzlar, au nord de Francfort.

Apostulator

Doppelbock brune, teintée de rubis (7,5 %), au goût malté et fruité. Bière produite par la brasserie Eichbaum, Mannheim.

Arcobräu Coronator Doppelbock

Doppelbock auburn (7,5 %), au fort goût malté, de Graf Arco, Bavière.

Arcobräu Dunkel Weisse

Bière au froment de cette brasserie familiale, brun ambré, trouble (5,2 %), au goût net d'agrumes.

Arcobräu Urweisse

Bière blonde bavaroise au froment (4,8 %), fraîche, au goût de pomme, non filtrée, trouble, de Graf Arco.

Astra

Gamme de pilsners blondes, houblonnées de Bavaria Saint Pauli, Hambourg. Bock blonde au goût léger de malt sous la même étiquette.

Aventinus

Bière au froment classique extra-forte (8 %), weizen doppelbock, brassée par Schneider, le spécialiste de la bière au froment en Bavière. Mûrie en bouteille. Brun rouge foncé, Avantinus a une mousse crémeuse et un goût fruité riche et chaleureux.

Ayinger Altbayerische Dunkel

Lager rouge foncé au goût malté et au final plaisant, produite par l'excellente brasserie Ayinger.

Ayinger Bräu-Weisse

Bière au froment pâle (5,1 %), au goût fruité et acidulé, produite par Ayinger.

Ayinger Maibock

Maibock traditionnelle or pâle, au goût complexe de houblon, de la Privatbrauerei Franz Inselkammer, Aying.

Beck's

L'une des bières allemandes les plus connues sur le marché international. Pilsner sèche (5 %), brassée dans le port de Brême, sur la Weser, depuis 1874. Chaque année, 6 millions d'hectolitres en sont vendus dans plus de 100 pays. Elle représente plus de 85 % des exportations de bière allemande aux États-Unis. Beck's brasse aussi une bière brune ambre foncé et une Oktoberfest sèche et maltée.

Bernauer Schwarzbier

Schwarzbier très sombre, crémeuse, onctueuse, au goût de chocolat, de la Berliner Burgerbräu. Porte le nom de la ville de Bernau, célèbre autrefois pour ses bières noires.

Bitburger

Pilsner sèche, aromatique et houblonnée (4,8 %), de Bitburg, Rhénanie, qui mûrit pendant 3 mois. Deuxième meilleure vente de pilsner d'Allemagne et un classique de ce type.

Brauhernen Pilsner

Pilsner or pâle, sèche, amère au final houblonné (4,9 %), produite par Einbecker.

Braumeister

Pilsner bavaroise doré brillant, produite par le premier brasseur de Munich, Hacker-Pschorr. Plaisant goût de malt rôti et de houblon.

Bremer Weisse

Bière d'été rafraîchissante (2,7 %), variante brêmoise d'une Berliner weisse. Chez le brasseur, Haake-Beck, les livraisons se font toujours avec des chevaux.

Brinkhoff's n° 1

Pilsner premium onctueuse et doré brillant de DUB, Dortmund. Porte le nom d'un ancien brasseur.

La bière Einbecker, une tradition médiévale

La réputation de la bière Einbecker s'est créée sur une remarquable opération communale. La ville d'Einbeck, en Basse-Saxe, était autrefois le principal centre de brassage de la ligue hanséatique des cités marchandes de l'Allemagne du Nord. Elle imagina un type de bière forte, la bock, brassée de façon à résister aux longs voyages. Au Moyen Âge, chaque citoyen de la ville pouvait brasser en utilisant une cuve communale sur roues. La voûte d'entrée des vieilles maisons devait être assez haute pour laisser passer la cuve, dont 700 foyers pouvaient bénéficier. Chacun vendait sa bière au conseil municipal qui la revendait ensuite par la ligue hanséatique. Cette bière forte était si appréciée que les ducs de Bavière attirèrent à Munich un maître brasseur de Einbeck. Ils propagèrent ainsi la bock (ou beck) en Allemagne du Sud, devenue aujourd'hui sa principale région de production.

Broyhan Alt
Alt beer forte et maltée (5,2 %), de type Düsseldorf. Produite par la brasserie Lindener Gilde, Hanovre. Porte le nom d'un célèbre brasseur de la ville.

Busch Golden Pilsner
Bière blonde de type pilsner, produite par la brasserie Busch, Limburg, près de Coblence. Malgré son nom, la brasserie n'a aucun lien avec le géant américain Anheuser-Busch.

Carolus
Doppelbock rouge rubis très foncé, forte (7,5 %), au goût fruité, complexe et original. Brassée par Binding, Francfort.

CD
Pilsner sucrée populaire, doré brillant, du nom de

Carl Dinkelacker, qui fonda la brasserie de Stuttgart en 1888.

Celebrator
Nom d'exportation surtout utilisé aux États-Unis, de la Doppelbock Fortunator classique, rouge foncé, veloutée (7,2 %), de la brasserie Ayinger.

Clausthaler
Il fallut des années à Binding de Francfort pour réaliser cette lager sans alcool (0, 5 %), avant de la lancer en 1979, créant ainsi un nouveau créneau dans l'industrie de la bière.

Cluss Bock
Bock cuivre sombre, maltée, brassée par la brasserie Cluss.

DAB Original
Version premium de Meister Pils

de DAB, Dortmund. Bière blonde, houblonnée (5 %).

Dampfbier
Ale rougeâtre originale, à fermentation haute (4,9 %), de la brasserie Maisel, Bayreuth. Ressemble un peu à une bitter anglaise fruitée. Le mot *Dampf* signifie « vapeur ».

Delicator
Doppelbock brune, fruitée (7,5 %), brassée par la célèbre Hofbräuhaus de Munich.

Diebels Alt
Altbier brune, biscuitée (4,8 %), de la Privatbrauerei Diebel, Issum Weidernhein.

Dom Kölsch
L'une des premières bières kölsch de Cologne. Porte le nom de la cathédrale.

Dom Pilsner
Pilsner sèche de la brasserie Euler de Wetzlar.

DUB Export
Dortmunder Union Brewery brasse cette export lisse et maltée (5 %). DUB produit aussi des pilsners, surtout sa Siegel Pilsner houblonnée et la premium Brinkhoff's n° 1.

Duckstein
Ale ambrée et fruitée originale, affinée sur des copeaux de hêtre. Produite par la Feldschlösschen Brewery, Brunswick.

Echt Kölsch
Bière délicate, considérée comme la vraie Kölschbier, produite à l'origine au pub-brasserie P. J Früh's Cölner Hofbräu, près de la cathédrale de Cologne. Le succès fut tel que Echt Kölsch est désormais brassée dans la brasserie hors de la cité et non plus à la taverne.

Einbecker Maibock
Bock saisonnière de printemps, ambre doré foncé, maltée (6,5 %), produite par la brasserie Einbecker.

Einbecker Urbock
Bock blond brillant, suave, forte, houblonnée (6,5 %), produite par la brasserie Einbecker.

EKU Pils
Pilsner bavaroise douce,
crémeuse (5 %), de la Este
Kulmbacher Union,
Kulmbach, bien connue
pour sa Kulminator 28,
lager lourde, extra-forte.

Erdinger Weissbier
Gamme de bières au froment,
à fermentation haute,
de la brasserie Erdinger,
obéissant strictement
à la loi de pureté bavaroise.
Comprend une hefe trouble
(5,3 %), une kristallklar
pétillante (5,3 %) et une
dunkel brune, brun-rouge,
forte, épicée (5,6 %).

Euler Landpils
Cette pilsner vient de
la brasserie indépendante
Euler, Wetzlar.

Feldschlösschen
Principale marque pilsner
de Holsten. La grande
brasserie allemande
Feldschlösschen, Brunswick,
fait partie du groupe Holsten.
Feldschlösschen produit
aussi l'ale ambrée spécifique
Duckstein et l'alt Brunswick.

Fest-Märzen
Cette bière de type märzen
(5,8 %) est produite
par Ayinger, Bavière.

Feuerfest
Doppelbock (« fête
du feu ») sombre, fruitée,
chaleureuse (10 %), de
Schäffbräu, Treuchtlingen,
près de Nuremberg,
Bavière. Production
limitée en bouteilles
scellées à la cire.

First
Pilsner or pâle (4,8 %),
populaire, au goût
de céréale, produite
par Ritter, Dortmund.

Fortunator
Doppelbock riche (7,2 %),
rouge sombre, veloutée,
brassée par Ayinger.

Franz Joseph Jubelbier
Lager brune, forte (5,5 %),
qui porte le nom de
l'Empereur. Brassée
par Bavarian Altenmünster
près d'Augsbourg.

Franziskaner
Gamme de bières au froment
de la brasserie Spaten
de Bavière, qui représente
aujourd'hui plus de
la moitié de sa production,
dont la Hefeweissbier
trouble mais fraîche,
une kristallklar filtrée
au parfum d'herbe et
une dunkel (toutes à 5 %).

Freiberger Pils
Cette pilsner houblonnée
est la bière la plus célèbre
de la Freiberger Brauhaus,
de la vieille ville de Fribourg.

Fürstenberg Pilsner
La Pilsner Fürstenberg
premium doré brillant,
houblonnée, sèche, très
courante (5 %) est le produit
le plus connu de la brasserie
Fürstenberg, qui produit
aussi une gamme d'autres
bières dont trois au froment.

Gatz Alt
Alt brune, fruitée (4,0 %)
produite par Gatzweiler,
famille de brasseurs d'alt,
de Düsseldorf. Il en existe
une version sans alcool.
La brasserie de Düsseldorf
se trouvait à l'origine dans le
pub-brasserie Zum Schlüssel.

Gilde Pils
Pilsner or pâle au final
sec (5 %), de la brasserie
Lindener Gilde, Hanovre.
Comme son nom l'indique,
la brasserie était autrefois
dirigée par une guilde.

Hacker-Pschorr Edelhell
Une bière « spécialité » parmi
les plus fortes (5,5 %), de la
brasserie Hacker-Pschorr,
Munich, datant de 1417.
Une hell fruitée (5 %) et
une dunkel (5,2 %) sont
ses lagers les plus populaires.

**Hacker-Pschorr
Oktoberfest Märzen**
Cette bière märzen (5,8 %)
est brassée à Munich
par Jacker-Pschorr, pour
la célèbre *Oktoberfest*.

HB Hofbräuhaus München
Lager premium (4,9 %)
brassée à l'ancienne
brasserie de la cour royale
de Bavière à Munich.

Holsten Pils
Pilsner premium très
courante (5 %), de la
brasserie Holsten, dans sa
célèbre gamme de bières
sèches, houblonnées.

Hopf Dunkler-Bock
Bière au froment
exceptionnellement riche
et astringente (6,3 %),
de la petite brasserie
familiale Hopf, Miesbach,
Alpes bavaroises, spécialisée
dans les bières au froment.

**Hopf Weisse
Export**
Bière au froment
fruitée mais
non houblonnée
(5,3 %),
de Hopf.

Hubertus
Bock cuivrée
robuste
(6,8 %),
de Hacker-
Pschorr,
Munich.
La doppelbock
de la brasserie
s'appelle
Animator
(7,5 %).

Jahrhundert
Bière blonde de type export
(5,5 %), de Ayinger,
Bavière. Créée en 1978
pour célébrer son centenaire.

Le château de Kaltenberg

Les familles aristocratiques brassaient autrefois leur propre bière. Cette tradition se poursuit au château de Kaltenberg dans le village de Geltendorf, à 50 kilomètres de Munich, dont les tours surmontent les caves où mûrit la bière. Aujourd'hui cependant, la plupart des bières Kaltenberg, dont celles au froment, Pilsner et Prinzregent, sont brassées à la brasserie moderne de Fürstenfeldbruck.

Jever

Sans doute la bière la plus amère d'Allemagne, Jever pilsner obéit à la règle générale voulant que les bières deviennent de plus en plus sèches en montant vers le Nord. La ville de Jever est en Frise. La brasserie du même nom, datant de 1848, est célèbre pour sa pilsner (4,9 %) au parfum houblonné entêtant et à l'amertume intense. Propriété de Bavaria St Pauli de Hambourg depuis 1923, la brasserie a été reconstruite en 1992. Parmi ses autres bières, on note Jever Light (2,7 %) et Jever Fun sans alcool.

Kaiserdom

La rauchbier (« bière fumée ») la plus courante (4,8 %), de Bamberg, brassée à la brasserie de Bürgerbräu, Bavière, depuis 1716. Bien qu'elle ne soit pas la plus intense des bières de ce type, elle surprendra l'amateur par son parfum de fumée. La brasserie

Bamberg produit aussi des lagers plus conventionnelles, extra-dry (4,9 %) et pilsner (4,8 %), ainsi qu'une délicieuse weissbier couleur abricot (5,3 %).

Kaiser Pilsner

Les bouteilles à étiquette noire de cette pilsner premium (4,8 %) de Henninger, Francfort, sont connues dans le monde entier.

Kaltenberg

Voir König Ludwig.

Kapuziner

Bières au froment de la brasserie Mönchshof, Kulmbach, Bavière, aux origines monastiques. Dans cette gamme, on note Kapuziner Dunkel et Hefetrub, bières entêtantes et troubles (toutes deux à 5,2 %).

Kindl Berliner Weisse

Bière au froment pâle, aigre, fraîche (2,5 %), appelée autrefois le champagne du Nord, spécialité de Berlin. Souvent parfumée de jus de fruit. La grande brasserie Kindl, fondée à Berlin en 1872, brasse plusieurs bières classiques, dont Kindl Schwarzbier. Sa principale rivale est Schultheiss.

Kloster-Urtrunk

Märzen non filtrée et goûteuse (5,6 %), brassée par Irseer Klosterbräu, près de Munich.

Kloster-Urweisse

Bière au froment goûteuse (5,2 %), d'Irseer Klosterbräu près de Munich. Le nom signifie « blanche originale ».

König Ludwig

König Ludwig Dunkel (5,1 %) porte le nom du roi fou Louis II de Bavière. La dunkel est l'une des bières encore brassées par le prince Luitpold, héritier du trône de Bavière, à sa brasserie du château de Kaltenberg, à Geltendorf.

König-Pilsener

Pilsner sèche, plaisante (4,9 %), au léger goût de pomme, de la brasserie König, Duisberg.

Korbinian

Doppelbock ambre foncé (7,4 %), au riche goût de malt, produite par Weihenstephan, ancienne brasserie monastique de Freising.

Köstritzer Schwarzbier

Bière de fermentation basse, lisse, chocolatée, amère (4,6 %), considérée depuis 450 ans comme un fortifiant pour les malades. Goethe en buvait lorsqu'il était souffrant. Elle vient de la brasserie de bière noire Köstritz, de la ville de Bad Köstritz, Thuringe, ex-Allemagne de l'Est.

Kräusen

Version originale, non filtrée, trouble, de la pilsner standard, brassée par Haake-Beck, Brême. Lancée sur le marché d'Allemagne du Nord en 1985.

Kronen Classic

Pilsner premium blonde (5,3 %), au goût houblonné légèrement aigre, de la brasserie familiale indépendante Kronen, Dortmund. Brasse aussi une export maltée robuste.

Kulminator 28

Kulminator 28, au nom menaçant, une des plus fortes bières du monde, offre un taux d'alcool de plus de 12 %, la plus haute densité parmi les bières à fermentation basse. Après 9 mois de maturation, dont une période de réfrigération, on obtient cette bière ambrée, dense et intensément maltée.

Il existe une Kulminator Doppelbock classique, sombre et moins forte (7,6 %). Les deux bières, largement exportées, sont brassées par EKU, Kulmbach, Bavière.

Küppers Kölsch

Cette kölsch or soutenu, sucrée, vient du plus grand brasseur de kölsch de Cologne.

Kutscher Alt

Alt cuivrée, maltée (5 %), veloutée et chaleureuse. Brassée par Binding, Francfort. Fermentation haute puis maturation au froid, comme une bière de type alt classique.

Lammsbräu Pils

Pilsner biologique blonde, ambrée, fraîche et légèrement citronnée (5 %), créée à la fin des années 80. Brassée par la petite brasserie Lammsbräu, Neumarkt, près de Nuremberg, avec de l'orge et du houblon biologiques. On dit qu'elle est plus pure que ne l'exige la *Rheinheitsgebot,* ce qui déplaît fortement aux grands brasseurs que rien n'empêche pourtant d'essayer leur propre bière « bio ».

Leichter Typ

Bière légère (2 %), hypocalorique de Eichbaum.

Löwenbräu Hefe Weissbier

Bière au froment non pasteurisée ni filtrée, légèrement trouble (5 %), de la plus connue des brasseries munichoises.

La Hefe Weissbier est brassée avec de la levure d'ale Löwenbräu, du malt de froment, de l'orge de printemps et du houblon Jallertau. Il existe aussi une version filtrée et limpide de type hefe, appelée Klares Weissbier, au goût spécifique, un peu comme une lager au froment.

Löwenbräu Oktoberfest

Bière *Reinheitsgebot* subtile, légère (6,1 %), de fermentation basse, brassée spécialement chaque année pour la *Oktoberfest* de Munich.

Löwenbräu Premium Pils

Lager blonde légère, fraîche, brassée à Munich selon les critères de la loi de pureté, avec du houblon Jallertau, de l'orge de printemps et de la levure.

Maisel Pilsner

Pilsner or pâle, aromatique, au bon goût malté, houblonné (4,8 %), de Maisel, la plus grande brasserie de la ville de Bayreuth, qui produit aussi une bonne gamme de bières au froment fruitées.

Meister Pils

Pilsner blonde au goût frais et piquant, de DAM, Dortmund. La brasserie Schwaben de Stuttgart a donné le même nom (signifiant « champion ») à sa pilsner.

Mönchshof Kloster Schwarzbier

Schwarzbier cuivre foncé, au goût malté velouté, de la vieille brasserie Mönchshof d'origine monastique, Kulmbach, Bavière, connue pour ses lagers brunes et fortes.

Oberdorfer

Gamme de bières au froment de la brasserie Franz-Joseph Sailer de Marktoberdorf, Bavière, dont l'une est vendue à moitié mélangée avec de la limonade.

Optimator

Doppelbock forte (6,8 %), orangée, au goût malté rôti, velouté, brassée par Spaten, Munich.

Pikantus

Weizenbock forte (7,3 %), rousse, d'Erdinger, Bavière, spécialiste de la bière au froment.

Pilsissimus

Pilsner houblonnée (5,2 %), très appréciée par les clients du pub-brasserie Forschungs.

Pinkus Hefe Weizen

Cette bière au froment blonde, trouble, non filtrée (5 %), au goût d'agrumes et de blé, est une boisson biologique produite par la brasserie artisanale Pinjus Müller, Münster.

Prinzregent

Gamme de bières au froment, du nom du prince Luitpold, comprenant une hell non filtrée et une dunkel weissbier brune, épicée, maltée (toutes deux à 5 %). Brassées par Kaltenberg, Bavière.

Radeberger Pilsner

Pilsner doré brillant, houblonnée, bière phare de la brasserie Radeberger près de Dresde, ancienne Allemagne de l'Est. Était autrefois la bière du roi de Saxe.

Ratsherrn

Marque déposée s'appliquant à une pilsner sèche, houblonnée et une bock maltée de la brasserie Elbschloss, Hambourg (toutes deux non pasteurisées).

Ratskeller Edel-Pils

Pilsner premium doré brillant, houblonnée, brassée par la Lindener Gilde, Hanovre.

Rauchenfelser Steinbier

Spécialité unique, brassée selon un ancien procédé. Autrefois, toutes les cuves étaient en bois et, pour porter le moût à ébullition en évitant les risques d'incendie, on y plaçait des pierres chauffées au rouge. En 1983, Gerd Borges reprit ce procédé à Neustadt près de Cobourg. Non seulement les pierres brûlantes font bouillir le moût, mais les sucres se caramélisent également à leur surface. La bière à fermentation haute est ensuite mûrie pendant 2 ou 3 mois avec les pierres caramélisées. Il en résulte une Steinbier de couleur fauve (4,8 %), à la fois onctueuse et fumée. Il existe aussi une Steinweizen brassée avec le même procédé. En 1993, la brasserie faisant désormais partie du groupe Joseph Sailer, le brassage passa à Altenmünster, Bavière méridionale.

Reichelbräu Eisbock

Bockbier (10 %) renforcée en la gelant pendant 2 semaines, avant d'en retirer les paillettes de glace. La bière brune, chaleureuse est alors mûrie 2 mois en fût de chêne. Brassée par Reichelbräu, Kulmbach, Bavière.

Romer Pilsner

Pilsner sèche (5 %), jaune d'or, populaire, brassée par la brasserie de Francfort du géant Binding. Bière de qualité au final sec, houblonné.

Saint Georgen Keller Bier

Spécialité de la brasserie Saint Georgen, lager non filtrée (4,9 %), très houblonnée, exportée en bouteille jusqu'aux États-Unis. La brasserie du petit village bavarois de Buttenheim brasse les bières les plus houblonnées de la région, dont une märzen très sèche (5,6 %).

Saint Jakobus

Bock blonde de qualité (7,5 %), brassée par le café-brasserie Forshungs, Perlach, dans la banlieue de Munich, qui n'est ouvert qu'en été.

Salvator

Première bière du type doppelbock de la célèbre brasserie Paulaner, Munich. Riche (7,5 %), rouge rubis, au puissant arôme de cake aux fruits, et au goût chaleureux et vigoureux.

Sanwald

Parmi les bières au froment de la brasserie Dinkelacker, Stuttgart, on note une hefe weiss sèche légère, doré brillant et une Weizen Krone ambre fauve, pétillante.

Schierlinger Roggen

Rare bière au seigle *(Roggen)* rouge ambré (4,7 %), de la brasserie de Schierling, Bavière. Lancée en 1988, elle ressemble à une bière au froment brune mais plus acidulée. La maische contient 60 % de seigle. La brasserie faisait autrefois partie d'un couvent.

Schlenkerla

Rauchbier classique et pure (4,8 %), cette spécialité fumée de Bamberg, Bavière, est brassée avec du malt rôti sur feu de bois de hêtre, ce qui donne une bière noire au goût astringent de malt brûlé. Cette bière sèche, fumée, autrefois brassée à la taverne Schlenkerla, Bamberg, est aujourd'hui produite à la brasserie Heller voisine, datant de 1678.

Schneider Weisse

Bière au froment fraîche, au goût de levure (5,4 %), de la brasserie Schneider. Exemple classique du type weiss. Outre l'original Hefeweizenbier, la brasserie produit une kristall filtrée, une weizen hell plus faible (4,9 %) et une légère (2,9 %).

OKTOBERFEST

Les deux mots Allemagne et bière évoquent irrésistiblement
la célèbre *Oktoberfest* de Munich, au cours de laquelle,
en 16 jours, 6 millions de litres de bière sont bus par des
milliers de visiteurs. La plus grande fête de la bière du
monde se tient en fait non en octobre, mais pendant les deux
dernières semaines de septembre. Cette folle kermesse eut lieu
pour la première fois en 1810, à l'occasion du mariage
de la princesse Theresa, fille du prince Ludwig de Bavière.
La fête eut tant de succès qu'elle devint annuelle. Seules
les six plus grandes brasseries de Munich peuvent fournir
la bière, au grand dam des autres brasseurs bavarois. La bière
ambrée Oktoberfest, lancée en 1882, causa une telle sensation
que son créateur Spaten la brasse encore aujourd'hui.

Ci-dessus – Image typique du joyeux luron de la Oktoberfest *de
Munich à la fin du XIXᵉ siècle, avec sa chope de bière et sa pipe.
À gauche – Tente de la bière Hacker-Pschorr, à la* Oktoberfest.
*Seules les six plus grandes brasseries de Munich sont autorisées
à fournir la bière.*
*Ci-dessous – L'un des 6 millions de litres de bière bus à
la* Oktoberfest, *qui se tient en fait les deux dernières semaines
de septembre.*

Spaten et la révolution de la lager

Spaten, brasserie munichoise, se trouva au cœur de la révolution de la lager à fermentation basse du XIXᵉ siècle. Le brasseur Gabriel Sedlmayr fut le premier, vers 1830, à brasser les lagers brunes et ambrées et, plus tard, à utiliser la réfrigération et la machine à vapeur. Spaten est toujours fier, à juste titre, de ses lagers, et notamment de ses Münchner hell (4,8 %) et dunkel (5 %) maltées et ur-märzen classique, bien ronde (5,6 %). Il brasse aussi une pilsner sèche (5 %), une maibock blonde (6,5 %) et une forte doppelbock nommée Optimator (6,8 %). Sa gamme de bières au froment (étiquette Franziskaner) représente aujourd'hui plus de la moitié de toute la production.

Schöfferhofer
Gamme de bières au froment de type bavarois, de Binding, Francfort, avec une hefeweizen goûteuse et pétillante, une kristall blonde, filtrée, au goût de levure et une dunkel brune (toutes à 5 %).

Schultheiss Berliner Weisse
Un des exemples les plus caractéristiques du type Berliner Weisse, bière au froment blonde, aigrelette, légère (3 %), très prisée dans le Nord. Le brasseur berlinois Schultheiss mélange des bières nouvelles et mûries pour obtenir cette Weisse, gardée en bouteille.

Schultheiss Pilsner
Pilsner houblonnée, la plus connue en Allemagne de la brasserie berlinoise Schultheiss.

Starkbier
Starkbier brune et forte (6,8 %), au goût sec, malté, d'Irseer Klosterbräu, à quelques kilomètres de Munich.

Stauder TAG
Pilsner forte (5,3 %), sèche, houblonnée. Les initiales sont celles de Treffliches Altenessen Gold, brasserie familiale d'Essen, fondée en 1867, qui brasse aussi une pilsner standard douce (4,6 %).

Stephansquell
Doppelbock ambrée, bien ronde (6,8 %), brassée à Freiseing par la brasserie Weihenstephan.

Triumphator
Doppelbock forte, saisonnière, brassée par Löwenbräu, Munich.

Ureich Pils
Pilsner blonde, sèche (4,8 %), au fort goût houblonné, bière phare de la brasserie Eichbaum, Mannheim.

Urfrankisch Dunkel
Dunkel brune, maltée (4,4 %), en bouteille sous le nom de Alt Franken. Produite par la grande brasserie Tucher de Nuremberg, qui brasse une large gamme de bières bavaroises traditionnelles.

Ur-Krostitzer
Pilsner aigrelette (à ne pas confondre avec Köstritzer Schwarzbier), qui vient de la brasserie Krostitz à Krostitz, près de Leipzig, ancienne Allemagne de l'Est.

Urstoff
Lourde doppelbock brun rougeâtre, au goût malté velouté, produite par la brasserie Mönchshof Kloster, Kulmbach.

Ur-Weisse
Bière au froment (5,8 %), à 60 % de blé, très goûteuse. Un peu plus sombre et beaucoup plus parfumée que les autres bières au froment de la brasserie Ayinger.

Warsteiner
Pilsner or pâle, brillante (4,8 %), meilleure vente d'Allemagne. Pour répondre à la demande, la brasserie familiale de Warstein a dû doubler sa production en 5 ans, atteignant 6 millions d'hectolitres en 1995.

Weizenhell
Bière au froment pâle, légèrement voilée (4,9 %), de Schneider, Kelheim près de Regensburg.

Witzgall Vollbier
Lager cuivrée, sucrée, de Schlammersdorf, Franconie.

Würzig
Le nom signifiant « épicé » s'applique à deux bières spécifiques à fermentation basse de la brasserie Hofmark : Würzig Mild et Würzig Herb, toutes deux à 5,1 %. La première est maltée, la seconde très houblonnée.

Connue pour ses bouteilles à bouchon mécanique, la brasserie bavaroise Hofmark remonte à 1590 et filtre toujours ses bières sur des copeaux de hêtre.

LES BRASSEURS

Il existe tant de brasseurs en Allemagne qu'il est impossible d'en faire la liste. Les compagnies qui suivent méritent une mention.

LES GRANDES BRASSERIES

Augustiner

La moins connue hors de Munich, mais sans doute la plus populaire dans la ville, probablement à cause de ses lagers fidèles à la tradition maltée de la cité bavaroise, entre autres sa hell pâle, douce et moelleuse (5,2 %). La brasserie monastique fondée en 1328 se sépara de l'ordre religieux en 1803. Son imposante brasserie du XIXe siècle, bâtie en 1885 et devenue monument historique, possède sa propre malterie. Localement, certaines de ses bières sont toujours puisées dans des tonneaux en bois.

Ayinger

Cette brasserie familiale se dresse, avec son auberge et son Biergarten («jardin de la bière») au cœur d'un village pittoresque de Bavière, au pied des Alpes. La bière est à la mesure du site. La brasserie produit une large gamme de «spécialité», une hell, une dunkel Altbairisch, une pilsner, trois bocks, une bière blonde type export appelée Jahrhundert-Bier, une fest märzen, trois bières au froment Ayinger et une standard hefe weisse Bräu-Weisse (5 %).

Binding

Deuxième plus grand groupe d'Allemagne, basé à Francfort, où il célébra son 125e anniversaire en 1995.

Cette importante entreprise de brasseurs comprend DAB de Dortmund, Kindl de Berlin et les brasseries Radeberg et Krostitz, en ex-Allemagne de l'Est. Binding a pratiquement créé le marché de la bière sans alcool en Allemagne, par sa marque Clausthaler lancée avec succès en 1979 et qui contient aujourd'hui 0,45 % d'alcool. Selon la loi allemande, le taux d'alcool de la bière sans alcool ne doit pas dépasser 0,5 %, ce qui correspond à peu près au jus de pomme.

La compagnie brasse également Romer pilsner, deux Binding export, une doppelbock Carolus, une gamme de bières populaires au froment sous la marque Schöfferhofer et une Kutscher alt.

Beck's

Beck's de Brême brasse sa célèbre Beck's Pilsner depuis 1874. L'un des premiers brasseurs à adopter au début du XXe siècle les machines réfrigérantes et à cultiver une souche pure de levure, il fusionna en 1917 avec St Pauli, son principal rival à Brême. Entre les deux guerres, la compagnie bâtit également deux brasseries hors frontières, à Singapour et à Djakarta en Malaisie, qui furent perdues en 1945. Depuis 1992, Beck's fait brasser sous licence en Chine. Sa compagnie sœur Haake-Beck brasse une gamme de bières pour le marché local.

La protection des consommateurs

La loi allemande de pureté de la bière, la *Rheinheitsgebot,* l'une des premières lois de protection des consommateurs, fut décrétée en Bavière en 1516 par le duc Guillaume IV et se répandit lentement dans le reste du pays. Selon la loi, malt, houblon et eau devaient être les uniques composants de la bière (la levure, dont l'action restait encore mystérieuse, n'étant pas mentionnée). Le consommateur était ainsi certain qu'aucun sucre ni additif médiocre n'étaient ajoutés à sa bière. En 1987, la Cour Européenne jugea que la loi était un obstacle au commerce, en empêchant l'importation de bières étrangères. Le gouvernement ne pouvait empêcher les bières non conformes de traverser la frontière, mais les brasseurs allemands décidèrent de s'en tenir à la loi, sage décision que les buveurs de bière approuvèrent en restant fidèles à leur boisson favorite. La *Rheinheitsgebot* permet aujourd'hui à la bière allemande de se démarquer dans la compétition universelle.

Les brasseries royales

Célèbre pour sa taverne au cœur de Munich, la Hofbräuhaus (HB) offre la particularité d'être une brasserie royale. Cette distinction remonte à 1589, date de la création de la brasserie par le duc de Bavière, Guillaume V. Aujourd'hui propriété de l'État, elle ne commercialise ses bières que depuis quelques années, sous deux marques principales. Une bière au froment et sa lager blonde Hofbräuhaus Original München (4,9 %), sont complétées de quelques spécialités saisonnières, maibock, märzen et doppelbock de Noël appelée Delicator (7,5 %). L'usine HB est aujourd'hui située en dehors de la ville, près de l'ancien aéroport. C'est la plus petite des six grandes brasseries de la capitale de la bière. L'Allemagne étant divisée autrefois en nombreux duchés et principautés, il existe encore aujourd'hui un certain nombre de « brasseries de cour » ou Hofbräuhaus. La Hofbräuhaus Freising, au nord de Munich, est aujourd'hui dirigée par le comte von Moy. Connue pour ses bières au froment, elle est dit-on, la plus ancienne brasserie d'Allemagne, remontant à 1160. On trouve aussi en Bavière une Hofbräu Abensberg et une Hofbräu Bertchesgaden. Hofbräuhaus Wolters de Brunswick (appartenant à la Lindener Gilde Brewery de Hanovre) brasse une pilsner houblonnée.

Brau und Brunnen

Le principal groupe allemand comprend DUB de Dortmund, Küppers de Cologne, Bavaria Saint Pauli de Hambourg et Einbecker et Schultheiss de Berlin.

DAB

Dortmunder Actien Brauerei, formée en 1868, est l'une des trois principales brasseries de Dortmund, toutes célèbres pour leurs bières export vigoureuses (ou dortmunder). Seules les bières brassées à Dortmund, le plus grand centre de brassage d'Allemagne, peuvent porter le nom de dortmunder. Outre DAB's Export maltée et sèche, la firme brasse sa DAB Meister Pilsner, une altbier, une maibock et une DAB Tremanator Doppelbock. Hansa, son rival local, fait maintenant partie de DAB.

Diebels

Le plus grand brasseur d'alt est basé non à Düsseldorf mais dans le village d'Issum, près de la frontière hollandaise. Diebels est toujours une firme familiale. Fondée en 1878, elle produit aussi des versions légères et sans alcool de sa Diebels Alt bien connue.

DOM

L'un des plus grands brasseurs de Cologne, dont le nom signifie « cathédrale ».

DUB

Dortmunder Union Brewery, principal rival de DAB, s'est formée à la fin du XIXᵉ siècle, par la fusion d'une douzaine de brasseries. Elle brasse une DUB Export onctueuse et maltée, mais se concentre actuellement sur les pilsner, avec Siegel Pilsner et la premium Brinkhoff's n° 1.

Erdinger

Le plus gros brasseur allemand de bière au froment, fondé en 1886, achète la majeure partie de son blé sur place et fournit même les semences aux fermiers de la région pour être sûr d'obtenir la qualité adéquate.

Brasse une gamme de bières au froment légères et populaires, dont Erdinger Kristall, une hefe, une dunkel (toutes à 5,2 %) et une Weizenbock Pikantus plus forte (7,3 %).

Eichbaum

Un des plus anciens brasseurs allemands, établi en 1679 à Mannheim, au cœur de la Rhénanie, Eichbaum produit une large gamme de bières, dont une Ureich Pilsner très sèche, Eichbaum Export Altgold (5,3 %) et trois bières au froment. Sa gamme de forces va d'une légère Leichter Typ hypocalorique à une puissante et noire Apostulator doppelbock. Appartenant au troisième plus grand groupe allemand, dirigé par Henninger, Eichbaum possède aussi la Freiberger Brauhaus de Fribourg.

Hacker-Pschorr

À la fin du XVIIIᵉ siècle, Joseph Pschorr bâtit d'immenses entrepôts souterrains à Munich, permettant de brasser toute l'année des bières de qualité constante. Première brasserie à exporter de la bière pression aux États-Unis, dès le XIXᵉ siècle. Depuis 1976, Hacker-Pschorr a rejoint Paulaner. Brasse une hell (4,9 %) et une dunkel (5 %).

Henninger

Brasserie de Francfort à la réputation internationale, ses bières se vendent dans 60 pays. Cinquième plus grande brasserie d'Allemagne, dont le silo-tour de 110 mètres de haut et contenant 16 000 tonnes d'orge est l'une des curiosités de Francfort.

Holsten

Brasserie de Hambourg fondée en 1879. Connue dans le monde entier, notamment pour sa gamme de pilsners sèches, houblonnées, dont Holsten Pils, sa Pilsner Edel locale et sa Premium Bier plus universelle. Holsten brasse aussi une export et une maibock (exportée sous le nom Urbock).

La compagnie possède plusieurs autres brasseries allemandes, dont Sächsische à Dresde. Pour l'exportation, Holsten rivalise avec Beck's.

Ci-dessus – La brasserie Löwenbräu est célèbre dans le monde entier par ses bières au froment et ses pilsners.

Klosterbräu

Le nom signifie « brasserie monastique ». Quelques abbayes allemandes brassent encore, comme Benedictine Kloster, à Andechs en Bavière, mais sans produire de bières spécifiques comme celles des trappistes en Belgique. L'abbaye d'Andechs brasse des bières de type régional, dont une blonde Spezial et une doppelbock. La dénomination Kloster est également adoptée par des brasseries commerciales d'origine monastique, tel Irseer Klosterbräu à Bamberg, le plus ancien producteur de rauchbier fumée.

Krombacher

Cet important spécialiste de pilsner de Kreutzal-Krombach produit plus de 4 millions d'hectolitres par an de sa Krombacher Pils houblonnée, l'une des meilleures ventes d'Allemagne.

Löwenbräu

Brasserie de Munich au profil international, ses bières sont brassées partout dans le monde. En Bavière, elle brasse des lagers maltées – hell, dunkel, pilsner houblonnée ou Oktoberfest forte (6,1 %). Produit aussi une gamme de bières au froment et gère la plus grande taverne de Munich (Mathäser, qui a une capacité de 5 000 buveurs). *Löwenbräu* signifie « bière du lion » et quelques autres Löwenbräu moins connues sont répandues dans le pays.

Paulaner

Le plus grand brasseur de Munich, créateur du type doppelbock. Brasserie monastique fondée en 1634 par la communauté de St François de Paule, elle se fit connaître par sa bière Lenten. Des sociétés commerciales la reprirent au début du XIXᵉ siècle et exploitèrent cette riche bière rouge rubis, en l'appelant Salvator (sauveur). D'autres brasseurs copièrent cette doppelbock et son nom. Un nouveau type était né. Cette bière brune complexe devint le produit phare de Paulaner, dont les bières sèches et rondes comprennent Münchner Dunkel, une hell originale, une pilsner blonde et une hefe weissbier.

Schneider

Le plus célèbre des brasseurs de bières au froment, établi en Bavière depuis 1872, Schneider propose l'exemple classique du type de bière trouble, au goût de levure, avec sa Schneider Original Hefe Weizenbier épicée. Brasse aussi une kristall pétillante et une légère (2,9 %). Entreprise familiale d'abord installée à Munich puis, depuis 1928, à Kelheim, près de Ratisbonne.

Spaten-Franziskaner-Bräu
Célèbre brasserie de Munich,
fondée en 1397, qui porte
le nom de la famille Späth.
En 1922, elle fusionna avec
Franziskaner-Leistbräu.

LES PRINCIPAUX
AUTRES BRASSEURS

Bavaria Saint Pauli
Brasserie du quartier
Saint Pauli de Hambourg,
en Allemagne du Nord.
Brasse surtout Astra Pilsner.

Bitburger
Spécialiste de pilsner,
fondée en 1817 dans la ville
de Bitburg, en Rhénanie.
Brassa l'une des premières
pilsners, en 1883.

Ci-dessus – L'importante brasserie Schneider Weisse, de Kelheim près de Ratisbonne. Cette entreprise familiale spécialiste de bières au froment quitta Munich pour Kelheim en 1928.

Einbecker
Membre du groupe
Brau und Brunnen,
la Einbecker Bräuhaus
brasse trois bières maltées
de type urbock
– hell, dunkel et
maibock (toutes
à 6,5 %) –, ainsi
qu'une Brauherren
Pilsner (4,9 %).

Füchschen
Im Füchschen («Le
Renard») est l'un des
quatre pubs-brasseries
de Düsseldorf brassant sa
propre altbier maltée.

Fürstenberg
Le roi Rodolphe de
Habsbourg accorda en
1283 le droit de brasser
à cette famille aristocratique.
Basée dans la Forêt-Noire,
à Donaueschingen, la
brasserie utilise l'eau des
sources des terres du
château de Fürstenberg.

Gaffel
Fondée, dit-on, en 1302,
cette brasserie du centre
de Cologne est connue
pour sa kölsch.

Garde
Cette brasserie de
Dormagen-bei-Köln
produit, dit-on, la seule
vraie kölschbier fruitée.

Hannen
Fondée en 1725, Hannen
est l'une des principales
brasseries d'alt de
Düsseldorf. Brasse aussi
Carlsberg en Allemagne.

Hansa
Les bières légères de cette
brasserie de Dortmund, dont
une export et une pilsner, sont
aujourd'hui brassées pour
les supermarchés par DAB.

Herforder
Située à Herford, près
de Hanovre, elle brasse
surtout des pilsners. Outre
sa pilsner bien ronde (4,8 %),
elle produit une export
maltée, une maibock et
une sommerbier.

Hopf
Brasserie familiale de
Miesbach, qui ne brasse
que des bières au froment.

Irseer Klosterbräu
Le village d'Irseer, au sud-
ouest de Munich, est dominé
par l'ancien monastère.
Irseer Klosterbräu est une
auberge imposante avec sa
brasserie, un petit musée de
la bière et une cave voûtée.

König
Signifie «roi». Le brasseur
König de Duisburg en
Rhénanie (brasserie familiale)
espère être couronné roi de
la pilsner premium. En 1995,
sa pilsner aromatique (4,6 %)
était la cinquième meilleure
vente du pays.

Ci-dessous – L'usine moderne de Bitburger, spécialiste de la pilsner. Bitburger Pils est exceptionnellement sèche, avec un final précis.

Ci-dessus – La Pinkus Müller Altbierhaus de Munster, en 1928.

Königbascher

Brasserie fondée en 1689
à Coblence, où se rencontrent
le Rhin et la Moselle.
Surtout connue pour sa
pilsner houblonnée, elle
produit aussi une alt et une
urbock vigoureuse (7,3 %).

Küppers

Le plus grand brasseur
de kölschbier de Cologne.
Outre une kölsch sucrée,
il brasse une version non
filtrée appelée Wiess.

Moravia

Brasserie de Lüneberg
dont le nom rappelle les
origines tchèques du type
pilsner. Produit une pilsner
sèche, houblonnée.

Pinkus Müller

Pub-brasserie historique
brassant et servant de
la bière depuis 1816,
dirigé par la cinquième
génération de la famille
Müller. Malgré sa petite
taille, la brasserie exporte
ses bières dans le monde
entier. Depuis 1990,
toutes les boissons Pinkus
sont biologiques.

Parmi les bières,
on note une alt bier
curieusement pâle (5 %),
brassée avec du froment,
mûrie pendant 6 mois,
au goût lactique et aigrelet
spécifique. La compagnie
produit aussi une special
à fermentation basse (5 %)
et une pilsner blonde.

Rhenania

Brasserie familiale indépendante de Kefeld, près de Düsseldorf, fondée en 1838. Produit l'une des alts les plus courantes d'Allemagne.

Ritter

Brasserie de Dortmund intégrée au géant DUB, également de Dortmund. Elle produit une bonne gamme de bières fruitées, dont une export forte, goûteuse et une First Pilsner blonde, houblonnée (4,8 %).

Ci-dessous – Fanfares, costumes nationaux et bière font partie intégrante de la Oktoberfest.

Saint Pauli Girl

Brasserie sœur de Beck's à Brême, Saint Pauli Girl produit la même bière. Son nom vient de sa marque Girl, illustrée par une serveuse allemande populaire. Sa bière est très prisée aux États-Unis.

Spezial

Plus ancien pub-brasserie de rauchbier (bière fumée) de Bamberg, datant de 1536. Spezial produit une bière légèrement fumée appelée Lagerbier (4,9 %), ainsi qu'une märzen plus intense et une bock.

Thurn und Taxis

Brasserie familiale aristocratique bavaroise de Regensburg, fondée en 1834. Produit une pilsner (4,9 %), une export pâle (5,5 %) et une hell hefe weissbier (5,5 %). La famille vit toujours dans le Schloss Saint Emmeram de Ratisbonne. L'entreprise, qui possède d'autres brasseries bavaroises, a été vendue à Paulaner en 1997.

Uerige

La meilleure alt. Cette taverne de Düsseldorf, Zum Uerige, brasse depuis 1862, la version parfaite de cette bière cuivrée, à fermentation haute, à la saveur et à l'amertume profondes. Connue dans la ville sous le nom de *dat leckere Droppke* («cette délicieuse goutte»).

Unertl

Petite brasserie bavaroise de Haag, à l'est de Munich, réputée pour ses délicieuses bières brunes organiques au froment, notamment hefe weissbier aigre et fruitée (4,8 %) et hefe weizenbock (6,2 %).

Veltins

Ce brasseur rhénan spécialiste de la pilsner, inaugura la mode des marques premium avec sa pilsner sucrée.

Weihenstephan

Véritable institution en Bavière, cette ancienne brasserie monastique de Freising n'est pas seulement la plus vieille brasserie en activité du monde. Brassant depuis plus de 950 ans et remontant à 1040, elle abrite aussi la célèbre Faculté de Brassage de l'université de Munich.

La société actuelle appartient au gouvernement de Bavière qui commercialise sa large gamme d'excellentes bières, dont une hell maltée, une dunkel brune et goûteuse, une Edelpils sèche, houblonnée et une gamme de bières au froment délicieusement fruitées.

Zum Schlüssel

Le pub-brasserie Schlüssel fut le premier site à Düsseldorf, de la brasserie Gatzweiler Alt. *Zum Schlüssel* (« La Clé ») brasse toujours sa propre Schlüssel Alt maltée.

Ci-dessus – Voici comment on sert la bière en Allemagne. La serveuse paraît avoir quatre mains !

LA BIÈRE FUMÉE

La Franconie allemande, et en particulier la jolie ville médiévale de Bamberg, garde la tradition des bières fumées, brassées avec du malt rôti sur feu de bois de hêtre qui leur donne un léger goût de fumée.

Bamberg possède neuf brasseries pour 70 000 habitants. Le plus important producteur est sans doute la Brauerei Heller Trum qui brasse Schlenkerla.

À droite – La brasserie Heller Trum brasse ses bières fumées pour la taverne Schlenkerla.

AUTRICHE

Bien que les pilsners soient peut-être les bières les plus consommées dans le monde, il en va autrement en Autriche, où l'on préfère généralement une lager rouge ambré plus sombre, selon le type créé par Anton Dreher en 1841.

Une grande partie de la bière autrichienne est encore du type original malté, à mi-chemin entre les bières brunes à fermentation basse de Munich et les pilsners blondes de la République tchèque. Cette bière, simplement appelée lager ou parfois märzen, rappele les anciens types de lagers brunes, bien qu'elle ressemble aujourd'hui davantage à une hell bavaroise foncée. Vollbier en est une version à la rondeur prononcée. Lager et Vollbier représentent à elles deux presque 80 % du marché autrichien. La pilsner, plus sèche et houblonnée, n'en prend que 6 % et les bières au froment si prisées en Bavière à peine plus de 1 %.

Les lagers fortes sont classées par ordre croissant en spezial, bock et starkbier. Les lagers peu alcoolisées s'appellent généralement Leichtbier ou Radler.

La bière autrichienne diffère de l'allemande. La loi de pureté n'existe pas en Autriche et les additifs sont autorisés – céréales non maltées comme le riz et le blé, qui donnent souvent un goût moins complexe, plus net aux bières autrichiennes. La structure de l'industrie brassicole autrichienne est beaucoup plus simple que l'allemande. Bien que l'Autriche compte environ 60 brasseries, dont quelques nouveaux pubs-brasseries et microbrasseries, deux groupes dominent : Brau AG dans l'Ouest et le Nord et Steirische dans le Sud. Schwechater, la brasserie où Anton Dreher créa sa bière, contrôlait autrefois Vienne. Chacun des deux grands groupes courtisait cette entreprise familiale de souche aristocratique, Mautner-Markhof, qui fut finalement reprise par Brau AG en 1978.

Depuis 1993, Brau AG et Steirische (formé de Gosser et Reininghaus) se sont associés avec d'autres brasseries autrichiennes pour former Brau Union et se développer en Europe de l'Est, en achetant des brasseries en Hongrie et République tchèque.

Ci-dessus – L'Autriche est connue pour ses lagers rouge ambré, mais la lager claire de Zipfer plaît mieux au goût moderne.

LES BIÈRES

Adam Spezial
Voir Adambräu.

Adambräu
Lager alpine fraîche (5,2 %), aujourd'hui brassée par Brau AG's Bürgurbräu, Innsbruck. Il existe aussi une Adam Spezial plus forte (5,7 %) et une festbier brune, maltée.

Columbus
Lager riche, maltée, bien houblonnée (5,3 %), de la brasserie Stiegl.

Edelweiss
La gamme de bières au froment la plus populaire d'Autriche, produite par Hofbräu Kaltenhausen, Hallein, près de Salzbourg, pour le groupe Brau AG. De goût plus délicat que les bières bavaroises correspondantes, elles comprennent Edelweiss Hefetrüb – épicée, maltée –, Eidelweiss Kristallklar – filtrée, limpide, brillante –, Edelweiss Dunkel ambré foncé (toutes à 5,5 %), ainsi qu'une Edelweiss Bock plus forte (7,1 %).

Gold Fassl Pils
Pilsner or pâle, sèche, houblonnée nette (4,6 %), de la gamme de bières produite par la brasserie locale indépendante Ottakringer, Vienne.

Gold Fassl Spezial
Spezial maltée, à la rondeur épanouie (5,6 %), produite par Ottakringer.

Gosser
Probablement la marque autrichienne la plus connue dans le monde entier. Produite par Gosser à Leoben-Goss. La gamme comprend une Gosser Gold – lager claire –, une Gosser Märzen blonde, maltée, une Gosser Spezial maltée, fruitée et une Gosser Export brun foncé, sucrée, bien ronde.

Hirter
Gamme de bières de la brasserie du même nom. La export pils blonde (5,8 %) est sans doute la plus connue mais il existe aussi une märzen (5 %), une Zwickl non filtrée (5,2 %) et une festbock lourde et forte (7 %).

Hopfenperle
Pilsner premium houblonnée (5,4 %), de la brasserie Schwechater près de Vienne. Ne doit pas être confondue avec la brasserie suisse du même nom.

Kaiser
Kaiser est la principale marque autrichienne. Outre une Kaiser draught standard, la gamme comprend une Vollbier maltée appelée Kaiser Märzen (5,2 %), une Spezial Kaiser Goldquell (5,6 %) et une pilsner plus houblonnée appelée Kaiser Premium (5,4 %), ainsi qu'une Doppelmalz brune (4,7 %) et la forte Kaiser Piccolo Bock (7,1 %). Les bières Kaiser viennent de Brau AG, le premier groupe brassicole autrichien.

Keller Bräu
Gamme de sept bières de qualité de la brasserie privée Kellerbrauerei de Ried, dont une märzen, une pils, une spezial, une dunkel et une festbock.

MacQueen's Nessie
Cette bière forte (7,5 %), au malt à whisky, ne contient pourtant pas d'alcool des Highlands, mais est brassée avec du malt à whisky écossais importé, qui donne une apparence rougeâtre, veloutée, un goût fumé et un caractère malté et biscuité, au final fumé. Spécialité de la brasserie Eggenberg.

Morchl
Lager brune maltée, non pasteurisée (5 %), produite par Hirter.

Naturtrub
Version non filtrée de Annen-Bräu, Keller Bräu.

Nussdorf Doppel Hopfen Hell
Bière sèche, houblonnée, à fermentation haute (3,8 %). Fait partie d'une gamme de la brasserie du château de Nussdorf.

Old Whisky
Bière forte, saisonnière, à fermentation haute (5,5 %), brassée avec du malt à whisky, de Nussdorf.

Ottakringer Helles
Lager spécifique, or pâle (5,1 %) au goût malté, produite par Ottakringer, brasserie locale indépendante, Vienne.

Paracelsus
Vollbier non filtrée (4,9 %), de la brasserie Stiegl, Salzbourg.

Privat Pils
Pilsner blonde, forte (5,2 %), sèche, au goût malté, brassée par Hirter.

Ratsherrn Trunk
Vollbier goûteuse (5,3 %), produite par la brasserie Bräucommune Freistadt. Médaille d'or au concours l'*International monde sélection* de Rome, en 1995.

St Thomas Bräu
Altbier sèche (4,6 %), fruitée, à fermentation haute, de la brasserie du château de Nussdorf.

Schlank & Rank

Pilsner blonde, sèche, houblonnée (4,9 %), produite à la brasserie Bürgurbräu Brau AG, Innsbruck, sous l'étiquette Adambrau.

Sigl

Lager standard en bouteille (4,9 %), de la brasserie Sigl, connue pour les curieux personnages « beer bop » de ses étiquettes.

Sir Henry's Stout

Stout original, chaleureux, chocolaté (5,2 %), première bière que produisit la brasserie Nussdorf.

Steffl

Lager premium dorée, maltée (5,4 %), de la brasserie Schwechater, près de Vienne.

Les cafés-brasseries de Vienne

Vienne possède plusieurs cafés-brasseries brassant leur propre lager, non filtrée, goûteuse, dont Salmbräu qui produit une hell, une pilsner et une bock brune maltée.

Stiegl Goldbräu

Vollbier ambrée, maltée (4,9 %), bière la plus connue de la brasserie Stiegl.

Stiftsbräu

Cette Stiftsbräu brun foncé, maltée, légèrement sucrée (3,6 %), est produite par la brasserie Gosser.

Trumer Märzen

Vollbier classique (4,8 %), produite par la brasserie Josef Sigl, Obertrum.

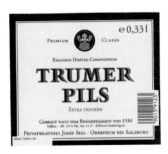

Trumer Pils

Excellente pilsner extra-dry (4,9 %), de la brasserie Josef Sigl. Traditionnellement servie dans un haut verre étroit.

Urbock 23

Bock forte (9,9 %), crémeuse, dorée, au léger parfum de chêne, à la riche saveur maltée et houblonnée, qui mûrit 9 mois à la brasserie Eggenberg.

Weihnachtsbock

Bock d'hiver or sombre, riche, maltée (7 %), de la brasserie Stiegl, Salzbourg. Freistadter en est une version brune.

Weizen Gold

Gamme de bières au froment produite par la brasserie Josef Sigl, Obertrum, dont une Weizen Gold Hefe Hell blonde – non filtrée, trouble, épicée –, une dunkel ambre foncé, maltée et une Weizen Gold Champagner maltée, pétillante (toutes à 5,5 %).

Wieselburger Stammbräu

Lager autrichienne traditionnelle or pâle, maltée (5,4 %). Son ancienneté (la brasserie Wieselburg remonte à 1770) est mise en avant par l'étiquette – montrant de vieux tonneaux – et les bouteilles traditionnelles à bouchon mécanique.

Wieselburger Spezial

Lager forte autrichienne (5,7 %), produite par la brasserie Wieselburger.

Zipfer Märzen

Märzen or pâle, houblonnée (5,2 %), au goût aigre prononcé, malté, de la brasserie Zipfer, appartenant au groupe Brau AG.

Zipfer Urtyp

Vollbier or pâle, houblonnée (5,4 %), produite par la brasserie Zipfer dans la ville du même nom.

LES BRASSEURS

Augustiner

Brasserie de Salzbourg (1621) appartenant toujours aux moines de Kloster Mullen, mais dirigée par une compagnie laïque. Le monastère possède sa propre taverne où Augustiner Bräu est servie dans de grandes chopes en pierre.

Brau AG

Le nom du principal groupe de brassage autrichien est en fait Österreichische Brau-Aktiengesellschaft (Corporation Autrichienne de Brassage). Cette grande compagnie joue un rôle important sur le marché autrichien, brassant un tiers de la bière vendue dans le pays. Basée à Linz, elle possède des brasseries à Schwechat, Wieselburg, Zipf, Hallein (Kaltenhausen) et Innsbruck (Bürgerbräu, qui produit des bières régionales). Sa principale marque est Kaiser Draught, lager pression la plus populaire d'Autriche. Vend aussi une large gamme d'autres bières sous la marque Kaiser.

Eggenberg

Petite brasserie de la ville du même nom, entre Linz et Salzbourg. Produit quelques rares « spécialité » autrichiennes, dont MacQueen's Nessie au curieux nom, brassée avec du malt whisky importé d'Écosse. Brasse aussi l'une des plus fortes bières du pays, la Urbock 23 blonde, crémeuse (9,9 %) et une lager blonde populaire, Hopfenkönig (5,3 %).

Freistadter

Brasserie indépendante basée à Freistadt depuis 1777, qui brasse selon la loi de pureté allemande. Connue surtout pour sa Vollbier Ratsherrn Trunk primée (5,2 %). Elle produit aussi une Freistadter Märzen (4,9 %), une Freistadter Spezial Dunkel brune (5,1 %), une Freistadter Pils (4,5 %) et une Freistadter Weihnachtsbock, bock d'hiver brune, robuste et goûteuse (6,6 %).

Hirter

Brasserie indépendante de Hirt, Karnten, qui date de 1270. Surtout connue pour sa Hirter Export Pils.

Hubertus

Brasserie familiale de Laa an der Thaya, près de la frontière tchèque, dirigée par la sixième génération de la famille Kuhtreiber. Parmi ses bières bien mûries, brassées selon la loi de pureté allemande, on note Hubertus Märzen, la brune Hubertus Dunkel, deux pilsners et une Hubertus Festbock forte.

Keller Bräu

La Kellerbrauerei privée de Ried, Hochfeld, remonte à 1446. Elle est dirigée par la famille Mitterbucher depuis 1926.

Nussdorfer

Le baron Henrik Bachofen von Echt établit cette brasserie en 1984, dans les caves à vin de son château de Nussdorf, à Vienne.

Ottakringer

Brasserie locale indépendante familiale, de Vienne, fondée en 1837. Produit Ottakringer Helles, une des meilleures lagers autrichiennes. Brasse aussi une spécialité Bräune, une dunkel et une bock.

Puntigamer

Basée à Graz, cette brasserie produit, outre deux bocks fortes, une gamme de bières mild douces.

Reininghaus

Brasserie de Graz. Gamme de bières fruitées.

Schlägl

Abbaye de Haute-Autriche qui brasse ses propres bières, dont une au seigle, à fermentation haute, Goldroggen (4,9 %).

Schwechater

Les grands pavillons et la cour d'honneur bordée d'arbres de la brasserie de Anton Dreher, aux abords de Vienne, reflètent son origine aristocratique. Outre une lager douce, Schwechater Bier (5,2 %), elle brasse une Schwechater Pils (5,2 %), une premium Pilsner Hopfenperle et une Schwechater Festbock (7,1 %).

Sigl

La brasserie indépendante Josef Sigl, installée à Obertrum près de Salzbourg depuis 1601, brasse probablement la meilleure pilsner d'Autriche, la délicieuse et sèche Trumer Pils. Produit aussi une gamme de bières au froment sous la marque Weizen Gold, une Sigl Bockbier (7,3 %) et une lager en bouteille (4,9 %), connue pour ses étiquettes aux personnages de bandes dessinées, dans sa « beer bop collection ».

Stiegl

Plus grande brasserie privée d'Autriche, datant de 1492. Outre Goldbräu et Pils, elle produit une spezial et une bock d'hiver. Stiegl possède aussi un musée de la bière et un *Bräu Welt* (« Monde de la Bière ») expliquant la fabrication de la bière.

Steirische Bräuindustrie

Deuxième plus grand groupe d'Autriche, basé à Graz, dont de nombreuses bières sont sous l'étiquette Gösser.

Zipfer

Brasserie de Zipf, fondée en 1858. Produit les bières les plus houblonnées du groupe Brau AG, dont une pilsner et deux bocks fortes, maltées.

Anton Dreher

Au XIXe siècle, la brasserie Anton Dreher de Vienne conçut, en collaboration avec Sedlmayr à Munich, la lager de type viennois, bière ambrée subtilement maltée, sucrée, à fermentation basse, brassée avec du « malt de Vienne ». Cette boisson, créée en 1841 (juste avant la première pilsner urquell), fut un grand succès d'exportation et Dreher établit des brasseries dans tout l'Empire autrichien – Italie, Hongrie, Mexique et Bohème –, le nouveau type populaire de lager se répandant ainsi à travers le monde. Le déclin de sa suprématie fut presque parallèle à celui de l'Empire autrichien et la compagnie viennoise de Dreher ferma dans les années 30. La lager de type viennois est toujours brassée dans certaines parties d'Amérique du Sud, de Scandinavie et d'Europe.

POLOGNE

Les Polonais aiment la bière mais, depuis de nombreuses années, les petites brasseries archaïques n'arrivent plus à répondre à la demande. En outre, la bière se trouve confrontée à un adversaire de taille, la vodka, boisson nationale.

La Pologne, qui consomme à peine 40 litres de bière par habitant et par an, offre un contraste frappant avec ses voisines allemande et tchèque. Non seulement le Polonais est plutôt un buveur d'alcool fort, tradition bien ancrée en particulier dans le centre et l'est du pays, mais les taxes sur la bière sont telles que cette dernière est plus chère que les boissons fortes. Au début du siècle, la Pologne possédait plus de 500 brasseries. Beaucoup durent fermer par manque d'investissements. À la fin des années 80, il était courant de voir afficher « *Piwa Brak* » (« pas de bière ») dans les magasins et les cafés. À part quelques grandes compagnies comme Okocim et le principal exportateur Zywiec, il ne restait que des petites brasseries (80 environ) desservant une clientèle locale. Depuis la fin de la dictature communiste, l'industrie de la bière polonaise subit cependant des changements radicaux. Les brasseries, de plus en plus privatisées, s'associent souvent avec des entreprises occidentales afin de trouver des fonds pour se moderniser. La plus grande partie de la bière est encore non pasteurisée, mais cela change rapidement avec l'introduction des techniques modernes. En 1996, sept des dix plus grandes brasseries polonaises appartenaient plus ou moins à des compagnies étrangères et Varsovie proposait de nombreuses marques à des prix élevés. Le gouvernement essaie néanmoins de garder l'industrie sous contrôle polonais, en limitant la participation étrangère.

La lager légère de type pilsner prédomine mais on trouve aussi des lagers de type export et des bières brunes, fortes, à fermentation basse, les porters, nom qui reflète l'influence historique de l'Angleterre dans la Baltique. Quand les bières anglaises cessèrent d'être exportées, sous Napoléon, les brasseurs polonais répondirent à la demande en fabriquant eux-mêmes la bière brune.

Ci-dessus – EB, l'une des rares bières polonaises à être régulièrement exportée, est très appréciée dans les pays aux communautés polonaises importantes.

LES BIÈRES

Dojlidy Porter
Porter brune, forte (9 %), exemple typique de la porter polonaise.

EB Specjal Pils
Lager mild jaune, fraîche (5,4 %), filtrée trois fois, de la brasserie Elblag. L'eau qui sert au brassage est tirée de puits de la brasserie.

Eurospecjal
Lager blonde, forte et bien charpentée (7,5 %), brassée par Zywiec, Cracovie.

Gdanskie
L'une des principales lagers (5,6 %) de la brasserie Hevelius, située dans la ville de Gdansk.

Grodzisk
Bière rare à fermentation haute, brassée depuis le XIVe siècle à Grodzisk Wielkopolski, près de Poznan. Elle comporte une haute proportion de froment fumé et subit une fermentation spontanée avant d'être mûrie en bouteille. Cela donne une ale blonde trouble, acide, d'une fraîcheur aigrelette, au lourd parfum fumé. Existe en plusieurs forces, la plus légère étant de 5 %.

Herbowe
Lager de type pilsner, or soutenu (5,6 %), de la brasserie Dojlidy.

Hevelius
Lager super premium goûteuse (6,1 %), brassée par la firme du même nom, à Gdansk.

Kaper
Lager spéciale, or foncé, extra-forte, maltée (8,1 %), brassée à Gdansk par la compagnie Hevelius.

Karmelowe
Bière brune, de basse densité (3,5 %), d'Okocim.

Krakus
Lager maltée, douce (5,4 %), de la brasserie Zywiec, portant le nom de la cité de Cracovie.

Krolewskie
Brassée par la brasserie locale Warszawski, Varsovie. Avant la fin du règne communiste, cette lager bien ronde (5,6 %) était à peu près la seule offerte dans les magasins de la capitale.

Lech Pils
Pilsner jaune d'or, maltée, houblonnée (5,3 %), de la brasserie Lech.

Lech Porter
Bière brune, forte (7,4 %), couleur cerise, de la brasserie Lech.

Lech Premium
Lager blonde, forte (5,4 %), maltée, l'une des principales marques de Lech.

Magnat
Lager blonde forte (7,4 %), bien ronde, de la brasserie Dojlidy.

OK Jasne Pelne
Lager jaune d'or, maltée, de Okocim, au final fort et houblonné. Brassée en différentes forces.

Okocim Porter
Porter brune, forte (9 %), à fermentation basse, d'Okocim.

Warszawski Porter
Porter sombre, riche, à fermentation basse (9 %), de la brasserie de Varsovie.

Zywiec Full Light
Lager blonde, fruitée, houblonnée (5,6 %), de la célèbre brasserie polonaise Zywiec, brassée avec l'eau des montagnes Skrzyczne.

Zywiec Porter
Bière couleur acajou, riche (9,2 %), de Zywiec, au goût de café grillé et de cassis.

LES BRASSEURS

Dojlidy

À Bialystok depuis 1891, cette compagnie locale est l'exemple type des nombreuses petites brasseries polonaises. Produisait moins de 200 000 litres en 1992, avant d'être privatisée. Outre ses principales lagers, Zlote et Herbowe, elle brasse Gotyckie, Magnat et Dojlidy Porter.

Hevelius

Fondée à Gdansk en 1871, sous le nom Danziger Aktien Bierbrauerai-Kleinhammer, elle fut nationalisée après la Seconde Guerre mondiale, et devint Gdanskie Zaklady Piworwarskie. Modernisée en 1991 et rebaptisée Hevelius, du nom de l'astronome polonais.

En 1996, le brasseur allemand Binding acheta 49 % des parts.

Ci-dessus – Place du marché de la vieille ville de Varsovie, avec ses cafés en plein air et une voiture à cheval pour touristes.

Elbrewery

Aujourd'hui la plus grande entreprise brassicole de Pologne, contrôlant près d'un cinquième du marché de la bière, Elbrewery fut fondée en 1872, sous le nom Brauerei Englisch Brunnen Elbing, dans la ville de Elbing, au nord du pays. Son appellation d'origine révèle l'influence des marchands anglais sur le commerce de la bière en Baltique.

La compagnie, qui possède aussi une seconde brasserie moderne à Braniewo, ne démarra vraiment qu'avec la participation de la compagnie australienne Brewpole, en 1991, suivie par les investissements de la société hollandaise Grolsch, en 1995. Sa bière phare est la blonde Pils EB Specjal.

Lech

Fondée en 1951 à Poznan, Lech a aussi une seconde brasserie à Ostrow Wielkopolski et de grandes malteries, ce qui en fait le cinquième plus grand brasseur du pays. Après sa privatisation en 1993, la firme appartient aujourd'hui à l'investisseur polonais EAC, 15 % des parts étant détenues par South African Breweries. Surtout connue pour sa spéciale rouge cerise Lech Porter, et ses lagers blondes, Lech Pils et Lech Premium.

Okocim

Fondée en 1845 par un Autrichien, Jan Gotz. La plus connue des sociétés brassicoles polonaises après Zywiec, avec des brasseries à Okocim, Cracovie et Jedrezejow. Depuis sa privatisation en 1992, où le géant allemand Bräu und Brunnen prit un quart des parts, Okocim s'est associée avec le brasseur danois Carlsberg. Sa lager OK Jasne Pelne existe en plusieurs forces. Les bières brunes comprennent une Karmelowe de basse densité et une Okocim Porter vigoureuse.

Warszawski

Fondée en 1846, c'est la première brasserie de Varsovie. Outre des lagers standards Krolewskie (5,6 %) et Stoteczne (5,4 %), elle brasse Warszawski Porter. Le sphinx sur les étiquettes rappelle les origines égyptiennes de la bière.

Zywiec

La plus célèbre brasserie de Pologne a une origine aristocratique. Fondée en 1856 à Zywiec près de Cracovie, par l'archiduc Charles Olbracht d'Habsbourg, elle adopta une couronne pour emblème. Elle appartint aux Habsbourg jusqu'à la Seconde Guerre. Sous contrôle étatique, elle devint ensuite le principal exportateur de bière de Pologne. Après sa privatisation en 1991, l'usine de Zywiec fut totalement modernisée. La société possède aussi des petites brasseries à Cieszyn et Bielsko. En 1994, Heineken acheta 25 % des parts. Sa principale bière est Zywiec Full Light. Elle brasse aussi Krakus, plus douce, et Eurospecjal, plus charpentée, ainsi que des porters polonaises typiques.

EUROPE DE L'EST

*Hongrie, Bulgarie, Roumanie, Lettonie, Lituanie et Estonie ont aujourd'hui
secoué le joug communiste et les industries nationalisées qui, pendant longtemps,
ont dû lutté pour répondre à la demande pourtant modeste de la région,
sont maintenant ouvertes aux investissements venus de l'Ouest.*

Les anciens pays communistes d'Europe de l'Est consomment assez peu de bière, en partie parce que les alcools forts sont plus traditionnels mais aussi à cause du nombre insuffisant de brasseries et de la pénurie de matières premières.

Hongrie, Bulgarie et Roumanie, connues pour leur vin, apprécient également les lagers légères. Les Hongrois boivent 80 litres de bière par personne et par an. Depuis la chute du communisme, les compagnies étrangères s'intéressent de près à la région dont de nombreux pays ont accueilli à bras ouverts leurs investissements. L'industrie de la bière hongroise est aujourd'hui presque entièrement entre les mains de l'étranger.

En Bulgarie, 13 brasseries s'efforçaient avec difficulté de répondre à la demande, mais les capitaux étrangers affluèrent et, en 1996, les compagnies occidentales détenaient des actions dans plus du tiers de l'industrie. La Roumanie a également bénéficié de cette manne et, en 1996, South African Breweries se tailla la part du lion dans le marché roumain. En 1991, un holding de brasseurs scandinaves, Baltic Beverages Holding (BBH), devint un important actionnaire des principales brasseries des trois petits états baltes, Estonie, Lettonie, et Lituanie. Ces brasseries furent depuis entièrement modernisées, avec une production de bières de type pilsner plus internationales que traditionnelles.

Au début du XXe siècle en Russie et en Ukraine, 1 000 brasseries artisanales produisaient des bières de types allemand, tchèque et même anglais. L'industrie de la bière démantelée par la révolution et les deux guerres, mit un certain temps à se relever. Frappée de plein fouet par la campagne contre l'alcool lancée par Gorbatchev, elle dut fermer des brasseries et produire des boissons non alcoolisées. Le désastre nucléaire de Tchernobyl toucha alors les régions productrices d'orge. Malgré la pénurie de bière, l'ancienne URSS refusait les capitaux étrangers et, en 1995, seuls 6 % de la production étaient contrôlés par l'étranger. Actuellement les importations augmentent, surtout en République tchèque, et représentent 10 % du marché.

*Ci-dessus – Une des lagers
à goût de levure, brassée par
Aldaris, le plus grand brasseur
de Lettonie. La brasserie
fut modernisée en 1991
par le groupe BBH.*

LES BIÈRES

Aldaris
Gamme de lagers sucrées,
au goût levuré, de la plus
grande brasserie de Lettonie,
qui comprend Aldaris
Pilznes, légère (4 %),
Baltijas, houblonnée, Zelta
(5 %), veloutée et Jubilejas
et Latvijas plus fortes
(toutes deux à 6 %).

Amber Pilsner
Pilsner légère (4,5 %),
sèche, non pasteurisée,
seigle et sucre étant ajoutés
au malt d'orge. Produite
par la brasserie Amer,
Nikolayev, Ukraine.

Astika Lager
Lager blonde mild, fraîche et
douce (4,5 %), très répandue
en Bulgarie. Produite par la
brasserie la plus connue du
pays, Astika de Jaskovo.

Bak
Bak de Köbanyai est
la version hongroise de
la bock allemande. Bière
brune forte (7,5 %) et sucrée.

Baltijas
Lager houblonnée, au goût
levuré (4,5 %) produite
par la brasserie Aldaris,
en Lettonie.

Bergenbier
Lager roumaine blonde
standard, populaire, à la
jolie étiquette montrant une
montagne couronnée de
neige. Une Bergenbier Bruna
ambré foncé fait aussi partie
de la gamme de Bergen.

Birziecie
Lager brune forte
(6,1 %), maltée, brassée
par Ragutu, Lituanie.

Burgasko Lager
Lager légère de la brasserie
Burgasko, Burgas, sur la côte
bulgare de la mer Morte.

Dreher
Pionnier autrichien des
bières viennoises rouges,
Anton Dreher acheta
en 1862 la principale
brasserie de Budapest,
Köbanyai Serhaz.
Ayant disparu en 1948,
sous la dictature
communiste, le nom
de Dreher réapparut
40 ans plus tard, avec
la gamme premium de
Köbanyai, qui comprend
une pilsner sèche, fraîche
et houblonnée (5 %),
une export blonde et bien
charpentée, et une bock de
type bavarois appelée Bak.

Dvaro
Lager premium (5,2 %),
de Kalnapilis, Lituanie.

Ekstra
Comme Dvaro, c'est une
lager premium (5,2 %)
produite par la brasserie
Kalnapilis, Lituanie.

Gocseji Barna
Lager assez sombre
qui ressemble à une dunkel
allemande, produite par
la brasserie Kanizsai,
Hongrie occidentale.

Kamenitza Lager
Kamenitza est une marque
régionale de lager produite
par la brasserie Kamenitza
de Plovdiv, Bulgarie.

Kanizsai Korona
Lager maltée de type export,
brassée par la brasserie
Kanizsai, Hongrie.

Lauku Tumsais
Bière trouble, ambrée
(6 %), au goût malté
et chaleureux. Produite
par la brasserie Lacplesis,
Lielvarde, Lettonie.

Moskovskoye
Lager fruitée, marque
principale de la
brasserie Moscow.

Nikolaevskyi
Bière ambrée (5 %),
houblonnée et épicée,
brassée dans le sud de
l'Ukraine, avec de l'orge,
du seigle et du sucre, par
la brasserie Amber que les
Tchèques fondèrent en 1973.

Palmse
Lager brune, maltée
brassée par Viru, Estonie.

Porteris
Bière rouge foncé (7,4 %),
à la riche texture de liqueur,
de Aldaris, seule porter
brassée en Lettonie.

Reval
Lager blonde tout malt,
houblonnée, de la
brasserie Saku, Estonie.

Ruutli Olu
Bock riche, sombre, épicée
(7,5 %), mûrie pendant
70 jours, de la brasserie
estonienne Tartu. Bière
brune faite pour les climats
froids et créée en 1995
par la brasserie, c'est la plus
forte brassée en Estonie.

*Ci-dessous – Buvette de bière
en été, à Riga, Lettonie.*

Ci-dessus et à gauche –
Lagers de type pilsner, typiques
de la brasserie estonienne
Saku, fondée en 1820.

LES BRASSEURS

Aldaris

Plus grande brasserie de
Lettonie, à Riga depuis 1865.
Contrôle plus de la moitié
du marché de la bière
du pays et appartient à Baltic
Beverages Holdings (BBH)
depuis 1992. Outre une
gamme de lagers sucrées,
au goût de levure, BBH créa
en 1995 une pilsner au goût
plus net, Aldara Luksusa.

Amber

À l'instar de nombreuses
brasseries de l'ancienne
Union soviétique, la société
tchèque Amber est assez
récente. Bâtie en 1973
à Nikolayev, en Ukraine,
elle produit deux principales
bières, Amber Pilsner et
Nikolaevskyi ambrée, épicée.
Si le houblon est cultivé
autour de Zhitomir, le malt
d'orge est rare, ce qui
implique un apport de seigle
et de sucre. La pénurie
de malt foncé entre autres
limite la production de
bières brunes. Les bières, en
bouteille et non pasteurisées,
ne se gardent que sept jours.

Baltika

Les travaux de cette
brasserie de Saint-Pétersbourg
ne commencèrent qu'en
1990 et n'étaient pas encore
achevés en 1993, lorsque
l'usine fut reprise par
Baltic Beverages Holding
(brasseurs scandinaves
Pripps de Suède et Harwall
de Finlande). Baltika s'est
rapidement développé depuis
pour devenir l'un des plus
grands brasseurs de Russie,
avec 120 millions de litres
en 1995, surtout autour
de Saint-Pétersbourg où
elle contrôle les deux tiers
du marché. Gamme

de lagers légères, dont
Parnas premium et Baltika
Export à la pression.

Bergenbier

La brasserie roumaine
Bergenbier appartient
au géant belge Interbrew
qui, en 1995, a construit une
nouvelle brasserie à Blaj.

Borsodi

Borsodi de Bocs,
appartenant à Interbrew
depuis 1991 et deuxième
plus grande brasserie
de Hongrie, contrôle
un quart du marché.
Borsodi Vilagos et Kakoczi
sont ses principales
lagers locales.

Saku Originaal

Originaal est la lager
premium pur malt, veloutée,
de Saku, Estonie.

Saku Pilsner

Pilsner pur malt blonde
et fraîche, principale bière
de Saku, Estonie.

Siraly («Mouette»)

Siraly est une lager
maltée légère, brassée
par Kanizsai, Hongrie.

Sirvenos

Principale lager (4,2 %)
du brasseur lituanien
Ragutus, qui ajoute des pois
de la région à la maische,
pour favoriser la tenue
de la mousse et donner
plus de corps à la bière.

Talleros

Lager locale brassée par
Komaromi (appartenant
à Heineken), Hongrie.

Tartu Olu

Riche lager (6 %),
l'une des bières brassées
par Tartu, Estonie.

Tume

Lager rougeâtre, maltée,
brassée par Saku, Estonie.

Zagorka Lager

Lager blonde, légère,
produite par la brasserie
Zagorka, Bulgarie.

Zhigulevskoe (Ziguli)

L'une des principales
marques de lager soviétiques
qui, sous les Communistes,
était brassée dans toute
l'URSS, de Moscou
à l'Extrême-Orient.
Une version premium
(4,4 %), avec du riz ajouté
à l'orge, est produite
par la brasserie Obolon,
Kiev. Cette lager est parfois
exportée vers l'Ouest.

Une bière fermière

Les États baltes conservent la tradition du brassage
à la ferme, de bières de seigle et de genévrier ressemblant
au sahti finlandais nordique, ainsi que d'autres bières
rurales rafraîchissantes. Ils produisent également, de façon
commerciale, une variété de lagers dont certaines
sont brassées avec des ingrédients inhabituels comme
les pois, ainsi que des porters plus fortes.
La kvass est une bière rurale spécifique, au seigle,
peu alcoolisée et nourrissante, parfois sucrée avec
du jus des fruits de la région telles les myrtilles, brassée
commercialement par quelques brasseries.

Burgasko

Brasserie bulgare reprise
en 1995 par le géant
belge Interbrew.

Kalnapilis

Cette grande brasserie
de Panevezys, Lituanie,
fondée en 1902 et possédant
sa propre malterie, a été
reprise en 1994 par le
holding scandinave BBH.
La brasserie a lancé depuis
une nouvelle gamme de
lagers de style international,
dominée par la premium
Dvaro et la marque Ekstra.

Kamenitza

Interbrew commença à
s'implanter dans le marché
bulgare en reprenant cette
brasserie, début 1995.

Kanizsai

La brasserie Kanizsai
de Nagykanizsa, dans
l'ouest de la Hongrie,
remonte à 1892. Le géant
allemand Holsten de
Hambourg a des actions
dans la brasserie depuis
1984. Surtout connue
pour sa Siraly («Mouette»)
légère et sa Korona
(«Couronne») maltée,
elle produit aussi
une lager brune appelée
Gocseji Barna.

Köbanyai

Ouverte en 1855, cette usine
fut rachetée en 1862 par le
brasseur autrichien Anton
Dreher dont le fils fit de
la Köbanyai la plus grande
brasserie de Hongrie. Après
avoir fusionné avec ses
principaux concurrents
Reszveny et Haggenmacher
en 1933, et Fovarosi en 1934,
Dreher contrôlait les
trois-quarts du marché. La
nationalisation, en 1948, fit
disparaître le nom de Dreher
qui réapparut 40 ans plus
tard, après la privatisation.
Les South African Breweries
en prirent le contrôle en
1993. Les bières Dreher
sont basées sur de vieilles
recettes, avec une proportion
élevée de malt. La brasserie
produit encore des lagers
de l'époque communiste.

Komaromi

Heineken acheta en 1991
cette brasserie moderne
de Komarom, afin d'y
brasser Amstel pour le
marché hongrois. Elle
continue cependant à
produire plusieurs lagers
locales, comme Talleros.

Lacplesis

Petite brasserie rurale
de Lielvarde, Lettonie,
située dans une ancienne
ferme collective où
elle cultive ses céréales.

Magadan

Située à l'est de la ville
stalinienne de Magadan
sur la mer d'Okhotsk,
cette brasserie produit
toujours les quatre marques
standards autrefois très
répandues dans toute
l'Union soviétique,
Zhigulevskoe (Ziguli),
Moscovskoe (Moscovite),
Russkoe (Russe) et
Ukrainskoe (Ukrainienne)
qui se ressemblent toutes,
lagers pâles dont la recette
varie selon les matières
premières disponibles.
Leur principale différence
réside dans le temps de
maturation, 21 jours pour
Ziguli et le double pour
Moscovite, ce qui lui donne
un goût plus sec et plus
acide apprécié des amateurs
russes. Toutes sont brassées
avec du sucre pour pallier
la pénurie de malt. Magadan
produit aussi plusieurs
marques commerciales
de kvass, bière rurale de
seigle, trouble, sans houblon,
spécifique à la Russie,
dont l'une est parfumée
au citron. En été, cette bière
rafraîchissante est vendue
dans la rue, non filtrée,
prélevée directement
dans les tonneaux.

*Ci-dessus – Il est agréable en été de déguster une bière
rafraîchissante, à la terrasse ombragée de ce café de Budapest.*

Moscow

La Brasserie de la Ville de Moscou, qui brasse depuis 1863 à côté de la maison de Tolstoï, était autrefois la principale usine d'Union soviétique. Sa lager phare est la Moskovskoye (4,6 %). Elle exporte une August pur malt (4,5 %), du nom du mois qui vit le coup d'État avorté des conservateurs et la montée de Boris Eltsine.

Proberco

Brasserie de Baia Mare, en Roumanie, appartenant à Interbrew.

Ragutus

À l'instar d'autres brasseries lituaniennes, Ragutus, de Kaunas, ajoute des pois à la maische de sa principale lager, Sirvenos, pour favoriser la tenue de la mousse. Brasse aussi une Birziecie brune, maltée.

Saku

Principale brasserie d'Estonie, fondée en 1820 près de la capitale Tallinn. Reprise par BBH en 1991. Une nouvelle brasserie vit

Ci-dessus – Cuves en cuivre luisant de la brasserie moderne Saku, Estonie.

le jour en 1992 et Saku contrôle aujourd'hui plus de la moitié du marché estonien. Ses principales lagers pur malt sont Saku Pilsner, Reval houblonnée, la premium Saku Originaal et Tume, rougeâtre et maltée. Saku brasse aussi à Noël une porter semblable à du café.

Tartu

Brasserie et imposante malterie à tourelles, de Tartu, en Estonie, fondée en 1826. Autrefois célèbre pour son Imperial Extra Double Stout, vendu à la cour de Russie, lorsque la compagnie appartenait au marchand belge Le Coq, qui exportait le stout pour Barclay Perkins de Londres. Gamme de lagers, dont une Pilsner, Rae, une Alexander bien ronde

de type export et la riche Tartu Olu, ainsi qu'une bock brune, Ruutli Olu.

Viru

Bâtie en 1975, dans une ancienne ferme collective d'Estonie. Appartient aujourd'hui au grand brasseur danois Harboe.

Zagorka

Heineken contrôle en grande partie cette brasserie de Stara Zagora, Bulgarie.

Un marché fragmenté

Il existe au total 250 brasseries en Russie et en Ukraine. Elles produisent essentiellement des lagers légères contenant des additifs, comme le blé et le riz, et mûries pendant un peu plus de 2 ou 3 semaines. Les brasseries répondent avant tout aux besoins du marché local, même si certaines marques, comme Zigli, sont plus répandues.

Ci-dessus – Brasserie russe moderne, construite grâce aux investissements autrichiens.

RÉPUBLIQUE TCHÈQUE ET SLOVAQUIE

Les Tchèques, à la longue tradition de brassage, sont les plus gros buveurs de bière du monde. Ils furent parmi les premiers à adopter le houblon et leur lager blonde est devenue le type de bière le plus populaire du monde entier.

Depuis que l'ancienne Tchécoslovaquie s'est scindée en Slovaquie, amateur de vin, et République tchèque, préférant la bière, les Tchèques, selon les statistiques officielles, boivent aujourd'hui plus de bière par habitant que tout autre pays. La bière tchèque prit son essor en 1842, quand la brasserie de Plzen créa la première lager blonde. La ville, Pilsen en allemand, donna son nom à la pilsner ou pils, bière pâle de fermentation basse, parfumée et houblonnée, qui devint le type de bière le plus populaire.

En 1938, il y avait encore plus de 300 brasseries en Tchécoslovaquie; 60 ans plus tard, l'industrie de la bière se trouva à un tournant. Pendant la longue domination communiste, l'industrie nationalisée connut peu de changement. Ironiquement, l'absence d'investissement dans les technologies modernes permit de préserver les méthodes traditionnelles. Depuis la révolution de velours de 1989, la tendance est à la modernisation, les méthodes traditionnelles éprouvées laissant souvent place à des usines flambant neuf. Des cuves coniques en acier inoxydable, par exemple, ont remplacé les tonneaux de garde en bois des caves de Plzen. Caractère et qualité déclinent. Il existe encore 70 brasseries et quelques pubs-brasseries en République tchèque, mais les grands groupes se développent et les petites usines ferment. La plupart des bières tchèques se répartissent entre pilsners de différentes forces, mesurées à l'ancienne en degrés – 8 pour une bière légère, 10 une bière courante et 12 une premium. Avant 1989, la bière de degré 12 était la plus populaire mais les prix ayant monté, les buveurs se sont rabattus sur les bières de 10 degrés.

Ci-dessus – Budweiser Budvar est un exemple classique et mondialement connu du type lager tchèque pur malt.

LES BIÈRES

Alt Brunner Gold

Pilsner 12 premium,
maltée (5,1 %), brassée
par Starobrno.

Bernard Granat

Bière brune bien charpentée,
11 degrés (4,9 %), brassée
avec deux types de malt,
par la brasserie familiale
Bernard fondée en 1597
à Humpolec, qui produit
aussi une bière blonde sèche
12 (5,1 %). La brasserie
est l'un des leaders du
mouvement réclamant une
réduction des taxes pour
les petites compagnies.

Bohemia Regent

Bière 12 (4,9 %), populaire,
fruitée, produite par
la brasserie Regent.

Budweiser Budvar

La plus célèbre des lagers
tchèques et peut-être
l'exemple parfait de
ce type de bière. La Budvar
pur malt (5 %) possède
toujours sa douceur fruitée
et son arôme entêtant.
La brasserie Budweiser,
fondée en 1895 à Ceske
Budejovice utilise l'eau
d'un lac souterrain.
Très vite elle exporta,
surtout en Allemagne
et aux États-Unis (où
sa bière s'appelle Crystal).
Depuis 1989, la production
annuelle est passée de
450 000 à 900 000 hectolitres.

Black Regent

Bière brune rouge rubis,
bien ronde (4 %), au goût
de café et de malt foncé,
produite par la brasserie
historique Regent.

LA BATAILLE AUTOUR D'UN NOM

La renommée de Budweiser Budvar est telle que de
nombreux brasseurs parmi les plus grands lui ont proposé
des fusions ou autres associations mais aucun n'est aussi
persévérant que l'américain Anheuser-Busch, qui vend
sa bière phare sous le nom Budweiser. Au siècle dernier,
les deux entreprises se sont fréquemment affrontées
en justice pour le droit au titre. Le brasseur américain dit
avoir lancé sa Bud 20 ans avant la fondation de Budvar,
affirmation contestée par les Tchèques qui avancent
l'existence de la brasserie Samson à Budweis depuis
1795. En outre, toute brasserie de Budweis devrait pouvoir
commercialiser sa bière sous le nom Budweise,
puisque celui-ci signifie « de Budweis ». Budweiser
Budvar cependant ne peut vendre
sa bière sous son propre nom
aux États-Unis (où
elle s'appelle Crystal)
et Anheuser-
Busch doit
commercialiser
sa bière phare
sous le nom
de Bud dans
des pays comme
l'Espagne où
la compagnie tchèque
a été la première
à déposer le nom
Budweiser. La situation a empiré depuis la « révolution
de velours », les précédentes autorités communistes
ne s'intéressant guère aux exportations. Le géant américain
aimerait bien mettre fin à ce contentieux en reprenant
la brasserie tchèque mais le gouvernement tchèque, à qui
elle appartient, reste circonspect, ne voulant pas être accusé
de vendre le joyau de l'industrie brassicole de son pays.

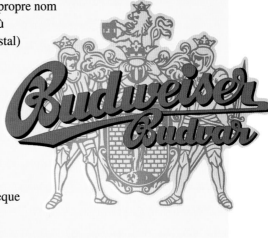

Les tanks de garde
horizontaux traditionnels
sont toujours utilisés
et la bière export y mûrit
pendant plus de 60 jours.
Cette bière export
représente 60 % des
ventes à l'exportation.
De nouvelles cuves de
fermentation coniques
permettent de produire
une version moins alcoolisée
de 10 degrés (4 %),
à étiquette bleue, pour
le marché intérieur.

Cassovar

Lager brune rubis foncé,
riche (5,5 %) à la saveur
veloutée de cacao et de
crème, brassée à Kosice,
Slovaquie.

Cernohorsky Granat

Bière brune maltée (3,5 %),
brassée en Moravie
par Cerna Hora.

Cernohorsky Lezak

Pilsner blonde de qualité
(3,5 %), de Cera Hora.

Chmelar
Bière houblonnée, pâle mais assez forte (4,2 %), brassée par la petite brasserie Zatec. Chmelar signifie cueilleur de houblon.

Crystal
Budweiser Budvar et Samson utilisent ce nom pour leurs bières premium vendues aux États-Unis.

Drak (dragon)
Rare et riche bière brune de Noël de 14 degrés (5,7 %) de la brasserie Starobrno.

Dudak
Pale-ale 12 premium bien ronde (5 %), de la brasserie bohémienne Stakonice.

Eggenberg
Nom d'une gamme de bières brassées à Cesky Crumlov, Bohème, qui comprend une blonde et une brune de 10 degrés (4 %), et une 12 bien ronde (5 %). La brasserie, fondée en 1560, est dans un ancien arsenal.

Gambrinus
Meilleure vente des bières tchèques, de la brasserie du même nom à Plzen. Bien que réservée au marché intérieur, Gambrinus produit plus de 1,5 million d'hectolitres par an d'une bière de 10 degrés (4,1 %), blonde, aromatique, au caractère bien houblonné.

Une petite quantité de Gambrinus 12, plus forte (5,1 %), est surtout brassée pour l'exportation.

Granat
Nom populaire d'une bière brune brassée par plusieurs brasseurs dont Olomouc, Cerna, Hora et Hostan.

Herold Dark
Bière noir d'encre de 13 degrés (5,2 %), très goûteuse, de la brasserie Herold à Breznice, qui brasse aussi une bière blonde de 10 degrés (3,8 %) et une forte 12 (4,8 %).

Holan 10
Lager blonde, non filtrée, houblonnée (3,5 %), brassée par Olomuc pour le marché local.

Karamelové
Lager brune de 10 degrés (3,8 %), maltée, de la brasserie Starobrno de Brno.

Karel IV
Lager blonde dorée, fruitée, au goût malté, 11 degrés (4 %), de la brasserie Karlovy Vary, de la célèbre ville d'eaux bohémienne

plus connue sous le nom de Carlsbad. La bière porte le nom du roi qui fonda la cité.

Konik
Pilsner or pâle, houblonnée (3,8 %), meilleure vente de la brasserie Ostravar.

Kozel
Gamme de bières de la brasserie Velke Popovice près de Prague, Kozel signifie chèvre. Ses bières très populaires comprennent une Kozel 10 (4,3 %) – or pâle, houblonnée, au goût fruité, sucré et malté –, une 12 (5 %) – or soutenu, houblonnée – et une brune 10 très foncée (4,3 %), au riche goût malté.

Krusovice
Bières comprenant une brune 10 maltée (3,7 %), au goût très amer, et une blonde 12 (5,1 %) rafraîchissante, à la saveur de malt sucré, aromatique et houblonnée.

Lobkowicz
Pale ale 12 houblonnée (5 %) de cette brasserie familiale, exportée sous le nom de Lobkov. Sont brassées occasionnellement une brune 12 maltée (4,6 %), une pale-ale 10 moins forte et une 14 (5,5 %).

Lucan
Bière blonde houblonnée (3,6 %), brassée par la petite brasserie Zatec.

Martin Porter
Porter douce-amère richement rôtie (8 %), la plus forte bière brassée en Slovaquie. Produite dans la ville de Martin par la brasserie du même nom.

Martinsky Lager
Lager ambrée, maltée, de la petite brasserie Martin, Slovaquie.

Mestan Dak
Bière primée ambre foncé, maltée (4,6 %), de la brasserie Mestan, Holesovice, dans les faubourgs de Prague.

Nectar
Gamme de trois bières fruitées (10, 11 et une brune 10), de la brasserie Strakonice, Bohème.

Novomestsky
Blonde 11 (4 %), fruitée, non filtrée, d'un pub-brasserie délabré de Prague, établi en 1993 dans une galerie marchande.

Ondras
Pilsner blonde premium, houblonnée (5 %), produite par la brasserie Ostravar.

Osma
Pilsner 8 pâle, peu alcoolisée (3,2 %), brassée par Starobrno.

Pilsner Urquell

Pilsner phare d'origine de l'industrie de la bière tchèque. Sa création à Plzen, en 1842, lança pour la première fois la lager blonde dans le monde. Pilsner Urquell (4,4 %) est toujours une bière de qualité, avec son délicat arôme houblonné et son net goût fruité. Urquell signifie source authentique.

Pivo Herold Hefe-Weizen

Bière au froment de fermentation haute, épicée, fruitée (5,2 %), brassée selon le type bavarois par la brasserie Herold. Ce type, disparu en République tchèque, a été repris par cette brasserie de Breznice.

Platan

Trois bières blondes sont produites sous ce nom – 10 (3,9 %), 11 (4,4 %) et 12 (5 %) –, outre une bière brune (3,6 %). Toutes sont pasteurisées.

Ponik

La moins forte (3 %) des pilsners blondes, houblonnées de la brasserie Ostravar, Moravie.

Pragovar

Lager blonde premium, houblonnée (4,9 %), de la brasserie Mestant, Prague.

Primator

Gamme de bières sèches spécifiques brassées par la brasserie Nachod, Bohème, appartenant à la ville de Nachod. Les bières Primator comprennent une blonde 10 et 12 et une brune chocolatée 12 (5,1 %).

Primus

Bière or pâle, à prix bas (3,8 %), de Gambrinus.

Prior

Bière au froment non filtrée, levurée (5 %), créée par Pilsner Urquell en 1995.

Purkmistr

L'une des meilleures lagers brunes tchèques (4,8 %), du groupe Pilsner Urquell. Goût de chocolat amer équilibrant la douceur sucrée du malt. Brassée à Domazlice.

Radegast

Gamme de bières de la brasserie Radegast qui comprend une blonde pâle populaire 10 (3,8 %), au goût sec et houblonné. La 12 (5,1 %), vendue sous le nom Premium Light, a une couleur dorée et un goût sec de houblon et de malt. La brune Premium Dark (3,6 %) a une saveur légère de malt.

Rezak

Lager mi-blonde mi-brune (4,1 %), produite pour répondre aux exigences des buveurs qui mélangent souvent leurs lagers brune et blonde. Brassée par Starobrno.

Samson

Gamme de bières blondes, sèches et acides, de la brasserie du même nom. La 10 (4 %), or brillant, a un goût houblonné net et acide. La 11 (4,6 %) est une bière or fauve, au goût houblonné sucré, crémeux. Une version plus houblonnée de la 11 s'appelle Zamec en Angleterre et la 12 (5 %), sucrée et goûteuse, se vend sous le nom Crystal aux États-Unis.

Starobrno 10

Bière 10 (4,3 %) or soutenu, houblonnée, au goût riche et vigoureux, boisson populaire de la gamme de la brasserie Starobrno.

Staropramen 10

Outre une blonde 10 fraîche et houblonnée (4,2 %), cette grande brasserie de Prague produit une 12 bien ronde (5 %) et une brune moelleuse (4,6 %). La qualité des bières est due aux méthodes traditionnelles employées par la brasserie.

Tas

Pilsner blonde légère (2,8 %), goûteuse, de Cerna Hora, Moravie.

Tatran

Gamme de lagers de la brasserie Vega, Poprad, dans les montagnes Tatran, Slovaquie, dont une Tatran export (8 %) et une plus légère (4,1 %), Kamzik.

Urpin Pils

Pilsner or soutenu, houblonnée, au léger goût malté, de Urpin, Slovaquie.

Vaclav 12

Lager blonde, houblonnée (5,6 %), de Olomouc.

Velke Popovice

Voir Kozel.

Vranik

Brune 10 (3,8 %) délicate, maltée, sèche, d'Ostravar.

Zamek

Nom d'exportation de Samson 11.

Zatecka Desitka

Bière blonde, houblonnée (3,1 %), de Zatec.

Zlaty Bazant

Pilsner dorée, ferme, sèche (4,4 %), au goût malté, sucré, crémeux. L'une des lagers les plus populaires de la brasserie slovaque Zlaty Bazant.

LES BRASSEURS

Bernard
Brasserie familiale de Humpolec fondée en 1597, sur la grande route reliant Prague et Brno.

Branik
Créée en 1900 par un groupe d'aubergistes, Branik fait partie de Prague Breweries appartenant à Bass, et dirigé par Staropramen. Malheureusement, une grande partie du matériel traditionnel a été remplacé en 1992 par des cuves de fermentations coniques et une usine de pasteurisation, avant la reprise par Bass. Autrefois célèbre pour sa lager brune de 14 degrés, elle brasse aujourd'hui une blonde 10 et 12 sucrée et une brune 10.

Budweiser Budvar
La brasserie Budweiser, célèbre dans le monde entier, fondée en 1895 dans la ville de Ceské Budejovice, prend son eau dans un lac souterrain. Très vite elle exporta en grande quantité, surtout en Allemagne et aux États-Unis. Depuis 1989, la production annuelle est passée de 450 000 à 900 000 hectolitres.

Cerna Hora
La petite brasserie rurale de Cerna Hora au nord de Brno, en Moravie, bâtie en 1896, produit une gamme de pilsners légères mais goûteuses.

Chodovar
Petite brasserie à la longue histoire, fondée en 1573, située près de la Bavière, à Chodova Plana. Brasse trois blondes et une brune 10 degrés, au goût de noix.

Gambrinus
Brasserie de Plzen autrefois réservée à la production intérieure mais qui brasse aujourd'hui plus de 1,5 million d'hectolitres par an de la meilleure vente de bière tchèque, une lager blonde 10 degrés. Membre du groupe Pilsner Urquell.

Le houblon tchèque

La République tchèque cultive le houblon depuis le IXᵉ siècle, ce qui en fait l'un des plus anciens producteurs du monde. La région s'étendant autour de la ville de Zatec, plus connue sous son nom allemand de Saaz, devint renommée pour la qualité de son houblon. Pour essayer de protéger cette manne qui valait son pesant d'or, le roi de Bohème Vaclav IV interdit même aux cultivateurs, sous peine de mort, de vendre des boutures à l'étranger.

Pendant une grande partie du XIXᵉ siècle, le houblon de Bohème régna sur le monde, dictant qualité, normes et prix. La ville de Zatec était au cœur du marché et ne perdit sa position dominante qu'après la Première Guerre mondiale et la chute de l'Empire austro-hongrois.

De nos jours, des brasseurs tel Anheuser-Busch des États-Unis, continuent à importer de grosses quantités de houblon tchèque. Sa qualité est si appréciée que la plus grande partie de la récolte alimente l'étranger.

Herold
Ancienne brasserie de Breznice, au sud de Prague, ressuscitée de l'oubli et se développant rapidement. Après la fermeture par les communistes en 1988, le brasseur Stanislav Janostik restaura les bâtiments baroques de 1720 et recommença à brasser en 1990. L'usine traditionnelle produit aujourd'hui une brune 13 degrés, une blonde 10 degrés et une 12 degrés, ainsi qu'une bière au froment.

Jihlava
La brasserie de Jihlava, en Moravie du Sud, date de 1860. Achetée en 1995 par le brasseur autrichien Zwettl, elle est actuellement en cours de modernisation. On ne sait cependant si sa Jezek (« hérisson ») survivra à cette restructuration.

Ci-dessus – Carte postale publicitaire de Ceske Budejovice montrant l'origine égyptienne de la bière.

Krusovice

Brasserie historique à
l'ouest de Prague, dans
la région houblonnière
de Zatec, reprise en 1994
par le groupe allemand
Binding de Francfort.
L'usine a, depuis, été
modernisée. L'héritage
de la brasserie se retrouve
dans le nom des bières,
les bières du roi Rudolf II.
Krusovice, fondée en 1581,
était autrefois domaine royal.

Lobkowicz

Brasserie familiale au sud
de Prague, près de Sedlcany.

Mestan

Membre du groupe Prague
Breweries appartenant à Bass
et dirigé par Staropramen,
cette usine de Holesovice
est connue pour sa brune 11
maltée, primée.

Olomouc

Brasserie de Moravie,
au nord-est de Brno,
illustrant les contradictions
de l'industrie brassicole
tchèque, avec sa lager
goûteuse, non filtrée
(pour le marché local),
mais aussi des bières
américaines sous licence.

Ostravar

Grande brasserie de la
ville minière d'Ostrava
en Moravie du Nord,
achetée par Bass en 1995.
Ostravar, qui remonte
à 1897, a reçu la dernière
brasserie moderne installée
par les communistes
en 1987. Large gamme
de bières locales, dont
trois pilsners blondes
et houblonnées, appelées
Ponik, Konik et la premium
Ondras. Brasse aussi
Staropramen 10.

Pilsner Urquell

Pendant 150 ans, Pilsner
Urquell, Plzen, a réussi
à garder ses méthodes
de brassage traditionnelles,
avec ses énormes tonneaux
de garde en bois où mûrissait
3 mois durant chaque lot
de bière. Les tonneaux
massifs que l'on roulait hors
des tunnels souterrains pour
les regoudronner étaient
un spectacle familier
de la vieille ville,
de même que les
imposantes grilles
de la brasserie.
Aujourd'hui
seules restent
les arches
monumentales ;
à l'intérieur,
tout a changé.
Pour accroître
la production
et le rendement,
des cuves de
fermentation
coniques ont
remplacé les
vieux tonneaux
qui ont emporté
avec eux
un peu de la
complexité de
la célèbre bière.
Pilsner Urquell
est le plus
grand groupe
de brassage de la
République tchèque,
avec une production de
3,3 millions d'hectolitres
en 1994, presque le double
de son concurrent immédiat.
Pilsner Urquell représente
environ un cinquième
du marché de la bière
tchèque et une grosse
partie des exportations.
Outre la brasserie elle-même,
le groupe comprend
la brasserie voisine de
Gambrinus établie à Plzen,
Domazlice et Karlovy Vary.

Platan

La brasserie Platan fait partie,
avec Regent et Samson, du
groupe de brasseries South
Bohemia. Platan fut créée
par des propriétaires terriens
aristocratiques de Protivin
en 1598. Son nom vient
des « platanes » *(platan)*
de son site.

Radegast

Radegast, autrefois
brasserie locale
de Nosovice, dans
la lointaine Moravie
du Nord-Est, est
devenue la troisième
plus grande compagnie
nationale de République
tchèque. Bâtie en 1971,
essentiellement
pour alimenter les
marchés slovaque
et polonais, la
société privatisée
vend ses bières
sous le symbole
du dieu nordique
de l'hospitalité,
Radegast.

Regent

L'une des
plus anciennes
brasseries
tchèques, à Trebon,
datant du
XIVe siècle.
Derrière sa belle
façade cependant,
elle adopte les
cuves modernes
de fermentation
coniques.

Samson

Adolphe Busch s'inspira
probablement de cette
brasserie de Ceske Budejovice
(*Budweis* en allemand),
datant de 1795, pour
baptiser sa bière américaine
Budweiser. La brasserie très
modernisée produit une large
gamme de bières blondes,
sèches et rigoureuses.

Starobrno

Principale brasserie de la
ville de Brno, en Moravie,
fondée en 1872. Brasse
une large gamme de bières.

Staropramen

Staropramen (« ancienne
source ») brasse dans le
quartier Smichov de Prague
depuis 1869. Reprise
par le brasseur anglais Bass
en 1993, elle a gardé
ses cuves de fermentation
ouvertes et ses tanks
de garde traditionnels.

U Fleku

Probablement le pub-
brasserie le plus célèbre du
monde, U Fleku dit aussi
être le plus ancien. Brasse
à Prague depuis 1499.
Sa bière brune, légèrement
épicée (5,5 %), ainsi que
ses salles lambrissées
et sa cour, constituent
l'une des attractions
de la splendide ville.

Zlaty Bazant

Brasserie la plus
connue de Slovaquie.
Brasse Golden
Pheasant, marque
populaire de lager,
dans la ville
méridionale
de Hurbanovo.
La compagnie
est aujourd'hui
contrôlée par le géant
hollandais Heineken.

ITALIE

Les pays méditerranéens d'Europe sont traditionnellement producteurs de vin et la bière y est considérée, au mieux, comme une boisson estivale rafraîchissante. La consommation italienne de bière est l'une des plus faibles d'Europe mais, contrairement à la plupart des autres marchés, elle augmente régulièrement.

Traversant les Alpes, le brassage n'apparut en Italie qu'au XIXe siècle et se cantonna tout d'abord aux régions du Nord. La brasserie Wuhrer de Brescia, fondée en 1828 par un Autrichien, assure être la première grande compagnie commerciale du pays. À la fin du siècle, il y avait une centaine de brasseries mais ce nombre déclina ensuite rapidement, la production se concentrant entre les mains de quelques entreprises, telles Moretti et Peroni. Le brassage (de type pilsner légère) resta une petite industrie jusqu'aux années 60. En 1950, la consommation annuelle ne dépassait guère 3 litres par habitant. Cependant, la demande augmenta au cours des décennies suivantes pour atteindre 26 litres en 1995, essentiellement en bouteille. La bière devint une boisson « branchée » pour les jeunes, le vin étant réservé à leurs parents ou aux paysans. Des pubs de type anglais ouvrirent et les importations en provenance d'Allemagne et d'Angleterre montèrent en flèche, représentant environ un cinquième du marché.

Il existe aujourd'hui une vingtaine de brasseries en Italie et les principaux brasseurs d'Europe du Nord se lancent dans ce marché en plein développement, exportant avec enthousiasme et achetant les compagnies locales. Heineken, par exemple, contrôle aujourd'hui 40 % de la production depuis qu'il a acheté Moretti et le groupe Dreher. Le géant français BSN (qui produit Kronenbourg) a des actions chez le plus grand brasseur du pays, Peroni, et représente ainsi 36 % du marché. Le Danois Carlsberg possède des actions dans la compagnie Poretti.

Ci-dessus – La bière italienne n'a peut-être pas le cachet du vin du pays, mais elle devient de plus en plus populaire. Peroni, le principal brasseur, exploite ce marché en pleine expansion.

LES BIÈRES

Birra Moretti

Lager jaune d'or, légère, acide (4,6 %), de Moretti.

Birra Peroni

Lager or pâle, de Peroni, au parfum de malt et au goût houblonné.

Bruna

Lager de type Munich, rougeâtre, pur malt, forte (6,25 %), au goût velouté, épicé et rôti, de Moretti.

Crystal

Gamme de lagers pression premium de Peroni dont une Speciale, une Crystal Red brune, maltée, de type viennois (toutes deux à 5,6 %), une Crystal Gold plus forte (6,6 %) et une Crystal Speciale, lager jaune d'or, limpide (5,6 %), au goût velouté, d'orge et de malt.

Forst Sixtus

Bière brune originale de type abbaye (6,5 %), brassée par la brasserie familiale Forst, Lagundo.

Gran Riserva

En 1996, pour son 150ᵉ anniversaire, Peroni créa cette bière forte (qui s'appelle double malt en Italie), dans sa haute bouteille caractéristique. Gran Riserva est une lager or soutenu, bien ronde (6,6 %).

Italia Pilsner

Pilsner italienne légère, jaune d'or, au goût sec et amer (4,7 %). Une des principales marques du nord-ouest du pays. Italia Pilsen de Padoue fut repris par Peroni en 1960.

Kronen

Cette lager or brillant, de type export (5 %), au goût malté, de Forst, montre une influence viennoise.

McFarland

Malgré son image irlandaise, cette bière rouge de fermentation basse (5,5 %), de Dreher, est davantage une lager de type viennois.

Nastro Azzuro

Pilsner premium or pâle, suave, au goût franc (5,2 %), de Peroni, créée en 1964. Son nom signifie « ruban bleu ».

Raffo

Pilsner légère (4,7 %), jaune d'or, sèche et un peu amère de Peroni. Raffo, situé au Sud, à Tarente, vend surtout dans cette région.

À droite – Bas-relief romain d'une scène de taverne. Les Romains préféraient le vin à la bière.

Rossa

Probablement la plus originale des bières rouges d'Italie. La Rossa, ambre rosé, à la riche saveur, pur malt (7,5 %), de Moretti d'Udine, évoque fortement les anciens liens de l'Italie du Nord, avec Vienne et ses bières de type märzen.

Sans Souci

Lager or pâle, maltée, de type export (5,6 %), de Moretti, Udine. Bon équilibre en houblon.

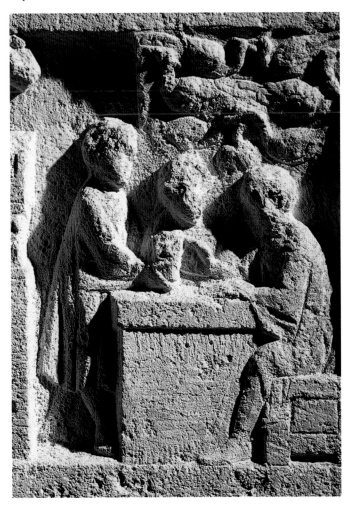

Splügen

Le nom de cette gamme de lagers « spécialité », produite par Poretti Brewery, Varèse, vient d'un col de haute montagne. La plus prisée des bières est Splügen Fumée, rouge cuivré foncé, légèrement fumée, faite avec du malt franconien. Il existe aussi une Splügen-Rossa rouge cuivré, robuste (7 %), fruitée et une Scura noire (6 %) de type allemand.

Werner Brau

Pilsner légère (4,5 %), de Poretti.

Wuhrer Pilsner

Pilsner pâle (4,7 %), au goût léger, houblonnée, brassée par la brasserie Wuhrer, Brescia.

LES BRASSEURS

Dreher

L'Italie faisait autrefois partie du vaste empire d'Autriche et le célèbre brasseur de Vienne, Anton Dreher, établit une brasserie à Trieste, vers 1860. Aujourd'hui, le nom de Dreher apparaît au sein d'un groupe appartenant à Heineken et basé à Milan. Outre une gamme de lagers légères, il produit une lager rouge de type viennois, appelée McFarland.

Forst

Brasserie de taille moyenne dans les montagnes de Lagundo, propriété de la famille Fuchs. Ses bières montrent une influence autrichienne, surtout la Kronen, lager de type export.

Moretti

Fondée en 1859 à Udine, la brasserie Moretti, malgré sa petite taille, se fit vite connaître sur le marché international grâce au buveur jovial et moustachu de ses étiquettes, soufflant sur la mousse de son verre de bière. Outre Birra Moretti légère et acide, elle brasse Sans Souci export, plus maltée, et deux bières brunes, Moretti Bruna pur malt et Moretti Rossa rouge, à la riche saveur. Après avoir changé plusieurs fois de mains, la compagnie appartient aujourd'hui à Heineken.

Peroni

Jusqu'à l'association Dreher/Moretti (Heineken) en 1996, Peroni était la première brasserie italienne, fondée à Vigevano en 1846. Concentrant d'abord ses activités sur Rome, elle s'étendit en reprenant des brasseries dans tout le pays. Après sa fusion avec Wuhrer en 1988, Peroni restreint sa production sur cinq usines. Outre sa marque phare Nastro Azzuro, il brasse une Peroni Birra plus légère et d'autres marques régionales similaires dont Italia Pilsen, Raffo et Wuhrer, ainsi qu'une gamme Crystal. En 1996, Peroni ajouta une Gran Riserva plus charpentée, en bouteille.

Poretti

Poretti, fondée en 1877 à Varese, au nord de Milan, possède aujourd'hui une seconde brasserie à Ceccano, au sud de Rome. Outre une pilsner légère, Werner Brau, elle brasse plusieurs spécialités sous la marque Splügen. Carlsberg a aujourd'hui racheté la brasserie.

Wunster

Wunster est une autre brasserie italienne aux origines germaniques. Fondée par le Bavarois Heinrich von Wunster et basée à Bergame, ce fut longtemps une affaire familiale, mais elle fait aujourd'hui partie du grand groupe belge Interbrew.

MALTE, UN HÉRITAGE BRITANNIQUE

La petite île de Malte, au large de la Sicile, possède une tradition brassicole particulière, curieuse anomalie dans la région méditerranéenne.

L'héritage de l'Empire britannique pèse encore sur cette île indépendante de la Méditerranée. Au XIXe siècle, Simonds, de Reading en Angleterre, qui exportait de l'ale et du stout à Malte, décida d'y installer une brasserie, en coopération avec une compagnie locale, Farrugian and Sons. Ainsi, l'unique brasserie maltaise, Simonds, Farsons, Cisk (couramment appelée Farsons) brassait pour les marins de la base navale britannique des bières de type ale à fermentation haute qui leur rappelaient leur Angleterre natale. Depuis longtemps les Anglais sont partis, mais la brasserie est toujours là et produit encore ces ales à fermentation haute, de type anglais, ainsi qu'une gamme de lagers sous la marque Cisk.

Farsons brasse aussi une mild ale brune, douce (3,6 %), Blue Label et une ale plus forte (5 %), Brewer's Choice, ainsi qu'une pale-ale houblonnée (4 %), Hop Leaf et un milk stout crémeux (3,4 %) au final sec, Lacto, brassé avec de la lactose (sucre de lait).

Enfin, Farsons est le principal producteur de boissons non alcoolisées de l'île. L'eau étant rare sur le rocher de Malte, l'entreprise récolte chaque goutte de pluie dans d'immenses réservoirs de toits et la conserve dans des réservoirs souterrains.

GRÈCE ET TURQUIE

Les Grecs et les Turcs aiment se réunir pour discuter autour d'un verre.
La bière est peu appréciée cependant, et fait plutôt place au vin, au café fort
ou aux vigoureux ouzo et raki anisés.

Ci-dessus – La bière chypriote Keo a reçu une médaille d'or à la World Bottled Lager Competition *(Concours international de lager en bouteille) de 1987.*

Les brasseries d'Europe du Nord, qui ne peuvent guère aller plus loin dans le contrôle qu'elles exercent sur la Grèce, balaient littéralement l'industrie locale. L'unique grande brasserie grecque, Fix, a fermé en 1983 et les compagnies étrangères dominent le marché. La loi de pureté de la bière (influencée par la loi bavaroise) a disparu sous la pression des brasseurs étrangers. Cependant l'île de Chypre a réussi à maintenir une lager locale populaire, Keo.

La Turquie, en revanche, possède une brasserie régionale florissante, Efes qui, après le relâchement du monopole d'État en 1955, s'efforça de développer la lager légère de type international. Le Turc Tuborg (sous contrôle danois) rivalise avec les brasseries nationalisées d'Istanbul, Ankara et Yozgat mais Efes domine le marché.

LES BIÈRES ET LES BRASSEURS

Aegean
Pilsner maltée, suave (5 %), produite dans le nord de la Grèce par Athenian Breweries, qui est entièrement sous le contrôle du géant hollandais Heineken. Léger goût de café, avec une pointe douce-amère.

Efes Pilsener
Lager premium (5 %) blonde, suave, bien ronde, produite par Efes, Turquie, très exportée. L'ancienne cité romaine d'Ephesus a donné son nom à la compagnie, Efes Pilsen Bira Fabrikasi, nom qui évoque aussi sa pilsner sèche, houblonnée. Brasse aussi Efes Light, Extra et une sans alcool, Alkolsuz Efes.

Efes s'est récemment agrandie et possède quatre brasseries en Turquie, ainsi que deux malteries et une brasserie en Roumanie.

Keo
Lager de type pilsner, sucrée, bien ronde (4,5 %), brassée à Lemesos, Chypre, par Keo. Mise en bouteille fraîche et non pasteurisée. Keo est l'une des dernières brasseries locales.

FRANCE

La France est traditionnellement associée aux plus grands vins du monde, la bière n'y venant qu'en second plan. La bière, en France, est davantage considérée comme un breuvage rafraîchissant qu'une boisson à part entière et son industrie est dominée par quelques grandes compagnies.

S i vous demandez une bière, dans la plupart des cafés français, on vous servira une lager pression légère et rafraîchissante, mais sans originalité. La majeure partie de la bière est brassée en Alsace. Si l'influence allemande est évidente dans le nom des villages et dans la cuisine de la région, la bière n'est généralement qu'un pâle reflet de ses rivales d'outre-Rhin. Aucune loi de pureté n'existant en France, les brasseurs utilisent divers additifs et mènent de vigoureuses campagnes contre la *Rheinheitsgebot* allemande, au nom de la liberté du commerce. De plus, les brasseurs français laissent mûrir leurs lagers beaucoup moins longtemps que les Allemands et ont tendance à utiliser moins de houblon.

Strasbourg est le centre de l'industrie de la lager, dont les principaux noms sont Kronenbourg et Kanterbräu, tous deux appartenant au conglomérat BSN qui domine environ la moitié du marché intérieur. Le géant hollandais Heineken est aussi très présent en France, dont il contrôle presque un quart du marché avec les marques « 33 », Mutzig et Pelforth. En 1996, il s'est encore agrandi en reprenant le groupe Fischer.

La région Nord-Pas-de-Calais possède son propre type de bière traditionnelle. Plusieurs petites brasseries de cette région, surtout autour de Lille, brassent des « bières de garde », ales fortes, de fermentation haute, mûries en bouteille. Ces bières étaient autrefois fabriquées dans les fermes en hiver et au printemps, avant que la chaleur de l'été ne rende le brassage trop aléatoire. On en produit aujourd'hui des versions plus commerciales, mais qui gardent un goût fruité d'ale dû à la fermentation à chaud, hormis celles à fermentation basse et filtrées. Elles sont souvent vendues en bouteille à bouchon de liège muselé. L'appellation « Pas-de-Calais/Région du Nord » est réservée aux bières brassées avec l'orge et le houblon de la région.

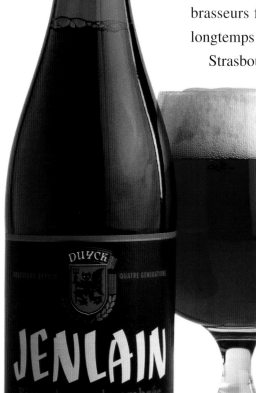

Ci-dessus – La « bière de garde » du nord de la France est vendue en grande bouteille à bouchon de liège muselé. Jenlain en est probablement l'exemple le plus célèbre.

LES BIÈRES

Abbaye de Vaucelles
La brasserie Choulette brasse, pour une abbaye près de Cambrai, cette boisson aux herbes ambrée, à goût de miel (7,5 %), davantage bière de garde française que bière d'abbaye belge.

Ackerland
Deux lagers fortes, maltées, Ackerland Blonde ambrée, riche, maltée (5,9 %), et Ackerland Brune (6,3 %), au goût plus sucré, sont vendues sous cette marque. Toutes deux sont produites par la brasserie indépendante Meteor, Hochfelden, Alsace. Le nom est emprunté à la région agricole qui entoure le village.

Adelscott
Cette lager pâle, rouge ambrée, au léger goût de fumée (6,4 %), de la brasserie Adelschoffen, et qui porte l'appellation « Bière au Malt à Whisky », est brassée avec du malt à la tourbe écossais.

Adelscott Noir
Autre bière au malt à whisky (6,6 %) d'Adelschoffen. Presque noire, aux reflets rouges, elle possède une saveur intense, tourbée et légèrement fumée.

Amberley
La brasserie Pelforth de Lille créa en 1993 cette bière au malt à whisky (7,3 %), pour concurrencer les Adelscott.

Ambre de Flandres
Bière de garde moelleuse, au goût de chêne, de fermentation basse (6,4 %), de la brasserie Jeanne d'Arc, Ronchin, près de Lille, sous la marque Orpal.

Ancre
Lager alsacienne populaire (4,8 %), brassée par Heineken, Schiltigheim.

Bière des Templiers
Bière de garde brune, fruitée, avec un léger dépôt (8,5 %), de la brasserie Saint Sylvestre.

Bière du Désert
Bière fruitée, or pâle, forte (7 %), brassée par Gayant.

Breug
Voir Terken.

Brune Spéciale
Lager brune, ambre foncé (6,7 %), au goût de malt rôti, brassée par la brasserie Terken.

Certa
Bière sans alcool, la première brassée en France. On la trouve parfois à la pression. Brassée par Les Brasseurs de Gayant, compagnie mieux connue pour ses bières fortes.

Ch'ti
Patois local pour désigner un habitant du Nord et marque déposée des bières de garde produites par la brasserie Castelain, Bénifontaine, près de Lens. Une blonde or soutenu, maltée, fruitée et une version brune (toutes deux à 6,5 %), ainsi qu'une Ch'ti Ambrée, ambre foncé (5,9 %), font partie des bières richement fruitées dont l'étiquette montre un mineur.

Choulette Framboise
Bière de garde, spécialité saisonnière, à fermentation haute, non pasteurisée (6 %), parfumée à l'extrait naturel de framboise qui lui donne un goût fruité acide. Brassée par la ferme-brasserie La Choulette.

Cuivrée
Lager rougeâtre de type viennois, onctueuse (8 %), au goût fortement fruité, malté, brassée par la brasserie indépendante Schutzenberger, Schiltigheim.

Cuvée de Jonquilles
Bière de printemps dorée, fruitée, au goût de fleurs, de fermentation haute, mûrie en bouteille (7 %), produite par la brasserie familiale Bailleux, café-restaurant Au Baron, Gussignies.

Démon
La bière du Démon des Brasseurs de Gayant, Douai, est dit-on, la plus forte blonde du monde avec 12 % d'alcool. Brassée avec un supplément de malt et une levure à lager spéciale, elle a un goût puissant, assez lourd, un parfum de miel et peu de mousse.

Fischer Gold
Lager forte (6,5 %), à l'arôme parfumé et au goût houblonné, de Fischer. Vendue en bouteille à bouchon mécanique.

Goldenberg
Bière forte (6,4 %), dorée, maltée, de Gayant, Douai.

Goudale
Bière de garde pâle traditionnelle (7,2 %), à fermentation haute, au goût plein et fruité, des Brasseurs de Gayant. Mûrie en bouteille et bouchée avec un bouchon de liège muselé.

Jade

Bière biologique, Jade est une lager jaune pâle, fruitée, rafraîchissante (4,6 %), produite uniquement avec du malt et du houblon de culture biologique, par la brasserie Castelain, Bénifontaine, près de Lens. Bière fraîche et non pasteurisée, houblonnée, vendue en bouteille à bouchon muselé.

Jenlain

Bière de garde pur malt, forte (6,5 %), rouge ambré, la plus connue de ce type, de fermentation haute, aux riches effluves épicés et fruités. La brasserie Duyck, Jenlain, près de Valenciennes, vend Jenlain en grande bouteille à bouchon de liège muselé, mais on la trouve aussi en petites bouteilles capsulées.

Jubilator

Doppelbock de type allemand, pâle, bien ronde (7 %), dorée, aromatique, de la brasserie Schutzenberger, Schiltigheim.

Killian

La Bière Rousse de George Killian (6,5 %), ale rouge maltée, forte, de type irlandais, est brassée par Pelforth, Lille. S'appelle Kylian aux Pays-Bas.

Kronenbourg

La Kronenbourg (5,2 %) est une lager au goût léger. La 1664 (ou soixante-quatre), plus forte (5,9 %), a davantage de velouté et de rondeur. Il existe aussi une Kronenbourg Légère (3,1 %) et une version plus houblonnée de la lager standard, Kronenbourg Tradition Allemande, Kronenbourg Tradition Anglaise étant plus douce et ambre plus foncé. La Brune est une version sombre et plus maltée de 1664, tandis que la Bière de Noël rosée et Kronenbourg Bière de Mars blonde sont deux bières saisonnières.

L'Angélus

L'étiquette de cette bière de garde au froment (7 %), bronze doré, trouble, représente le tableau célèbre de J.-F. Millet. La bière a une saveur très fraîche, fruitée, crémeuse.

La Bière Amoureuse

Lager ne ressemblant guère à une bière (4,9 %). Parfumée au ginseng et aux herbes. Selon le brasseur Fischer, ces « extraits naturels de plantes » produiraient un effet aphrodisiaque sur l'heureux buveur.

La Choulette

Bière de garde ambrée, douce, fruitée (7,5 %), brassée à la ferme-brasserie La Choulette. Après un mélange à chaud de levures à fermentation haute et basse avec du malt local et du houblon flamand et Hallertau, elle est filtrée grossièrement de façon à laisser un peu de levure dans la bouteille.

Une version blonde existe. Toutes deux sont mûries en bouteille. Le nom vient d'un jeu traditionnel de la région, semblable au golf.

Lutèce

Bière de garde aigrelette, puissante (6,4 %), maltée, de la brasserie Enfants de Gayant, Douai.

Meteor

Lager de type pilsner, légère (4,6 %), houblonnée, non pasteurisée, de la brasserie alsacienne Meteor.

Mortimer

Lager forte de Meteor, de type viennois, cuivrée, fruitée, pur malt (8 %), créée en 1993 à Hochfelden. Bouteille et emballage de whisky.

Mutzig Old Lager

Lager ambrée, forte, avec du caractère (7,3 %), au goût riche de malt et de houblon, produite par la brasserie Mutzig, Alsace.

Mutzig Pilsner

Pilsner blonde classique, houblonnée (4,8 %), brassée par la brasserie Mutzig, Schiltigheim, Alsace.

Noordheim

Lager pâle, crémeuse (4,7 %), brassée par Terken, Roubaix. En vente dans les supermarchés, en bouteilles de 25 centilitres.

Pastor Ale

Bière de garde ambrée, pur malt (6,5 %), symphonie de saveurs fruitée, acidulée et houblonnée. Brassée avec des levures de fermentation basse et du houblon Saaz et Flamand par la ferme-brasserie Annoeullin, près de Lille. Elle se vend non filtrée dans de hautes bouteilles champenoises muselées, ou en pack de bouteilles plus conventionnelles à capsule. Le nom est un jeu de mots sur la *Symphonie Pastorale* de Beethoven.

Patriator

Plus sombre et plus fruitée que sa sœur Jubilator, Patriator (7 %) est une doppelbock produite par la brasserie Schutzenberger, Schiltigheim.

Pêcheur

Voir Fischer.

Pelforth Brune

Lager brune, forte, suave (6,5 %) au riche goût chaleureux, malté et chocolaté, de la brasserie Pelforth.

Pelforth Blonde

Lager claire, fruitée (5,8 %), de la brasserie Pelforth, près de Lille.

Pelican Lager

Lager blonde classique (4,8 %), au goût malté, de la brasserie Pelforth, près de Lille.

Porter 39

Porter riche, forte (6,9 %), rôtie, de la brasserie Pelforth.

Saaz

Lager houblonnée (5,2 %), de Gayant, Douai.

Saint Arnoldus

Type abbaye, avec un léger dépôt, fruitée (7,5 %), de la brasserie Castelain. On rajoute de la levure la bière entre le filtrage et la mise en bouteille.

Saint Landelin

Gamme de bières à fermentation haute de type abbaye, des Brasseurs de Gayant, Douai, dont le nom vient du fondateur de l'abbaye de Crespin. Elle comprend une Blonde dorée, crémeuse, sucrée (5,9 %), au goût fruité, une Saint Landelin Ambrée brun rougeâtre (6,1 %), au goût généreux de malt

biscuité et une Brune riche et sombre (6,2 %), au goût chocolaté. Ces bières sont mûries 2 mois avant d'être mises en bouteille.

Sans Culottes

Rien ne manque à cette bière de garde blonde classique (6,5 %), produite par la brasserie La Choulette, dans le Nord-Est. De fermentation haute et mûrie en bouteille, elle possède un caractère fortement levuré. Son nom se réfère à l'époque de la Révolution de 1789.

Schutz Deux Milles

Bière richement fruitée, mûrie en bouteille (6,5 %), de la brasserie Schutzenberger, créée pour le 2 000ᵉ anniversaire de la ville de Strasbourg.

Sebourg

Sœur blonde de Jenlain, de la brasserie Duyck, cette bière très goûteuse, aromatique (6 %), vendue en grande bouteille à

bouchon de liège muselé, n'est pas brassée à Jenlain mais dans le village voisin de Sebourg.

Septante Cinq

Lager rouge ambré, vigoureuse (7,5 %), décrite comme bière de garde. Bière phare de la brasserie Terken.

Tourtel

Lager peu alcoolisée (1 %), de Kanterbräu, en versions blonde, ambrée, ou brune.

Trois Monts

Bière de garde or jaune chaleureux, de fermentation haute (8 %), de la brasserie Saint Sylvestre. Cette boisson complexe, sèche, au goût de vin, a pris le nom des trois collines qui entourent le village.

Upstaal

Lager mild, pâle (3 %), au goût sucré de pomme, de Terken.

Wel Scotch

Lager ambre foncé (6,2 %), brassée par Kronenbourg, avec du malt à whisky.

Willfort

Lager brune, maltée (6,6 %), du groupe Kronenbourg.

« 33 »

Bière populaire en France, en Asie du Sud-Est et en Afrique. Cette pilsner export légère (4,8 %), au goût de céréales maltées, s'est taillée une grosse part de marché dans les anciennes colonies françaises. Créée près de Paris, elle est aujourd'hui brassée à Marseille.

LES BRASSEURS

Adelschoffen

Brasserie alsacienne de Schiltigheim, près de Strasbourg, fondée en 1864 et réputée comme le laboratoire de la bière. Sa plus célèbre création est Adelscott, bière au malt à whisky.

Castelain

Spécialiste des bières de garde Ch'ti, basé à Bénifontaine, près de Lens.

La Choulette

La ferme-brasserie La Choulette commença à commercialiser en 1981 sa bière de garde traditionnelle et fruitée, de fermentation haute et mûrie en bouteille. La brasserie de Hordain, fondée en 1885, brasse aussi des spécialités saisonnières.

Deux Rivières

Microbrasserie créée à Morlaix par deux Bretons, en 1985, inspirés par les ales galloises goûteuses et

traditionnelles. Ses deux principales bitters sont Coreff étiquette rouge (4,6 %) et étiquette noire (6 %).

Duyck

Ferme-brasserie familiale près de Valenciennes, qui brasse la célèbre bière de garde Jenlain depuis 1922. Duyck assure la survie de ce type de bière, abandonné par la plupart des autres brasseurs de la région. Produit aussi une autre bière blonde appelée Sebourg et deux spécialités saisonnières, Duyck Bière de Noël (6,8 %) et une fraîche et pâle Duyck Bière de Printemps.

Ci-dessus – Bière du Démon.

Ci-dessus – Brasserie Duyck, dans le hameau de Jenlain.

Fischer

Fondée en 1821, la brasserie de Schiltigheim près de Strasbourg vend aussi ses bières sous son nom francisé, Pêcheur. Elle brasse diverses lagers, comme Poussez, Kriek Fischer à la cerise et La Bière Amoureuse, la lager dite aphrodisiaque.

Gayant

Les Brasseurs de Gayant à Douai furent créés en 1919 par la fusion de quatre brasseries familiales. La compagnie, célèbre pour ses bières fortes, porte le nom des deux géants légendaires protecteurs de Douai. Elle produit une bière de garde, spécialité de la région, de fermentation haute, appelée La Goudale (7,2 %) ; mais elle est plus connue pour sa Bière du Démon diaboliquement forte (12 %), la plus forte blonde du monde, dit-on. Elle brasse aussi une Bière du Désert fruitée et moins forte, une rare gamme de bières de type abbaye, Saint Landelin, ainsi que des lagers classiques sous les marques Saaz et Goldenberg.

Kanterbräu

Considéré aujourd'hui comme sous-marque de Kronenbourg, Kanterbräu était autrefois le plus grand groupe de France. Sa brasserie de Champigneulles, près de Nancy, date de 1887 et il possède une seconde usine à Rennes. Outre une lager Kanterbräu légère (4,5 %), il brasse une Kanterbräu Gold plus forte et une lager peu alcoolisée, Tourtel. La brasserie a pris le nom du brasseur allemand Maître Kanter. En 1994, Kanterbräu s'associa avec Kronenbourg sous le nom Les Brasseries Kronenbourg.

Kronenbourg

Le nom de la principale marque de France vient d'un quartier de Strasbourg, Cronenbourg. La compagnie se développa après la Seconde Guerre en vendant sa Bière d'Alsace premium en petites bouteilles dans toute la France, à une époque où la plupart des lagers de consommation domestique étaient peu alcoolisées et vendues en litres. En 1952, elle créa une Kronenbourg 1664 « super premium », dont le nom est la date de fondation de la société. En 1969, s'ouvrit une grande brasserie à Obernai et, peu après, la compagnie fut absorbée par BSN.

Meteor

Sans doute le meilleur des brasseurs de lager alsaciens, cette entreprise familiale de Hochfelden, remontant à 1640, reçut en 1927 l'autorisation écrite de Pilsner Urquell d'utiliser le terme Pilsner. Meteor vend plus de la moitié de sa bière, non pasteurisée, à la pression dans les cafés. Elle produit aussi deux lagers fortes, Ackerland Blonde et Brune.

Mutzig

Brasserie alsacienne qui brasse ses bières à Schiltigheim.

Pelforth

Brasserie près de Lille, dont le logo est un pélican, connue pour ses bières « spécialité », surtout sa Pelforth Brune, créée en 1937. Brasse aussi une Pelforth Blonde et une Lager Pelican classique. Pelforth est l'abréviation anglicisée de « pelican » et « forte », adoptée en 1972. Produit aussi George Killian's Bière Rousse, une porter, une bière au malt à whisky appelée Amberley, une riche bière de Noël (toutes deux à 7,3 %) et une bière de Mars saisonnière (5,3 %).

Saint Sylvestre

Un des brasseurs classiques de Flandre. Brasse depuis plus d'un siècle, dans le village de Saint-Sylvestre-Cappel près de Hazebrouck. Produit une bière de garde traditionnelle, Bock du Moulin et les bières saisonnières de Mars et de Noël.

Schutzenberger

Fondée en 1740, c'est la seule brasserie indépendante de la célèbre ville brassicole de Schiltigheim, près de Strasbourg. Brasse certaines des bières les plus spécifiques d'Alsace, notamment deux bockbiers, une blonde Jubilator et la Patriator brune, ainsi qu'une cuivrée encore plus forte (8 %). Brasse aussi Shutz Deux Mille, mûrie en bouteille, et deux bières saisonnières, pour Noël et le printemps.

Terken

Brasserie indépendante de Roubaix qui produit une large gamme de bières sous différents noms. Surtout connue pour sa bière phare Septante Cinq, mais brasse aussi Brune Spéciale, une lager blonde appelée Orland (5,9 %), la bière de Noël Terken (7 %) et une bière peu alcoolisée appelée Elsoner. Ses marques de supermarchés sont Breug, Noordheim, Ubald, Überland et Upstaal.

LES PUBS-BRASSERIES

Brasseurs

Chaîne de cafés-brasseries du Nord, les Brasseurs commencèrent avec un café dans la gare principale de Lille. Les bières pur malt, colorées, non pasteurisées, comprennent une Brasseurs ambrée (blonde et brune), et une bière au froment blanche, fruitée, trouble.

Frog & Rosbif

Le pub-brasserie de la rue Saint-Denis à Paris brasse depuis 1993 des ales de type anglais, aux noms franglais humoristiques, tels que Inseine – une bitter –, Parislytic – une ale plus forte – et un Stout Dark de Triomphe. En 1996, ouvrit à Saint-Germain-des-Prés un second pub-brasserie, le Frog & Princess.

SUISSE

Bien que possédant l'une des plus anciennes brasseries commerciales d'Europe, l'abbaye de Saint-Gall, qui remonte au IXe siècle, les Suisses furent surtout, jusqu'au milieu du XIXe siècle, des amateurs de vin.

Ci-dessus – Le marché suisse est dominé par deux noms, Feldschlösschen et Hürlimann. La lager houblonnée de Feldschlösschen est sa meilleure vente.

Les bières suisses sont peut-être aussi limpides que l'air des montagnes mais nettement moins spectaculaires que ces dernières. Orge à malter et houblon ne poussent guère dans ce pays rocailleux. Entraînés par les régions de langue allemande du Nord, les Suisses commencèrent cependant à adopter, au milieu du XIXe siècle, les nouvelles bières lager de Bavière à fermentation basse. Des brasseurs entreprenants de Zurich allèrent même chercher leur glace dans le glacier de Grindewald. Entre 1850 et 1885, le nombre des brasseries passa de 150 à 530. Aujourd'hui, seules 30 brasseries ont survécu. Des accords commerciaux permettaient autrefois aux petites compagnies de résister mais actuellement, le pays est, comme sa voisine l'Autriche, dominé par deux groupes principaux : Feldschlösschen (qui contrôle aussi Cardinal, Gurten, Valaisanne et Warteck) et Hürlimann (qui comprend Löwenbräu de Zurich). Heineken (Pays-Bas) possède Haldengut et Calanda.

À l'instar de l'autrichienne, la bière suisse est souvent une lager maltée, fraîche, au goût franc. Bien qu'il n'existe pas de loi de pureté, la plupart des bières sont pur malt et toutes les marques ont à peu près le même goût. Les pilsners sont pratiquement absentes et les bières brunes ne représentent que 1 % des ventes. Les Suisses préfèrent les lagers blondes. La plupart des prétendues « spécialité » ne sont que des lagers blondes un peu plus fortes, avec quelques bières au froment.

Sur le marché international, la Suisse est connue surtout pour deux produits nettement différents. D'un côté, des bières peu ou pas alcoolisées, telle Birell ; de l'autre, Samichlaus de Hürlimann, l'une des plus fortes bières du monde. Une récente innovation est l'établissement d'une chaîne de pubs-brasseries, Back und Brau (Boulangerie et Brasserie) qui, comme son nom l'indique, cuit des baguettes et des quiches tout en brassant des lagers et autres bières Huus (maison), fraîches, non filtrées, du type altbier notamment.

LES BIÈRES

Anker
Rare altbier brune, de
fermentation haute (5,8 %),
lancée par Cardinal, Fribourg,
en 1980, avec la volonté de
développer le marché de la
bière « spécialité », jusque-là
limité. Commercialisée
sous l'étiquette « retour
à la tradition ».

Barbara
Sainte Barbe, patronne des
artilleurs, a donné son nom
à cette lager « de luxe »
or soutenu, forte (5,9 %),
mais veloutée et légèrement
sucrée avec une note maltée,
produite par la brasserie
Eichhof, Lucerne.

Birell
Lager blonde, peu alcoolisée
de Hürlimann, Zurich.
Contrairement à beaucoup
d'autres bières, au lieu
de retirer l'alcool par
distillation ou osmose
après fermentation, on utilise
une souche de levure
spéciale qui ne produit
que 0,8 % d'alcool.

Braugold
Bière lager premium or pâle
(5,2 %), brassée d'après
une recette spéciale, avec
d'excellents ingrédients.
D'après Eichhof, c'est
la meilleure vente de bière
premium de Suisse.

Calanda Weizen
L'une des rares bières
suisses au froment, Calanda
Weizen est légèrement
fruitée, de type bavarois,
brassée par la brasserie
Calanda, basée à Coire
dans les Grisons et
fondée en 1780.

Cardinal Lager
Lager légère, or fauve
(4,9 %), au goût velouté,
malté et houblonné, de
la brasserie de Fribourg.

Cardinal Rheingold
Lager forte (6,3 %), ambrée,
maltée, au léger arôme,
de la brasserie de Fribourg.

Castello
Lager forte, suave, bien
charpentée, au goût malté,
brassée par Feldschlösschen.

Dreikönigs
Lager pâle, suave, forte
(6,5 %), riche et maltée
de Hürlimann, brassée
à Zurich. Son nom,
« Trois Rois », vient des
armes du canton de Zurich.

Dunkle Perle
Lager brune, maltée (5,2 %),
de Feldschlösschen.

Eichhof Lager
Lager classique, fraîche,
or clair (4,8 %), bière phare
de la brasserie Eichhof,
Lucerne. Existe à la pression,
en bouteille et en canette.

Hexen Bräu
Dunkel crémeuse, brun
limpide (5,4 %), au goût
chocolaté, de Hürlimann.
Son nom signifie « bière
de sorcières » et elle est
brassée à la pleine lune
(*voir encadré* Les Suisses
et la lune p. 192).

Hopfenperle
La lager houblonnée
(5,2 %), de Feldschlösschen,
Rheinfelden, est
probablement la
bière la plus répandue
en Suisse.

Hubertus
Lager brune, forte, ambre
foncé (5,7 %), brassée par
Eichhof, Lucerne. Sa couleur

inhabituelle vient des malts
rôtis utilisés dans la maische.
Avec son goût velouté,
malté, légèrement sucré,
elle accompagne bien les
viandes froides et le gibier.

Hürlimann Lager Bier
Lager blonde classique,
maltée (4,8 %),
principale bière de la
brasserie Hürlimann.

Löwenbräu
Lager blonde, maltée,
de type pilsner (4,7 %),
au goût léger, houblonné,
de la branche Löwenbräu
de Hürlimann (sans
rapport avec le célèbre
géant allemand).

Moussy
Bière sans alcool, doré
brillant, au goût malté
intense de la brasserie
Cardinal, Fribourg.

Pony
Bière de type pilsner or
soutenu, limpide, pétillante,
au goût houblonné, amer,
fort mais bien équilibré
(5,7 %), produite par la
brasserie Eichhof, Lucerne.

Rheingold
Lager dorée, forte (6,3 %),
bien charpentée, Rheingold
est produite par la brasserie
Cardinal, Fribourg.

et son haut degré d'alcool, elle fait office de digestif du soir.

Spiess Edelhell

Lager or pâle (4,8 %), brassée d'après la recette originale du fondateur de la brasserie Eichhof, en 1834. La brasserie Eichhof attribue le caractère velouté, bien rond, pas trop amer de la bière, au mélange « secret » des céréales de la maische.

Sternbräu

Spezial ambre doré, bien charpentée (5,2 %), au goût de malt et de houblon, brassée par Hürlimann. Son nom signifie « bière étoile » et vient de l'étoile à cinq branches, logo de la firme.

Tambour

Starkbier forte (*starkbier* signifie « bière forte »), dorée, de la brasserie Wartek.

Vollmond

Voir encadré Les Suisses et la lune, ci-contre.

Wartek Lager

Lager blonde, trouble, au bon goût malté, de la brasserie Wartek, Bâle. Il existe aussi une Wartek Brune maltée et une Wartek Alt à fermentation haute, cuivrée, fruitée.

Samichlaus

Classée comme la lager la plus forte du monde, avec ses 14 %, Samichlaus (Santa Claus) est brassée une fois par an, au début de décembre, par Hürlimann, Zurich, et mûrie pendant 12 mois, avant d'être prête à rougir le nez du père Noël l'année suivante. Cette bière brun rougeâtre, créée en 1980, témoigne des qualités de la souche de levure de Hürlimann et trouve régulièrement sa place dans le Livre des Records Guinness. Avec son goût de cognac

LES BRASSEURS

Cardinal

L'une des quelques brasseries nationales, fondée à Fribourg en 1788, créa ses bières Cardinal pour célébrer l'élection de l'évêque de Fribourg.

Eichhof

La plus grande brasserie suisse indépendante, avec 7 % de part de marché. Le nom Eichhof apparut en 1937, mais les origines de la compagnie remontent à une brasserie établie par Traugott Spiess, à Lucerne, en 1834.

Feldschlösschen

Le plus grand brasseur de Suisse, basé à Rheingelden, près de Bâle, depuis 1874, fusionna avec Cardinal de Fribourg en 1992 et Hürlimann en 1996, pour devenir Feldschlösschen-Hürlimann. L'usine Feldschlösschen de Rheinfelden, qui ressemble à un château au milieu d'un grand domaine, abrite dignement cette brasserie de luxe,

aux fenêtres à vitraux et aux piliers de marbre. Hopfenperle, houblonnée, est la principale lager de Feldschlösschen, outre Dunkle Perle brune, Castello plus forte et sucrée et Ex-Bier sans alcool.

Hürlimann

Hürlimann, fondée en 1836 à Zurich, domine le marché de la ville. C'est la brasserie suisse la plus connue à l'étranger.

Löwenbräu (brasserie Lion)

Filiale de Hürlimann (sans rapport avec le géant munichois) produisant une gamme de lagers similaires, outre une Bière Celtic Whisky.

Ueli

Première microbrasserie de Suisse, établie en 1974, derrière le café Fischerstube à Bâle. Elle brasse une Ueli Weizenbier fruitée, une Ueli Dunkel maltée et une Ueli Lager légère.

Wartek

Principale brasserie de Bâle, fondée en 1856.

Les Suisses et la lune

Les Suisses ont la réputation d'être conservateurs, mais une certaine bière les éclaire d'un jour nouveau. La lune, assure une ancienne tradition, exerce une influence sur la terre et en particulier sur les processus biologiques. En 1992, la brasserie familiale Locher d'Appenzell décida de suivre cette tradition. La bière brassée à la pleine lune, selon le brasseur Karl Locher, fermenterait plus rapidement. Sa lager blonde Vollmond (« pleine lune »), à 4,8 % et 5,2 %, eut tant d'impact sur le public que Hürlimann de Zurich se mit aussi à brasser à la pleine lune sa lager brune et chocolatée, Hexen Bräu (5,4 %), dont le nom signifie « bière de sorcières ».

ESPAGNE

La lager blonde, rafraîchissante, servie froide, s'est récemment imposée chez les Espagnols amateurs de vin. Les autres bières sont à peu près inexistantes en Espagne, mais la consommation a rapidement augmenté ces 20 dernières années.

L'Espagne possède une tradition brassicole très ancienne et les Romains admiraient déjà les bières à base de céréales de la péninsule ibérique. Au XVIe siècle, le roi Charles Ier était grand amateur de bière et, sous son influence, certains Flamands et Allemands de sa cour établirent les premières brasseries commerciales espagnoles. Néanmoins, la bière n'est devenue réellement populaire que depuis ces dernières décennies.

L'Espagne a vu s'accomplir une remarquable révolution. En 1948, dans ce pays aux vins vigoureux, la consommation de bière était inférieure à 3 litres par an et par habitant. Aujourd'hui, avec 70 litres, les Espagnols sont les plus gros consommateurs des pays méditerranéens, devançant nettement les Français ou les Italiens. La bière est le plus souvent une lager légère (4,5 %), rafraîchissante, cerveza pilsner, brassée avec un mélange de malt et de gruau de maïs et peu mûrie. Une grande partie est vendue en bouteille, une autre étant servie à la pression dans les bars et les cafés. Depuis peu, sous la pression des touristes d'Europe du Nord et avec l'augmentation des importations, la tendance est à une bière « especial » (environ 5,5 %), plus forte, plus maltée, bien charpentée, de type dortmunder, et à une « especial extra », encore plus forte. On trouve aussi quelques lagers brunes et des bières peu ou pas alcoolisées (« sin »).

Le pays est dominé par cinq grandes brasseries, Cruzcampo, Aguila, San Miguel, Damm et Mahou, et une présence internationale certaine. Le plus grand brasseur, Cruzcampo, appartient à Guinness, tandis que Heineken contrôle son principal concurrent, Aguila. La mort de Franco en 1975 ouvrit la porte aux investisseurs étrangers et aux compagnies internationales qui ont profité du développement de la consommation.

Ci-dessus – San Miguel, la marque la plus connue hors frontières, fut créée par une compagnie des îles Philippines.

LES BIÈRES

Adelbräu
Cerveza especial (5,5 %) cuivrée, suave, fruitée, maltée, au nom de consonance germanique, influencée par le type dunkel munichois. Brassée par Aguila (l'« Aigle »).

Aguila Pilsner
Lager blonde classique (4,5 %), d'Aguila, au goût sucré de maïs, bien charpentée. Mûrit pendant 3 semaines.

Aguila Reserva Extra
« Extra » maltée, forte (6,5 %), d'Aguila.

Alhambra
La Alhambra Pilsen rafraîchissante (4,6 %), également vendue sous le nom de « Star », et la brune Alhambra Negra (5,4 %) viennent de la brasserie du même nom, basée à Grenade.

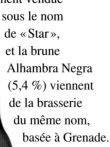

Ambar
Lager blonde fraîche (4,2 %) et especial plus forte (5,2 %), ambre foncé au goût malté, de La Zaragozana.

Bock-Damm
Bock de type allemand, brun noir, maltée, profonde (5,4 %), à l'épaisse mousse crème pâle, produite par Damm. Bière « spéciale » selon les critères espagnols, qui rappelle les origines allemandes de la brasserie Damm.

Cinco Estrellas
« Cinq étoiles » est l'especial forte (5,5 %), sombre, maltée, produite par la brasserie Mahou, Madrid.

Cruzcampo
La brasserie Cruzcampo sort de son marché traditionnel d'Andalousie, dans le sud de l'Espagne, pour lancer des marques nationales, dont cette lager or pâle (4,7 %), au goût sec, aigrelet, citronné.

Edel
Pilsner or clair, pur malt, rafraîchissante (4,8 %), brassée par le premier producteur de lager d'Espagne, Damm. Bière premium d'excellente qualité.

Estrella Damm
Pilsner de qualité premium, doré brillant, moelleuse (5,4 %), l'une des plus connues de Damm. Cette lager « étoile », très rafraîchissante, doit être servie bien froide. Il existe une version « légère » (3,2 %), hypocalorique.

Mahou Classic
Lager standard (4,8 %), sucrée, maltée, au final houblonné, de la principale brasserie du même nom à Madrid.

Marlen
Lager maltée de type dortmunder (5,8 %), brassée par la brasserie Zaragozana, Saragosse.

Nostrum de San Miguel
Cette lager especial forte (6,2 %), ambre doré, bien charpentée, est plus veloutée et riche que sa sœur San Miguel.

San Miguel Premium
Lager phare de la compagnie San Miguel, maltée, houblonnée, relativement forte (5,4 %), bien charpentée, aux légères notes citronnées. Comme de nombreuses bières de la compagnie, c'est une boisson de qualité.

ESTRELLA
Estrella, signifiant « étoile », est un nom populaire pour les lagers, dont Estrella del Sur, de Cruzcampo, les especials de Damm et Mahou (Cinco Estrellas) et une extra-forte Estrella Extra de Coruna.

Voll-Damm
Lager forte (7,2 %), fauve doré, bien charpentée, robuste, au goût houblonné crémeux, produite par Damm, et qui tient plus de la lager dortmunder export que de la Vollbier de Franconie dont elle tire son nom.

Xibeca
Pilsner populaire blond clair, fraîche (4,6 %), brassée par Damm, Barcelone. Vendue surtout pour la consommation domestique, en grande bouteille de 1 litre et en canette.

Zaragozana Export
Lager export riche, rougeâtre, extra-forte (7 %), brassée par la brasserie La Zaragozana, Saragosse.

LES BRASSEURS

Aguila

Célèbre brasserie espagnole remontant à 1900, Aguila (l'« Aigle ») s'est démarquée pendant de nombreuses années du reste de l'industrie. Implantée à l'origine à Madrid, la compagnie dirigeait en 1980 huit brasseries à travers le pays, dépassant de moitié ses concurrents. En 1987 cependant, le groupe Cruzcampo menaçait de déloger l'aigle de son aire et Aguila passa sous le contrôle du géant international Heineken. Le nombre d'usines fut réduit de sept à quatre, à Madrid, Valence, Cordoue et Saragosse. Aguila, très connue pour sa bière pression, brasse une pilsner légère, une especial plus sucrée appelée Adlerbräu et une Reserva Extra plus charpentée. Comme la plupart des lagers espagnoles, ces bières, brassées avec du gruau de maïs et du malt d'orge, mûrissent pendant 3 semaines. La production se concentre aujourd'hui à Madrid et Valence.

Alhambra

Petite brasserie fondée en 1925, à Grenade, dans le sud du pays. Associée à Damm, de Barcelone.

Cruzcampo

Plus grand groupe d'Espagne, formé en 1987 par la fusion de plusieurs brasseries régionales. Appartient depuis 1990 à l'Irlandais Guinness, qui lui ajouta Union Cervecera en 1991. Le groupe, qui contrôle aujourd'hui environ un quart du marché, possède

Ci-dessus – Cruzcampo appartient aujourd'hui à l'Irlandais Guinness.

cinq brasseries à Séville, Jaen, Madrid, Cordoue et en Navarre, le cœur de l'entreprise se trouvant en Andalousie, dans le Sud. Le groupe brasse des marques nationales, notamment Cruzcampo. Keler, Alcazar, Victoria, Calatrava et Estrella del Sur sont des lagers plus locales.

Damm

La compagnie qui lança la lager en Espagne fut créée en 1876 par un brasseur alsacien, Auguste Damm. Elle absorba plus tard d'autres brasseries telle La Bohemia. Damm domine la Catalogne au nord-est de l'Espagne et, outre des usines à Murcia et Palma de Majorque, il possède

des brasseries à Barcelone et Llobregat. Il brasse une pilsner Xibeca populaire et une Estrella especial, ainsi que plusieurs bières « spécialité » qui reflètent ses origines allemandes, dont une pur malt Edel, une brune Bock-Damm et une robuste Voll-Damm, ainsi qu'une Estrella Light blonde (3,2 %) et une Damm-Bier sans alcool.

Mahou

Principal brasseur de Madrid, remontant à 1890. Possède deux brasseries, une à Madrid, l'autre à Abrera.

San Miguel

Le géant asiatique des Philippines entra dans le marché espagnol en 1956, avec une usine à Lerida, en Catalogne. Dès le début, il se concentra sur les bières premium et fut le premier à lancer des bières fortes « especial ». Il développa

la culture de l'orge en Espagne et le brassage des bières pur malt.

Ses deux bières phare sont la San Miguel maltée et la Nostrum de San Miguel veloutée, riche. La Spanish San Miguel, avec d'autres brasseries à Burgos et Malaga, est aujourd'hui associée à Kronenbourg, France.

La Zaragozana

Petite brasserie brassant à Saragosse depuis 1900. Outre une lager Ambar (4,2 %) et une especial (5,2 %), elle brasse une dortmunder de type allemand, appelée Marlen (5,8 %), et une Export extra-forte (7 %).

Ci-dessus – Charette tirée par des chevaux, publicité de La Zaragozana.

PORTUGAL

La bière n'est populaire que depuis quelques années au Portugal, bien que des brasseries y aient été fondées au XIXᵉ siècle. La lager blonde domine, mais on trouve parfois une bière brune indigène.

S alazar, le dictateur portugais, isola son pays pendant de nombreuses années, privant l'industrie locale de la bière de l'influence et des investissements étrangers. En 1889, sept petites compagnies de Porto s'associèrent, suivies en 1934 par une autre fusion, basée à Lisbonne. Ces deux groupes dominants survécurent à la nationalisation (1977-1990) pour former la base de l'industrie moderne.

Sociedad Central de Cervejas (Centralcer) et Uniao Cervejeira (Unicer) contrôlent trois brasseries et environ la moitié du marché chacun, en se concentrant sur les lagers mild maltées. Les bières portugaises, presque toutes en bouteille, sont des versions de bonne qualité de types allemands et il existe aussi quelques lagers brunes. Deux brasseries indépendantes se trouvent l'une à Madère (Empresa), l'autre aux Açores (Melo Abreu).

Ci-dessus – Les brasseurs portugais brassent essentiellement des lagers fortes, telle la Sagres.

LES BIÈRES

Cergal
Lager de type pilsner, au léger goût sec et amer (4,6 %), de Centralcer.

Coral
Principale marque d'Empresa, Madère, lager blonde légère, au léger goût de malt et de houblon, au final sec.

Cristal
Lager jaune foncé, houblonnée, suave (5,2 %), de Unicer ; existe aussi en version brune, Cristal Brown.

Melo Abreu Especial
Lager orangée (5 %), au goût malté et sucré. Principale marque de la petite brasserie Melo Abreu, Açores.

Onix
Lager mild brune de type viennois (4,3 %), assez ronde, au goût plaisant de houblon et de caramel, de Centralcer.

Sagres
Lager fruitée (5,1 %), meilleure vente de Central, vendue sous sa forme blonde jaune pâle, populaire, et en version brune plus rare, veloutée, brun foncé, chocolatée, à goût de mélasse, du type dunkel munichoise. Il existe aussi une Sagres Golden premium.

Super Bock
Lager pâle fruitée, maltée, robuste (5,8 %), de Unicer, l'une des marques les plus populaires du Portugal.

Topazio
Lager or sombre, maltée, au final sucré, marque régionale de Sociedad Central de Cervejas.

Sagres

La bière Sagres de Central de Cervejas porte le nom du village de Sagres près du cap Sao Vicente, à l'extrémité sud occidentale du Portugal, où le prince Henri le Navigateur éleva un arsenal au XVᵉ siècle.

AFRIQUE

*Les Égyptiens furent les premiers brasseurs de bière et la tradition
du brassage est très répandue sur le continent africain. On y brasse
toujours des bières locales, à partir de maïs ou de millet fermenté.*

Pendant des siècles, dans toute l'Afrique, les hommes et les femmes se sont réunis autour d'un verre de bière artisanale, forte et trouble, pour discuter ou célébrer initiations, mariages et naissances. La popularité constante de ces boissons à fermentation haute montre bien que l'Afrique est une des régions du monde où la domination sans cesse croissante de la lager à fermentation basse est en partie tenue en échec.

Les colons européens d'Afrique apportèrent leur propre bière et leurs traditions brassicoles. La première brasserie commerciale de ce continent fut établie dès 1655 par un marin d'Anvers, Pieter Visagie, à Rondebosch, au cap de Bonne Espérance. Il fallut alors attendre plus d'un siècle pour que la production commerciale locale d'Afrique du Sud puisse rivaliser avec la bière importée, mais d'importantes compagnies, telles les brasseries du Cap et Mariedahl à Newlands, Afrique du Sud, s'installèrent peu après 1820. Les bières européennes s'implantèrent sur le continent où les stouts anglais continuent à être très prisés. Cependant, quand Castle Lager des South African Breweries commença vers 1890 à brasser de la lager, celle-ci remplaça rapidement les anciennes ales à fermentation haute. En Afrique du Nord, les brasseries arrivèrent plus tard. Des groupes internationaux comme Heineken et Interbrew s'y sont établis, souvent en s'associant avec des compagnies locales. Carlsberg, par exemple, installa en 1968 Carlsberg Malawi Ltd, en association avec le gouvernement du Malawi. Toutes ces brasseries produisent des versions locales des pilsners internationaux, souvent brassées avec des céréales comme le maïs, l'orge étant peu cultivé en Afrique.

Ci-dessus – Tusker est une lager maltée bien connue au Kenya, l'un des rares pays africains où poussent l'orge et le houblon.

LES BIÈRES

Allsopp's White Cap

Lager aromatique, suave et fruitée (4 %), de Kenya Breweries. Elle porte le nom du sommet neigeux le Mont Kenya. Cette lager fut créée par Allsop, East Africa, avant que la compagnie fusionne avec Kenya Breweries en 1962.

Asmara Lager

Bière blonde mûrie pendant plus de 4 semaines, au goût ferme et malté et à la remarquable rondeur. Seule bière produite par la brasserie Asmara, Erythrée.

Bière Bénin

Lager légère de type français, de la brasserie Bénin, Togo.

Bohlinger's

Lager blonde, sèche, brassée par National Breweries du Zimbabwe, fondée en 1911 et connue pendant longtemps sous le nom de Rhodesian Breweries.

Bosun's

Bitter blonde légère, fruitée (4,5 %), brassée par la première microbrasserie de type européen établie en Afrique, Mitchell's, Knysna, Afrique du Sud.

Camel Beer

Célèbre marque de lager soudanaise de la brasserie Blue Nile, créée en 1955. La recette venait d'une lager anglaise antérieure, brassée par la compagnie Barclay Perkins et massivement exportée, à l'époque, de Londres vers l'Afrique.

Castle Golden Pilsner

Lager légère de South African Breweries, brassée avec du malt d'orge et du maïs.

Castle Lager

Lager blonde (5 %), au goût citronné et au final sec, houblonné, bière phare de South African Breweries. Brassée avec du malt d'orge, du maïs et de la sucrose. Son nom vient de la brasserie Castle, fondée en 1884 par Charles Glass à Johannesbourg.

Castle Lager fut la première bière à fermentation basse produite en Afrique, dans l'usine achetée à la Pfaudler Vacuum Company des États-Unis par le brasseur

Frederick Mead de South African Breweries. La lager, créée en 1898, se révéla si désaltérante et si bien adaptée au chaud climat africain que South African Breweries décida d'adopter le nom Castle pour toutes ses bières et brasseries. Les compagnies concurrentes, impressionnées par ce succès, s'empressèrent à leur tour de produire la lager.

Castle Milk Stout

Milk stout brune, bien ronde, veloutée (8 %), de South African Breweries, brassée avec du lactose. National Breweries au Zimbabwe, où SAB possède des actions, produit aussi la gamme des bières Castle.

Chibuku

Bière traditionnelle du Zimbabwe, trouble, à fermentation rapide (3,5 %), à consistance épaisse, au goût frais et aigrelet. Délai de conservation : 3 à 4 jours. De bon rapport qualité/prix, surtout à la pression dans les grands bars à bière communaux. En 1991, une version premium lancée en bouteille plastique fut surnommée « the Scud », à cause de sa forme qui évoque les missiles de la guerre du Golfe.

Club Pilsner

Pilsner légère, rafraîchissante (4,5 %), mûrie pendant 3 semaines environ et brassée avec du sucre de canne, produite par Nile Breweries, Ouganda.

ESB

L'une des plus fortes bières de toute l'Afrique. Lager blonde veloutée, clarifiée par le froid (7 %), brassée avec du sucre de canne et du malt d'orge par Nile Breweries, Ouganda. Son nom complet est Chairman's Extra Strong Brew.

Flag

Gamme de lagers locales, légères et populaires, produite par Brasseries du Maroc, qui comprend Flag Pilsner, Flag Spéciale et une Flag Export blonde, maltée, houblonnée.

Forester's

Cette lager bien charpentée
(5 %), non filtrée ni
pasteurisée, suit la mode
des « vraies » bières.
Brassée par la
microbrasserie Mitchell's,
Knysna, Afrique du Sud.

Gulder

Lager sèche, légèrement
houblonnée, fraîche (5 %),
marque phare de Nigerian
Breweries. Également
brassée à l'usine du
Ghana de la compagnie.

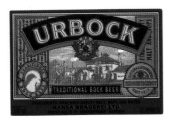

Hansa Urbock

Urbock riche, rougeâtre
(6 %), de la brasserie Hansa
d'origine allemande,
à Swakopmund, selon
la loi de pureté allemande,
comme toutes les bières
namibiennes. Bière d'hiver
chaleureuse qui donne à
l'Afrique une rare lager
brune, de type allemand.

Hunter's

Lager blond pâle, fraîche
mais néanmoins très
goûteuse. Brassée par
un maître brasseur tchèque
selon la loi de pureté
allemande, avec du malt,
du houblon, de l'orge
et de la levure. Produite
par la brasserie privée
Nesbitt, Zimbabwe.

Legend Stout

Stout riche, fort (7 %),
au goût de chocolat grillé,
produit par Nigerian
Breweries. Concurrence
Guinness dans ce pays
qui offre le troisième
plus grand marché de
stout du monde.

Lion Lager

Autre bière phare (5 %)
de South African Breweries.
Un peu plus sucrée
que Castle, la bière
dominante de SAB.
La marque Lion existe
depuis qu'un marchand
norvégien, Anders Ohlsson,

qui brassait en Afrique
depuis 1862, installa
la brasserie Annaberg
au Cap en 1883.

Mamba Lager

Cette lager doré brillant,
maltée est sans doute
la plus connue de l'Afrique-
Occidentale francophone.
Brassée par Solibra,
Abidjan, Côte d'Ivoire,
depuis 1960. La brasserie
Solibra produit aussi
une Mamba Bock
et une Mamba Brune
riche, brun fauve.

Ngoma

Gamme de bières
des Brasseries du Bénin,
Lomé, Togo, qui comprend
une pilsner blonde et
trouble, au goût houblonné
bien équilibré, et une
spécial ambrée plus
sombre, au goût malté
aigrelet. *Ngoma*
signifie « tambour ».

Nile Special

Lager bien charpentée
(5,6 %), brassée par Nile
Breweries, avec du sucre
de canne et du malt
d'orge. Mûrie pendant
3 semaines environ.

Ohlsson's Lager

Lager blonde (5 %), du
nom de la brasserie Ohlsson,
appartenant à SAB.

*Ci-dessus – Le Nil serpente à travers le continent africain sur 6 500 kilomètres. À sa source, Nile Breweries
est une entreprise florissante, grâce à l'aide étrangère. Près de la mer, le grand fleuve ralentit sa course,
en arrivant en Égypte, le pays des tout premiers brasseurs de bière.*

Raven Stout

Stout brun, lourd, riche
(6 %), brassé par la
microbrasserie Mitchell's,
Knysna, Afrique du Sud.

Rex

Lager blonde, sèche,
de Nigerian Breweries.

Simba Lager

Lager blonde, populaire,
du Zaïre (ancien Congo
belge). Simba est produite
par la brasserie Brasimba
(dont le géant belge
Interbrew possède des
actions) depuis 1923.

Tafel Lager

Lager classique
rafraîchissante (4 %),
au goût légèrement amer,
brassée selon la loi
de pureté allemande.
Produite par la brasserie
Hansa, Swakopmud,
sur la côte namibienne.

Windhoek

Les bières Windhoek
comprennent une légère
peu alcoolisée (1,9 %),
une fraîche lager Windhoek
(4 %), une export plus
houblonnée (4,5 %)
et une spécial maltée,
bien ronde (5,3 %).
Les lagers sont brassées
par Namibia Breweries,
selon la loi de pureté
allemande, à la brasserie
moderne de Winhoek
ouverte en 1986.

Zambezi

Lager or pâle, légère (4,5 %),
rafraîchissante, au goût
doux-amer, de National
Breweries, Zimbabwe.

L'AFRIQUE NOIRE

Dans certaines régions d'Afrique,
le stout est devenu depuis
longtemps une tradition, en
particulier au Nigeria, le troisième
plus grand marché de stout du
monde. Guinness Nigeria possède
à lui seul quatre brasseries dans
ce pays de population très dense.
Chez ses concurrents locaux, on compte Legend Stout
de Nigerian Breweries, Power Stout de la brasserie
de Kano dans le Nord, Eagle Stout de la brasserie Golden
Guinea de Umuahia et Lion Stout de la brasserie Mopas.
Ces stouts sont beaucoup plus que de pâles reflets des
bières de l'Empire britannique. Le Guinness, par exemple,
n'est pas le Guinness standard d'Irlande, ni même
le Foreign Extra Stout plus substantiel vendu ailleurs
en Afrique ; c'est une version à 8 %, riche, douce-amère,
mélange de bière pâle forte locale et de moût brun
concentré, envoyé de Dublin et vendu comme stimulant,
« Guinness for Power », aux propriétés énergétiques.
« Un bébé dans chaque bouteille » a même été le slogan
des campagnes de publicité, libérées des contraintes
européennes ou américaines.

Star

Lager blonde, suave,
trouble, houblonnée (5 %),
créée en 1949 par
une brasserie de Lagos
appartenant aujourd'hui
à Nigerian Breweries.
Cette marque de lager
très populaire est brassée
et vendue dans toute
l'Afrique occidentale, de
la Sierra Leone au Ghana.

Tusker

Lager blonde, sèche,
crémeuse, de Kenya
Breweries, en diverses
forces. Tusker Premium,
forte, pur malt (5 %) est
brassée pour l'exportation
internationale. Porte le nom
de l'éléphant furieux qui,
selon la légende, piétina
à mort l'un des deux frères
fondateurs de la brasserie.

LES BRASSEURS

Asmara

L'Italien Luigi Melotti créa cette compagnie à Asmara, Érythrée, en 1939, pour produire de l'alcool pur et des spiritueux. Il commença 3 ans plus tard à brasser de la lager. En 1984, Melotti devint Asmara.

Blue Nile

Première brasserie créée au Soudan, par la compagnie anglaise Barclay Perkins. En 1955, à son ouverture, elle brassait un peu de stout et d'ale brune. Aujourd'hui cependant, la production est surtout consacrée à sa bière phare, une lager de fermentation basse, Camel.

Brasseries du Bénin

Brasseries du Bénin du Togo, en ancienne Afrique-Occidentale française, produit une lager légère, de type français, Bière Bénin, et vend aussi des bières sous la marque Ngoma.

Brasseries du Maroc

L'un des rares groupes florissant dans un pays musulman. Il dirige trois brasseries modernes à Casablanca, Tanger et Fès, ainsi qu'une entreprise de boissons non alcoolisées. Brasseries du Maroc produit sa propre gamme de lagers légères populaires, en bouteille et en canette, surtout sous la marque Flag.

Ces lagers représentent les quatre cinquièmes de la production marocaine et comprennent, outre Crown, sans alcool, Bock 49 et Stork.

Chibuku

Principal producteur commercial de bière indigène du Zimbabwe. Possède 16 brasseries éparpillées dans le pays, afin de pouvoir approvisionner chaque marché local en bière fraîche, surtout vendue à la pression, dans de vastes bars à bière communaux.

En 1995, la nouvelle bouteille à emporter représentait 40 % de la production de la brasserie.

East African Breweries

Voir Kenya Breweries.

Hansa

La brasserie Hansa, fondée en 1929 dans la pittoresque ville de Swakopmund sur la côte namibienne, fut reprise en 1968 par South West (plus tard Namibian) Breweries. Outre une Tafel lager fraîche, elle produit un riche urbock rougeâtre et une pilsner blonde rafraîchissante, brassées, comme toutes les bières namibiennes, selon la loi de pureté allemande, la *Rheinheitsgebot*.

Kenya Breweries

Fondée par deux frères à Nairobi, vers 1920, avec du matériel venu d'Angleterre, et longtemps connue sous le nom d'East African Breweries. Après avoir produit des ales et stouts de type anglais avec de l'orge cultivée localement, la compagnie se concentra rapidement sur une lager blonde, Tusker. En 1952, la société ouvrit une seconde brasserie, à Mombasa. L'époque était mal choisie, le pays explosant avec la révolte des Mau-Mau contre les Britanniques et la population africaine boycottant les bières européennes. À l'aube de l'indépendance, en 1962, l'entreprise fusionna avec son concurrent local Allsopp. Le groupe ajouta 7 ans plus tard une brasserie à Nairobi, puis une autre, en 1982, à Kisumu près du lac Victoria. Aujourd'hui, ses bières phare sont Tusker et White Cap, plus fruitées (toutes deux à 4,2 %) et une pilsner plus houblonnée. Elles sont toutes brassées avec de l'orge non maltée ajoutée au moût. Kenya Breweries produit aussi des versions export moins charpentées, avec du sucre de canne, et une Tusker Premium (5 %) plus forte, pour les ventes internationales.

Mitchell's

Première microbrasserie d'Afrique, fondée en 1984 par Lex Mitchell, ancien brasseur SAB, à Knysna, Afrique du Sud. Ses bières maltées, non filtrées ni pasteurisées comprennent Bosun's Bitter (4,5 %), légèrement fruitée, et Forester's, plus charpentée.

Namibia

Fondée en 1920 sous le nom South West Breweries, par la fusion de quatre brasseries coloniales allemandes. En 1968, le groupe basé à Windhoek absorba son concurrent Hansa de Swakopmund. Après l'indépendance en 1990, le groupe fut rebaptisé Namibia Breweries. La compagnie brasse des lagers de qualité, comme Windhoek Export Lager, selon la loi de pureté allemande.

National

Fondée en 1911 et longtemps appelée Rhodesian Breweries, National Breweries du Zimbabwe possède deux usines à Harare et Bulawayo.

Nesbitt

Première brasserie indépendante du Zimbabwe, fondée à Chiredzi en 1990. Emploie un maître brasseur tchèque, F. Mrazek, pour brasser ses bières pur malt dont la principale est Hunter's Lager.

Nigerian Breweries

Plus grande compagnie du Nigeria, premier pays producteur d'Afrique, avec des usines à Iganmu, Ibadan, Aba et Kaduna. Ouvrit sa première brasserie en 1949, avec l'aide de Heineken, en commençant par brasser Star, une lager suave. D'autres lagers ont été créées depuis, notamment Gulder, plus sèche, et les bières Rex. Le groupe Nigerian Breweries produit aussi un stout concurrent de celui de Guinness, Legend Stout.

Nile breweries

Brasserie de l'Ouganda, construite en 1954 grâce à l'aide et aux investissements allemands, à Jinja, près de la source du Nil. La brasserie prospéra jusqu'en 1972 mais eut beaucoup de difficultés par la suite. Pendant 20 ans, pendant et après le régime d'Amin Dada, elle se désintégra peu à peu.

La brasserie put renaître en 1992 grâce au soutien du géant international Carlsberg. Produit trois principales lagers : Club Pilsner, légère, Nile Special, plus charpentée, et ESB, extra-forte. Les bières sont brassées avec du sucre de canne et du malt d'orge, et mûrissent pendant environ 3 semaines. Nile Breweries contrôle plus de 60 % du marché ougandais.

Solibra

Brasserie installée en 1960, en Côte d'Ivoire. Ses bières comprennent une Mamba blonde, riche et maltée, une bock et une brune. Mamba est exportée.

South African Breweries

Premier géant de la bière du continent africain, né de la brasserie Natal de Pietermaritzburg, créée par Frederick Mead, en 1891. Natal reprit Castle Brewery de Glass, à Johannesbourg, un an plus tard, pour former South African United Breweries qui devint South African Breweries (SAB) en 1895.

SAB ne devait cependant dominer le pays qu'en 1956, à sa fusion avec ses deux principaux rivaux, Ohlsson's (Lion) qui contrôlait Le Cap, et Union Breweries (Chandler's).

Aujourd'hui, les deux bières phare de sa production, Castle et Lion, reflètent cette histoire. SAB offre aussi une large gamme d'autres marques de lagers, dont Ohlsson's, Chandler's, Rogue et Old Dutch.

La compagnie possède des actions substantielles dans de nombreuses autres brasseries africaines et a ouvert des succursales en Europe de l'Est.

Ci-dessus – Namibia Breweries dut agrandir ses brasseries pour répondre à la demande nationale.

LES BIÈRES DE SORGHO SUD-AFRICAINES

La bière au sorgho, de fermentation spontanée, a toujours été une industrie artisanale en Afrique, et il n'est pas rare de trouver des femmes qui vendent des bières faites maison sur les marchés. Ces « porridge beers » épaisses, couleur fauve, sont bon marché et ne se gardent que 2 ou 3 jours. Les Africains les considèrent comme plus nourrissantes que les pâles lagers européennes.

Depuis le début du XXᵉ siècle, les bières au sorgho (gros mil) sont brassées commercialement en Afrique du Sud pour répondre à la demande de la population noire urbaine. Le Natal est leur pays d'origine. Leur popularité cependant est due en partie au fait que, jusqu'en 1962, la population noire n'avait pas le droit d'acheter des bières de type européen. Les boissons au sorgho appelées bières « Kaffir » par les Sud-Africains blancs, étaient vendues dans des bars spéciaux réservés aux noirs, « bier gartens » en plein air ou buvettes au bord des routes. Depuis l'abolition de l'apartheid, bien que la consommation des lagers blondes ait considérablement augmenté, la bière au shorgo n'a pas été abandonnée. À la fin des années 70, il y avait en Afrique du Sud 32 brasseries commerciales de bière au sorgho et d'autres continuent à s'ouvrir.

Ci-dessus – « Pause-bière » au shorgo, à une buvette de plein air.

Ci-dessus – Une femme zoulou d'Afrique du Sud prépare la maische d'une bière au shorgo. Le mélange épais, semblable à de la bouillie, est laissé à l'air pendant quelques jours avant d'être fermenté par les levures naturelles. Cette bière ne se garde que 2 ou 3 jours.

CHINE

Bien que les Chinois fabriquent des boissons alcoolisées depuis des siècles, ils n'ont aucune tradition brassicole établie, ce qui ne les empêchera pas de devenir en l'an 2000 la plus grande nation productrice de bière du monde.

Le savoir-faire étranger a joué un grand rôle dans le développement de l'industrie de la bière en Chine. Le train s'est mis en marche au début de ce siècle, les Russes brassant à Harbin et les Allemands à Tsingtao. Aujourd'hui, des partenaires associés apportent des nouvelles technologies et le capital nécessaires pour moderniser l'industrie chinoise vieillissante. En l'an 2000, d'après certaines sources, la Chine serait, en volume, le plus grand producteur de bière du monde.

D'après les estimations officielles, il existe 850 brasseries en Chine, auxquelles il faut probablement ajouter quelques centaines, non « enregistrées ». Aucun brasseur ne possède plus de 4 % du marché. Les brasseries se répartissent en trois catégories principales : entreprises associées chinoise et étrangères, grandes brasseries nationales et sociétés locales. Compagnies cotées en bourse (comme Tsingtao), brasseries citadines dirigées par des entrepreneurs locaux et entreprises nationalisées sous le contrôle d'agences gouvernementales, la diversité est étonnante.

Bien que la consommation actuelle de bière soit relativement basse, un changement paraît s'amorcer, grâce à la hausse très nette du revenu de chaque habitant, dont une petite partie serait consacrée à la bière.

La plupart des consommateurs sont définitivement fidèles à leur bière locale, quelle qu'en soit la qualité. Les marchés régionaux sont souvent protégés par des restrictions, officielles ou non : amendes imposées sur les bières « de qualité inférieure » importées d'autres régions ; pour les détaillants, taxes sur chaque caisse de bière achetée en dehors de la région. Ce genre de limites n'incite guère les brasseurs locaux à améliorer leur bière, lorsqu'elle est de qualité inférieure.

Ci-dessus – Le port de Tsingtao (Quingdao) fut cédé en 1898 à l'Allemagne. Elle y bâtit une brasserie qui appartient aujourd'hui à la Chine.

LES BIÈRES

Baiyun Beer
Bière lager jaune trouble
de la brasserie Guangzhou,
ville de Guangzhou.

Canton Lager Beer
Lager dorée, maltée,
de la brasserie Guangzhou,
ville de Guangzhou.

Chinese Ginseng beer
Lager longue, pâle (4,1 %),
brassée sous licence
en Angleterre, avec
des ingrédients naturels
et du ginseng.

Chu Sing
Lager or pâle, maltée,
de la brasserie Chu Kiang,
ville de Guangzhou.

**Double Happiness
Guangzhou Beer**
Lager or pâle, très
carbonatée, au léger goût
de malt. Produite par
la brasserie Guangzhou,
ville de Guangzhou.

Emperor's Gold Beer
Lager blonde au léger final
de mélasse, brassée par
la brasserie Hangzhou,
ville de Hangzhou, avec
de l'orge Zhejiang.

Five Star Beer
Lager blonde à la saveur
douce, maltée, produite
par la brasserie Shen Ho
Shing, Pékin.

Guangminpai
Lager brune originale,
produite par la brasserie
Shanghai.

Hua Nan Beer
Plaisante lager jaune
d'or, rafraîchissante,
de la brasserie Guangzhou,
ville de Guangzhou.

Mon-Lei Beer
Lager rougeâtre, brassée
par Beijing Wuxing et
Shen Ho Shing.

Nine Star Premium
Lager blonde au bon goût
malté et houblonné. Brassée
par Five Star Brewery, Pékin.

Peking Beer
Lager or pâle, de la
brasserie Feng Shon, Pékin.

Shanghai (Swan) Lager
Nom populaire de la lager
qui vient ici du logo de cette
bière maltée, légèrement
houblonnée (*swan* signifie
« cygne »). Brassée par
la brasserie Shanghai
et autrefois boisson
officielle des congrès
du parti communiste.

**Song Hay Double
Happiness Beer**
Lager blonde goûteuse,
de la brasserie Guangzhou,
ville de Guangzhou.

Sun Lik
Un dragon chinois
traditionnel orne l'étiquette
de cette lager blonde,
maltée (5 %), brassée par
la brasserie Hong Kong.

Sweet China
Lager jaune doré,
au goût d'ananas, de
la brasserie Guangzhou,
ville de Guangzhou.

Tientan Beer
Lager jaune d'or, trouble, de
la brasserie Beijing. Son nom
signifie « Temple du ciel ».

Tsingtao Beer
Lager or pâle de type
pilsner (5 %), au goût
malté, houblonné et vanillé,
brassé par Tsingtao,

Quingdao, province de
Chan-Tong. Très exportée,
en bouteille et en canette,
notamment vers les
populations chinoises
des autres parties du monde.
Également prisée
des Occidentaux pour
accompagner la cuisine
chinoise. Plus ou moins
bière culte aux États-Unis.
Il existe aussi une Tsingtao
Dark Beer, ambre foncé.

West Lake Beer
Lager légère (3,8 %),
or très foncé, au goût sucré
et fruité, qui ne contient
aucun ingrédient chimique
mais seulement du houblon,
du malt, du riz et de l'eau
de source de la région
des lacs de l'Ouest.
Brassée par la Hangzhou
Zhongce Beer Co Ltd.

JAPON

La première brasserie commerciale du Japon, Spring Valley à Yokohama,
fut créée en 1869 par l'Américain William Copeland, quand le Japon s'ouvrit
au monde extérieur. La bière était alors destinée à l'exportation et aux marins.

L'arrivée de la bière au Japon est relativement récente. Les Japonais essayèrent peu à peu la nouvelle boisson, puis l'adoptèrent avec passion ; aujourd'hui, le pays est l'un des plus gros consommateurs du monde. Comme ils le font lorsqu'ils adoptent une invention étrangère, les Japonais ont raffiné et développé le produit. La plupart des lagers sont ultralimpides, version high-tech des pilsners blondes internationales, avec un apport de riz. Dans la création de nouveaux types, comme les bières de type dry, les Japonais sont de véritables pionniers. Il existe de nombreuses variantes de la lager légère, ainsi que de son emballage, comme la canette de Sapporo qui devient une tasse. Le Japon a aussi quelques bières noires, héritage de l'influence allemande d'origine.

L'industrie de la bière est aujourd'hui dominée par quatre grands groupes : Kirin, Asahi, Sapporo et Suntory (avec Orion sur l'île d'Okinawa). Une loi obligeait les brasseries à produire au moins 2 millions de litres par an, ce qui excluait du marché les petits brasseurs. Après son abolition en 1994, on vit apparaître une quantité de microbrasseries et de pubs-brasseries, souvent établis par des fabricants de saké et produisant de la jibiru fraîche (bière locale). Les grands brasseurs ripostèrent en produisant des bières régionales et en ouvrant leurs propres pubs-brasseries. En même temps, la demande de bières d'importation augmenta, ce qui poussa les grands groupes à essayer de nouveaux types de bière, telle l'alt produite par Kirin.

La bière se vend surtout en bouteille ou en canette, une petite quantité seulement à la pression. Les bières en bouteille et en canette marquées « pression » sont filtrées très finement (microfiltration), une grande partie étant vendue non pasteurisée sur le marché intérieur.

Ci-dessus – Les brasseurs japonais sont depuis longtemps à l'avant-garde de l'avancée technologique et produisent des types de bière high-tech, comme l'amère dry beer.

LES BIÈRES

Asahi Black Beer
Les Japonais aiment mélanger cette bière brun rouge (5 %) avec une lager légère.

Asahi Stout
Stout richement rôti, fort (8 %), de fermentation haute. Un soupçon de lait aigre, comme dans les premiers porters et stouts anglais.

Kirin Beer
Pilsner acide, bien ronde, fraîche, meilleure vente du Japon (4,9 %), brassée avec du houblon Saaz et Jallertau. Mûrie 2 mois et vendue non pasteurisée.

Kirin Black Beer
Bière brune fumée, traditionnelle (5 %), avec un soupçon de café et de houblon grillés.

Kirin Ichiban Shibori
Lager blonde, douce (5,5 %), créée en 1990, deuxième meilleure vente de Kirin. Obtenue avec le premier jus de la cuve à moût, Ichiban Shibori (« premier moût ») offre un goût malté plus lisse.

Kirin Stout
Stout complexe, très riche, au soupçon de café (8 %), de fermentation basse.

Kuro-nama
Lager blonde légère, vendue par Asahi comme digestif du soir.

Kyoto Alt
Voir Kirin.

Malt's
Lager phare de Suntory, bien nommée, pur malt, ce qui est inhabituel pour une bière japonaise.

Sapporo Black Beer
Sapporo fut la première brasserie à produire, en 1892, une lager brune de type allemand, classique, goûteuse (5 %), encore brassée aujourd'hui, avec du riz et des malts cristal, chocolat et Munich.

Sapporo Original Draft Black Label
Quatrième meilleure vente du Japon. Pilsner légère, pétillante (4,7 %), la première à utiliser la technique de microfiltration remplaçant la pasteurisation et donnant une « draft beer » (pression). Vendue à l'étranger sous le nom « Sapporo draft ».

Shirayuki
Deux ales de type belge, Shirayuki Blonde douce et Shirayuki Brune crémeuse, produites à Itami, la ville du saké, près d'Osaka, dans un restaurant-brasserie de la compagnie de saké Shirayuki (« Neige Blanche »).

Shokusai Bakushu
Asahi créa cette lager en 1996, pour accompagner les repas. Elle est vendue sous deux étiquettes, rose et verte. La version rose est plus douce.

Spring Valley
Lager blonde, houblonnée, du nom de la première brasserie du Japon, fondée à Yokohama en 1869. Brassée par un pub-brasserie d'un village touristique, près de l'usine moderne de Kirin, dans le port de Yokohama.

Ci-dessous – Ancienne affiche publicitaire de la bière Yebisu et Sapporo, du musée de la brasserie Sapporo, Hokkaido.

Suntory Daichi
Lager blonde et
veloutée (4,8 %),
de Suntory, aux
ingrédients naturels.
Pur malt d'orge.

Super Dry
Première du type
« dry », Super Dry
fut à la mode
pendant une courte
période, à la fin
des années 80 et au
début des années 90.
Vers 1985, la
brasserie Asahi
vit ses ventes et sa
part de marché diminuer.
Grâce à une étude de
marché faite en 1985 sur
5 000 consommateurs,
on s'aperçut que ces derniers
voulaient une bière légère,
veloutée. Il en résulta Asahi
Super Dry, lancée en 1987.
Pilsner pâle, elle est plus
longuement fermentée
pour en réduire le corps
et augmenter le volume
d'alcool (passant de 4,5 à
5 %), moins amère qu'une
pilsner classique, au final
pour ainsi dire inexistant
sinon un effet sec, râpeux
caractéristique. L'intention
était de créer une bière
longue, claire, ayant peu
de goût et qui donnerait
envie d'en boire une autre.
Le résultat dépassa les plus
folles espérances de Asahi.
Depuis le début des années
90, alors que les bières dry
sont partout en régression,
Super Dry est restée très
populaire au Japon. En 1995,
c'était la deuxième meilleure
vente du pays, après
Kirin Lager, avec plus de
121 millions de caisses.

*À droite – Brasserie Asahi
à Tokyo, conçue par
Philippe Stark.*

Yebisu
Lager premium
pur malt (5 %),
de Sapporo, de
type dortmunder,
brassée avec du
houblon parfumé
allemand donnant
l'une des plus
goûteuses des
bières courantes
du Japon. Porte
le nom d'une
brasserie de
Tokyo bâtie
au début du
siècle.

Z
Asahi brasse cette ale
légère, légèrement fruitée,
de fermentation haute,
non pasteurisée et, comme
l'affirme la compagnie,
l'une des « plus avancées
technologiquement » du
Japon. Conformément à la
politique de la compagnie
Asahi, qui crée ses bières
pour des occasions précises,
la bière Z est vendue en tant
que boisson de vacances.

LES BRASSEURS

Asahi
Fondée en 1889 en tant
que brasserie d'Osaka,
Asahi s'associa en 1906
avec Dai Nippon, formant
le premier géant brassicole
japonais. Après la Seconde
Guerre, Dai Nippon éclata
en Nippon (devenu Sapporo)
et Asahi. Si Asahi était
moins important au départ, il
s'agrandit spectaculairement
en 1987, avec le lancement
de Super Dry dont le succès
le fit passer de 10 % de part
de marché à 28 % en 1995,
pour devenir le deuxième
plus grand groupe du Japon.
Z, Double Yeasts et deux
bières traditionnelles, Asahi
Black Beer brun rougeâtre
(5 %) et Asahi Stout, à
fermentation haute (8 %),
sont d'autres produits de
la société, qui lança en 1996
une nouvelle stratégie de
marché : associer des bières,
telles Shokusai Baskushu
et Kuronama, à diverses
circonstances.

Kirin
Le plus grand brasseur du
Japon représente la moitié
de la production du pays,
avec 14 brasseries.
À l'origine brasserie Spring
Valley de Yokohama, la
première du Japon, en 1869,
et détenue par l'étranger,
elle est rachetée en 1970
par une société japonaise
du groupe Mitsubishi. Brasse
la meilleure vente du Japon,
Kirin Lager. Son autre bière
phare est Ichiban, plus
maltée. En 1995, il se vendait
plus de 151 millions de
caisses de Kirin Lager et
76 d'Ichiban. Cherchant à
égaler le succès d'Ichiban,
la compagnie a lancé une
large gamme de bières locales
et « spécialité » dont une alt
cuivrée, brassée avec du malt
cristal. Brasse aussi Kirin
Black Beer, légèrement
fumée, et Kirin Stout, plus
riche, de fermentation basse.

Sapporo
La plus ancienne brasserie
du Japon, en activité depuis
1876 dans la ville de
Sapporo, s'associa à Dai
Nippon en 1906 pour s'en
séparer en 1949 et reprendre
son premier nom en 1964.
Cet important exportateur
brassicole japonais a lancé
plusieurs types de bière et
différentes techniques de
brassage. Première brasserie
japonaise à brasser une lager
brune de type allemand,
en 1892. En 1971, elle créa
Yebisu, bière premium
pur malt originale, et fut
la première à produire
des bières saisonnières
et régionales.
    Lança aussi la
microfiltration des bières
« pression » non pasteurisées.
Meilleure vente : Original
Draft Black Label,

pilsner sèche et pétillante (Sapporo Draft à l'étranger). Il existe aussi une lager bon marché, faiblement maltée, appelée Drafty.

La compagnie dirige un pub-brasserie à Kawaguchi et des «jardins de bière» de type allemand, près de ses brasseries de Sapporo, Nagiya, Sendai et Shizuoka.

Suntory
La plus petite des quatre grandes brasseries japonaises. Suntory, remontant à 1899 et surtout producteur de vin et distillateur, commença à brasser en 1963. Sa bière phare, Malt's, est suave et pur malt. Suntory brasse aussi Super Hop's, plus légère et Dynamic, lager de type nord-américain (faite avec de la levure canadienne).

LES MICROBRASSERIES ET PUBS-BRASSERIES

Depuis 1994, le Japon a vu s'ouvrir de nombreux microbrasseries et pubs-brasseries.

Akasaka
Microbrasserie installée à Tokyo par une entreprise de boissons non alcoolisées. Brasse une pilsner et une brune Kuro Half.

Doppo
Microbrasserie ouverte par la firme de saké Miyashita à Okayama. Bières de type allemand, Doppo Pilsner et Doppo Dunkel.

Gotenba Kohgen
Gotenba accueille un bar à bière et une brasserie. Brasse une pilsner légère, Gotenba Dunkel, et une Weizen fruitée.

Kirin
Le Kirin est un animal légendaire de l'ancienne Chine, mi-dragon, mi-cheval, qui apparut à la mère de Confucius juste avant sa naissance, il y a 2 500 ans. Cette créature bienfaisante qui annonce, dit-on, la venue de grands hommes, est considérée comme un heureux présage. Spring Valley Brewery en adopta le nom pour sa bière en 1888 et l'animal mythique figure toujours sur les principales marques de Kirin.

Kizakura Kappa
Le producteur de saké Kappa ouvrit ce pub-brasserie à Kyoto. Ales de type allemand dont Kappa Alt, Kölsch fruitée et Kölsch Mild suave, brassées avec de la levure de saké.

Kyoto
Voir Kirin.

Moku Moku
Microbrasserie rurale de Nishiyubune près de Ueno, fondée par une coopérative agricole. Diverses bières rurales, dont une pilsner, une ale ambrée fruitée, une ale fumée, tourbée et une Biscuit Weizen acide.

Okhotsk
Pub-brasserie de Kitami, Hokkaido, près de la mer d'Okhotsk. Large gamme de bières dont une Okhotsk Bitter bien équilibrée.

Otaru
Pub-brasserie d'Otaru, près de Sapporo. Lagers de type allemand dont Otaru Helles, houblonnée, et une dunkel brune, maltée.

Sandaya
Pub-brasserie près d'Osaka, dirigé par un producteur de viande fumée. Bières non filtrées, dont une pilsner levurée, une festbier maltée, une bière noire et une Sandya Smoked Beer, bien rôtie, servie avec de la viande fumée produite par la compagnie.

Sankt Gallen
L'un des premiers pubs-brasseries de Tokyo. Gamme d'ales saisonnières épicées, dont Sankt Gallen Spring Ale houblonnée et Saint Valentine's, plus sucrée.

Sumida River
Pub-brasserie d'Asahi à Tokyo. Trois bières pression de type allemand : une altbier mild, une kölsch appelée River Beer et Zwickelbier, bien ronde, non filtrée.

Uehara
L'une des premières microbrasseries japonaises, au pub Echigo, à Makimachi. Large gamme de bières dont Uehara, pale-ale fruitée, Uehara Weizen, trouble, et Old Ale, très forte.

Ci-dessus – Beau vitrail de la brasserie Sapporo.

AUTRES PAYS D'ASIE

Le marché de la bière se développe avec l'explosion économique des pays d'Extrême-Orient. L'influence européenne s'est fortement exercée sur son industrie, sous forme de matériel et d'investissement, avec une prédominance des lagers.

Les brasseries asiatiques sont réparties sur tout le continent, de l'extrême nord de l'Inde au Sri Lanka, en passant par la Thaïlande, la Malaysia, le Viêtnam, Singapour et l'Indonésie. Il en résulte une grande variété d'influences et une diversité de lois, à l'intérieur même d'un pays. Certains États de l'Inde, par exemple, sont strictement prohibitionnistes tandis que d'autres adoptent une attitude très détachée vis-à-vis de l'alcool.

L'héritage colonial a profondément déterminé la consommation et le brassage de la bière. Les aventuriers venus d'Europe apportèrent leur savoir-faire et leur goût propres, lesquels furent adoptés par les indigènes. Les ales anglaises ont marqué le sous-continent indien, en particulier la India pale-ale et les riches stouts bruns. Malgré la distance, la révolution européenne de la pilsner qui a transformé le paysage de la bière en un monde de lagers blondes, a également touché l'Asie.

La consommation de bière par habitant est relativement basse dans cette région. Singapour, le plus gros consommateur d'Asie, n'en est qu'à 25 litres par tête et par an, à comparer aux 130 litres de l'Angleterre. La nombreuse population asiatique offre cependant un large champ d'action aux compagnies internationales comme Heineken, et au développement de grandes brasseries « locales ». San Miguel des Philippines, qui brasse depuis plus d'un siècle, est l'un des principaux partenaires du marché asiatique, avec des sociétés associées dans toute la région. Asian Pacific Breweries de Singapour est également un gros producteur, avec des centaines de brasseries à travers l'Asie. Les lagers blondes et fortes produites par les brasseurs asiatiques sont exportées dans le monde entier par le biais de la cuisine asiatique et sont devenues des noms communs en Occident.

Ci-dessus – Bintang est une bière primée, la plus célèbre d'Indonésie. L'influence hollandaise se constate à la fois dans sa saveur et dans sa bouteille trapue.

LES BIÈRES

ABC Stout
Ce stout puissant (8,1 %), crémeux, de fermentation basse, est produit par Pacific Breweries.

Amarit
Lager or pâle, sucrée, maltée, de Thaïlande, brassée par Thaï Amarit Bangkok.

Anchor Beer
Pilsner sèche, houblonnée, créée par Asia Pacific Breweries en 1941.

BGI
Lager blonde brassée à My Tho, Viêtnam, par une compagnie associée, formée du groupe français BGI et du gouvernement vietnamien.

Bintang
Lager légère (5 %), maltée, de Bintang, Indonésie.

Cerveza Negra
Bière noire (5,2 %) au goût de malt rôti, de San Miguel, Philippines.

Cobra
Une des plus célèbres lagers d'Inde, exportée avec succès en Occident.

Flying Horse
Lager blonde premium (5 %), de Vinedale Breweries, Hyderabad, Inde.

Hite
Lager coréenne or pâle, sèche (4,5 %).

Jubilee
Lager premium blond ambré (5 %), de Vinedale Breweries, Hyderabad, Inde.

Kingfisher
Lager pression maltée, suave (5 %), de Vinedale Breweries, Hyderabad, Inde, brassée sous licence en Angleterre. Il existe aussi un stout, Kingfisher.

Lion Stout
Stout de fermentation haute (7,5 %), brassé avec des malts tchèque, anglais et danois, du houblon Styrian et une souche de levure anglaise, le tout livré à la brasserie Ceylan de Nuwara Eliya, haute région productrice de thé du Sri Lanka. Servi à la tireuse à main à la Beer Shop de la ville et à UKD Silva, dans la ville sainte de Kandy.

Red Horse
Lager or pâle, de type bock (6,8 %), bien charpentée, de San Miguel, Philippines.

Sando Stout
Stout de fermentation basse, riche, fruité (6 %), de Three Coins Brewery, Colombo, Sri Lanka.

San Miguel
Bière blonde de type pilsner, avec 80 % de malt, mûrie pendant 1 mois, du géant philippin San Miguel.

Singha
Lager doré brillant (6 %), au goût houblonné, brassée par Boon Rad Brewery en Thaïlande. Porte le nom de la créature mythique, à moitié lion, de l'étiquette.

Tiger
Lager dorée, rafraîchissante (5,1 %), l'une des bières les plus connues d'Asie. Brassée à Singapour et Kuala Lumpur par Asia Pacific Breweries. Son slogan « *Time for a Tiger* » est le titre d'un roman de l'écrivain anglais Anthony Burgess.

Tiger Classic
Bière blonde saisonnière, moelleuse, brassée par APB avec du malt cristal, pour les fêtes du nouvel an.

LES BRASSEURS

Asia Pacific Breweries
APB est un géant régional basé à Singapour. Formé en 1931 par l'association de Fraser & Neame et Heineken, il s'appelait à l'origine Malayan Breweries. Possède des actions dans de nombreuses compagnies associées de la région.

Boon Rawd Brewery
Brasserie thaï installée à Bangkok au XIXᵉ siècle, avec la technologie allemande.

Mohan Meakin
Edward Dyer établit une brasserie à Kasauli en 1855. En 1935, cette compagnie fusionna avec Meakin, fondée par H.G. Meakin, pour devenir Dyer Meakin Breweries Limited. La principale brasserie de Mohan Meakin est la Solan Brewery dans les Simla Hills.

San Miguel
Ce géant philippin fut la première société brassicole de l'Asie du Sud-Est et commença, en 1890, sous le nom La Fabrica de Cerveza de San Miguel dans une petite brasserie, près de la maison coloniale du gouverneur général espagnol, à Manille. Il occupe aujourd'hui 85 % du marché et possède de nombreuses brasseries dans d'autres pays de la région, notamment à Guangzhou et Guandgdong en Chine, ainsi qu'à Hong Kong. Il est aussi associé à des compagnies du Viêtnam, d'Indonésie, du Népal et du Cambodge. Au total, San Miguel dispose de plus de 250 000 détaillants en Asie.

AUSTRALIE

La bière pour les Australiens est le plus souvent une lager glacée et une « affaire d'homme ». Mais, à l'instar du légendaire coup de 6 heures qui forçait les buveurs à engloutir deux fois plus vite leur bière, cette réputation disparaît peu à peu.

Depuis 1975, la consommation de la bière a régulièrement diminué en Australie, passant de près de 140 litres par personne en 1975 à moins de 100 litres, 20 ans plus tard. La hausse rapide des taxes et le développement spectaculaire de l'industrie vinicole australienne ont accéléré cette chute aux effets étendus. L'Australie est un immense pays qui ne compte que 18 millions d'habitants. Lorsque le marché intérieur commença à décliner, l'industrie de la bière, importante et bien développée, dut chercher des débouchés ailleurs. Deux grands groupes brassicoles australiens, Elders IXL (Foster's) et la Bond Corporation (Castlemaine and Swan), prospectèrent alors à travers la planète. Elders acheta des brasseries comme Courage en Angleterre et Carling au Canada, faisant ainsi de Foster's une marque internationale. Bond se dirigea vers les États-Unis, où il acquit Heileman, et il devint bientôt la quatrième compagnie brassicole du monde. Les deux groupes s'étaient cependant dépassés eux-mêmes, et croulaient sous leurs dettes. Elders se reforma finalement en Foster's Brewing et revendit certaines de ses acquisitions. Bond s'effondra de façon spectaculaire et le principal brasseur de Nouvelle-Zélande, Lion Nathan, ramassa les morceaux de la société australienne.

Ces deux groupes dominent encore totalement le pays. Foster's, qui vend en Australie avec sa branche Carlton and United Breweries (CUB), contrôle 54 % du marché et Lion Nathan presque 44 %. Ce qui laisse à peine plus de 2 % pour les deux brasseries indépendantes restantes, Boag de Tasmanie et Coopers d'Adélaïde, et pour la poignée de nouveaux pubs-brasseries et microbrasseries.

Ci-dessus – Pour la plupart des gens, la bière australienne est une des lagers de série de Castlemaine ou de Fosters, mais il existe quelques brasseries indépendantes, notamment Coopers d'Adélaïde.

LES BIÈRES

Abbots Invalid Stout

Stout fort (5,6 %) de CUB, rare souvenir d'Angleterre. Il est aujourd'hui à fermentation basse, mais conserve son goût crémeux de café grillé. On ne le trouve que dans le Victoria. Porte le nom de la brasserie coopérative Abbotsford de Melbourne, reprise en 1925 par CUB. Le site abrite l'une des plus grandes et des plus modernes usines de CUB.

Black Crow

Ale brune pur malt, fruitée (3,6 %), de Coopers, Adélaïde. Contrairement aux bières plus connues de la compagnie, elle est filtrée avant embouteillage.

Blue Label

Voir Tooheys.

Broken Hill Draught

Lager maltée, sèche (4,9 %), de la brasserie South Australian, Adélaïde, du nom de la célèbre ville minière. C'est l'une des vraies bières régionales d'Australie, produite depuis près de 80 ans. Ne se trouve qu'en tonnelets de 40 litres dans la région de Broken Hill.

Carbine Stout

Bière brune bien charpentée (5,1 %), de Castlemaine, Brisbane, créée en 1925. Malgré son nom, c'est une lager de fermentation basse, au goût de malt grillé.

Cascade

La gamme de bières à fermentation basse produites à la brasserie Cascade comprend une Cascade Pale Ale bien charpentée (5,2 %), une Cascade Bitter plus légère (4,8 %), un Cascade Stout plaisamment rôti (5,8 %), ainsi qu'une Cascade Lager astringente (4,8 %), une Cascade Draught brune (4,7 %) et une Cascade Premium très goûteuse (5,2 %).

Castlemaine XXXX

Considérée comme une bitter ale en Australie, Castlemaine XXXX est en fait une lager blonde maltée (4,8 %), avec des cônes entiers de houblon. La brasserie produit aussi Castlemaine Malt 75 pur malt (4,8 %), Castlemaine Special Dry (5 %), Castlemaine DL sans hydrates de carbone (4,1 %), XXXX Gold (3,5 %), Light peu alcoolisée (2,7 %) et XL (2,3 %).

Coopers Sparkling Ale

La plus connue des bières de Cooper, pale-ale forte (5,8 %), trouble, levurée, très goûteuse, mûrie en bouteille. La compagnie brasse deux autres bières mûries en bouteille, Coopers Best Extra Stout robuste, richement rôti (6,8 %) et Coopers Originale Pale Ale fruitée, pas trop forte (4,5 %). Produit aussi l'ale filtrée Coopers Premium Clear (4,9 %). Toutes ces bières sont sans additifs ni conservateurs.

Crown

Bière suave (4,9 %), de Carlton.

D-Ale

Voir Diamond Draught.

Diamond Draught

Bière sans hydrates de carbone, plus fermentée (4,6 %), de Carlton, qui s'appelle aussi D-Ale.

Dogbolter

Ale puissante (7 %), créée au pub-brasserie Sail and Anchor à Fremantle en 1983, mais aujourd'hui lager brune, crémeuse, à fermentation basse, de Matilda Bay Brewing Co, Perth, (CUB). La bière est mûrie en fût avant embouteillage, elle demande deux fois plus de temps de brassage et de fermentation que les autres bières australiennes.

Eagle Blue

Bière peu alcoolisée, ambre foncé (2,7 %), à l'amertume rafraîchissante. Procédé de brassage avec de la glace également utilisé pour une autre lager peu alcoolisée, ambre pâle, Eagle Blue Ice (2,7 %), toutes deux de South Australian Brewing Company.

Eagle Super

Lager blond ambré, forte (5 %) produite par South Australian Brewery, vendue en bouteille et en canette.

Emu

Le nom des bières Emu de Swan vient d'une brasserie de Perth reprise par Swan en 1928. La gamme comprend quatre lagers : Emu Pilsner, Emu Export (4,9 %), Emu Bitter plus houblonnée (4,6 %) et Emu Draft brune (3,5 %), plus maltée.

Export Mongrel

Bière au froment couleur bronze (5,1 %), de Traditional Brewing Company, variante de Yellow Mongrel, brassée avec des malts cristal clair, de froment et d'orge.

Foster's Beer

Lager légère, fruitée (4 %), à la réputation internationale, presque toujours associée avec le nom de Foster's.

Foster's Light

Bière peu alcoolisée (2,5 %), de Foster's.

Foster's Special

Lager doré brillant,
peu alcoolisée (2,8 %),
de Foster's.

Fremantle Bitter

Bière ambrée, à fermentation
basse, bien ronde (4,9 %),
de Matilda Bay.

Hahn Gold

Lager de force moyenne
(3,5 %), au goût malté,
houblonné, lisse, et au final
suave, de Hahn Brewery.

Hahn premium

Lager de type européen,
forte (5 %), jaune paille,
bien équilibrée, au goût
amer créé par houblonnage
en fin de brassage avec
du houblon de Tasmanie.

James Boag's Premium

Lager premium pâle, très
goûteuse, au frais arôme
de foin, mûrie pendant
plus de 2 mois. Brassée
par lots, comme toutes
les lagers Boag, avec
du malt de Tasmanie
et du houblon Pride
of Ringwood. Élue
meilleure bière
d'Australie
en 1995.

Kent Old Brown

Ale brune, fruitée
(4,9 %), une
des rares bières
australiennes à
fermentation haute,
de la gamme KB
de Tooth Brewery.

Loaded Dog Steam Beer

Bière de type lager, cuivre
sombre (4 %), au goût
de blé avec une note
biscuitée. Le type « vapeur »
vient du sifflement qui
se produit quand le tonneau
est percé. Le logo du
chien hargneux est dû
à une histoire décrivant
un chien entrant dans un pub
avec un bâton de dynamite.
Brassée par la Traditional
Brewing Company.

Longbrew

Lager « spécialité »
produite par Lion
sous le nom Hahn,
plus fermentée (4,5 %)
que les autres
bières australiennes.

Matilda Bay Bitter

Bitter de type australien,
ambrée, pur malt,
à fermentation basse
(3,5 %), de Matilda
Bay, Australie
occidentale.

Melbourne Bitter

Lager sèche (4,9 %),
de CUB. Ressemble
à Victoria Bitter
(meilleure vente
de Victoria) aussi
brassée par CUB.

Moonshine

Barley wine fort,
alcoolisé (8 %),
produit par la
petite brasserie
Grand Ridge
dans l'État rural
de Victoria.

La première bière de Coopers

Thomas Cooper, fabricant de chaussures, quitta l'Angleterre
en 1852 pour émigrer en Australie avec sa femme Alice,
fille d'un tenancier de pub. Celle-ci tomba malade
et demanda à son mari de lui brasser de la bière pour la
remettre sur pied, en lui donnant la recette. Selon la légende
familiale, cette bière eut tant de succès qu'en 1862,
Thomas Cooper changea de métier. En bon méthodiste,
il considérait les pubs comme lieux de perdition et ne
livrait ses bières qu'aux particuliers. En 1880, la brasserie
déménagea pour son site actuel de Upper Kensington.

O'Flanagan

Swan de Perth vend ce
stout pression (4,8 %) pour
concurrencer Guinness.

Old Southwark Stout

Voir Southwark Old Stout.

Original Chilli Beer

La Traditional Brewing
Company de Melbourne
brasse cette bière au chili
pimentée (4 %). La lager
est veloutée mais le piment
ajouté dans la bouteille
lui donne un piquant
bien reconnaissable.

Power's Bitter

Bitter ambre clair (4,8 %), à
la mousse dense et crémeuse,
au goût houblonné.

Power's Gold

Lager or clair, bien ronde
(3,4 %), de Power Brewery,
à l'arôme houblonné.

Power's Light

Lager ambre pâle,
peu alcoolisée (2,8 %),
bien charpentée, à
l'arôme net et piquant.

Razor Back

Stout rôti, crémeux,
du nom d'un porc local,
brassé par Traditional
Brewing Company
de Melbourne.

Red Ant

Lager rouge robuste,
chaleureuse (4,5 %),
de type australien, de la
brasserie Jernigham Street.

Redback

Première bière au froment
d'Australie (4,8 %),
introduite par Matilda Bay
Brewing, Perth. Porte
le nom d'une araignée
locale. Brassée avec 65 %
de froment. Depuis la reprise
par CUB, cette bière blonde,
fruitée, filtrée est moins
épicée. Outre Redback
Original, il existe
une Redback Light
peu alcoolisée. Un pub-
brasserie associé à
Melbourne, également
appelé Redback, produit
une Redback Hefeweizen
spécifique, non filtrée.

Red Bitter

Parfois appelée Tohey's
Red, c'est une lager sèche,
or pâle (5 %), brassée
avec une bonne proportion
de malt et de houblon.

Reschs DA
Dinner Ale est une lager ambre foncé, assez forte (4,9 %), au goût robuste, aromatique et au final sucré, de cette brasserie de Nouvelle-Galles-du-Sud.

Reschs Draught
Lager blonde, fruitée, (4,7 %), de la gamme produite par Resch, qui brasse aussi une lager plus légère, Reschs Real Bitter.

Reschs Pilsner
Pilsner blonde, légère (4,6 %), à l'amertume caractéristique, de Resch Brewery, Nouvelle-Galles-du-Sud.

Sheaf Stout
Stout sec, amer, à fermentation haute (5,7 %), de la brasserie Tooth, Sydney, une des bières les plus spécifiques d'Australie.

Southwark Old Stout
Rappel des origines anglaises de nombreux habitants d'Australie méridionale, bière lourde, chocolatée (7,4 %), évoquant le stout de type londonien du XIXe siècle.

Southwark Premium
South Australian produit ses bières les plus sucrées sous l'étiquette Southwark, dont Southwark Bitter (4,5 %), Premium lager, bien ronde, fruitée (5,2 %) et Southwark Old Black Ale (4,4 %).

Swan Draught
Lager blonde, maltée, astringente (4,9 %), la plus connue de la brasserie Swan à Canning Vale, qui brasse aussi la lager Swan Export et Swan Gold (3,5 %), hypocalorique.

Swan Lite
Bière blonde légèrement maltée, presque sans alcool (0,9 %), celui-ci étant retiré par distillation sous vide.

Sydney Bitter
Malgré son nom, c'est une lager blonde, pâle (4,9 %), au goût légèrement houblonné et au final léger, amer, l'une des premières « spécialité » de Hahn.

Tooheys Draught
Lager pâle, suave (4,6 %), l'une des bières populaires de Tooheys.

Tooheys Old Black
Ale brune, fruitée (4,4 %), de Tooheys. L'une des quelques bières « Old » à fermentation haute survivantes de cette compagnie.

Victoria Bitter
Malgré la réputation internationale de Foster's Lager, c'est la meilleure vente d'Australie (4,9 %), un quart du marché total et 60 % de la production de CUB. Vendue aussi sous le nom de Melbourne Bitter.

Les premières bières
La bière arriva en Australie avec les premiers colons européens. John Boston, qui débarqua à Sydney en 1794, fabriqua la première bière enregistrée. À base de maïs, parfumée avec des feuilles et des tiges de physalis, c'était certainement une bière originale. En 1804, le gouvernement établit la première brasserie commerciale de la colonie, à Parramatta. Les premières bières avaient mauvaise réputation. Il était difficile de se procurer des ingrédients de qualité et la fermentation haute des ales de type anglais était impossible à contrôler dans ce climat chaud. La levure s'abîmait rapidement et même si l'on arrivait à maîtriser le brassage, la bière elle-même sûrissait quand elle était livrée en char à bœufs. Cette soupe aigre et tiède avait un effet laxatif et la plupart des buveurs préféraient le rhum ou la bière importée. La qualité de la bière s'améliora avec la fondation des brasseries Swan en 1857, et Coopers en 1862, mais la percée ne se fit que vers 1880, lors de l'arrivée de la réfrigération, qui permit de contrôler l'utilisation de la levure et de la fermentation basse, en donnant des bières plus fiables. En 1885, deux immigrants allemands, Friedrich et Renne, établirent la première brasserie de lager à Melbourne. En 1888, les Américains Foster fondèrent Foster's, aujourd'hui célèbre dans le monde entier, bien que les deux frères ne soient restés que 18 mois en Australie, puis retournés à New York après avoir vendu leur brasserie de Collingwood.

West End
Lagers plus sèches, houblonnées, de South Australia, dont West End Draught (4,5 %), Export Bitter (4,9 %) et West End Light (2,6 %).

Yellow Mongrel
Une des rares bières au froment australienne, jaune paille, fraîche et fruitée (3,5 %), de Traditional Brewing Company, Sydney, brassée avec du houblon Green Bullet pour équilibrer Goût sucré et final amer.

1857
Le nom de ces lagers de Swan, 1857 Pilsner acide (4,8 %) et 1857 Bitter plus maltée (3,5 %), est la date de fondation de la brasserie près de la rivière Swan, en Australie occidentale.

LES BRASSEURS

Boag's

L'immigrant écossais James Bogg acheta en 1881 la brasserie Esk, dans l'île de Tasmanie, à Launceston. De 1922 à 1993, Boag's fut associé avec son concurrent Cascade, de Hobart, association rompue quand CUB reprit Cascade. Depuis, Boag's a commencé une nouvelle vie de brasserie indépendante et rajeuni sa gamme de bières avec une Boag's Original Bitter (4,7 %) et une Boag's Classic Bitter (4,9 %) filtrées à froid. Ses bières sont brassées par lots de façon traditionnelle – contrairement à de nombreuses bières australiennes –, avec du malt de Tasmanie et du houblon Pride of Ringwood. Ses lagers mûrissent 30 jours au lieu des 10 habituels.

Carlton United Brewers

La principale brasserie du Victoria fut fondée en 1864 à Melbourne, sous le nom Carlton, et fusionna en 1907 avec cinq concurrents locaux, dont Victoria et Foster's, pour former Carlton and United Breweries. En 1990, le groupe fut rebaptisé Foster's Brewing Group, sa filiale CUB restant responsable de sa bière australienne. Il brasse aujourd'hui 950 millions de litres par an, dans cinq des sept États du pays.

Plusieurs des marques nationales de CUB sont vendues sous le nom Carlton, dont la Carlton Draught Crown sèche, la Diamond Draught ou D-Ale plus fermentée, la Carlton Cold Filtered Bitter, au goût franc (4,9 %) et Carlton light (3,3 %).

Cascade

Fondée par un Français en 1824, Cascade est la plus ancienne brasserie d'Australie et la mieux logée. La belle façade en pierre de sa brasserie de Hobart, en Tasmanie, se détache sur les Monts Cascade. Gravement endommagée en 1967 par des incendies de brousse, elle recommença à brasser 3 mois plus tard. En 1993, Cascade alors associée à Tasmanian Breweries, fut achetée par CUB. Elle produit toujours les bières Cascade.

société Castlemaine à Melbourne, puis traversèrent le pays pour s'établir à Brisbane, en convertissant en brasserie, en 1878, une distillerie de Milton. Les compagnies du Victoria furent plus tard vendues à CUB, sauf celle de Castlemaine de Brisbane, qui fusionna en 1928 avec la brasserie locale Perkins, pour former Castlemaine Perkins. Castlemaine XXXX, produit phare créé en 1924, devint la bière favorite du Queensland et une rivale internationale de Foster's. L'autre bière célèbre de Castlemaine est le lourd et sombre Carbine Stout. Castlemaine contrôle 65 % du marché du Queensland mais fait aujourd'hui partie de Lion Nathan.

Castlemaine

Cette brasserie de Brisbane commença bien loin de là, dans la ville de Castlemaine, État de Victoria, où les frères Fitzgerald avaient fondé une brasserie en 1859. En 1871, ils installèrent une autre

Cooper's

Alors que la plupart des brasseurs australiens se convertissaient à la production de lagers blondes de série, pasteurisées, brassées en continu (en les appelant parfois bitters),

Ci-dessus – La publicité de Boags est axée sur le côté macho du buveur de bière australien.

Coopers d'Adélaïde continua contre vents et marées à produire des ales traditionnelles, à fermentation haute, toujours vendues non filtrées, avec une maturation en bouteille. Les Coopers restent les bières classiques de l'Australie.

Fondée en 1862 et toujours dirigée par la famille Coopers, la brasserie d'Upper Kensington, à Leabrook, continue à fermenter ses ales dans des cuves ouvertes en jarrah (acajou australien) de la région, avec une souche originale de levure, vieille de 85 ans. Une fermentation secondaire a lieu dans la bouteille, en ajoutant du moût à la bière. Le dépôt laissé par ce procédé contredit le nom de la bière la plus connue de Cooper's, levurée, trouble, qui s'appelle Sparkling Ale («brillante»).

Coopers créa ses propres lagers en 1969 et utilise aujourd'hui des cuves de fermentation coniques en acier inoxydable pour brasser Draught Lager, Dry lager (toutes deux à 4,5 %), Coopers Light (2,9 %) et Black Crow (3,6 %), brune et maltée.

La compagnie commença en 1963 à exporter ses ales, aujourd'hui connues dans

le monde entier, et ne consacre plus qu'un tiers de sa production totale à l'Australie méridionale.

Foster's Brewing Group

Le nom international de la bière australienne est aussi celui du premier groupe du pays. Le Foster's Brewing Group comprend l'importante brasserie CUB, ainsi que ses filiales internationales dont Foster's Asia. Fondé à Melbourne en 1888, Foster's, qui importa des États-Unis des machines à fabriquer de la glace, fut un pionnier de la lager. Ce fut aussi un spécialiste de la bière en bouteille et l'un des premiers exportateurs.

Grand Ridge

Petite brasserie du Victoria rural, à Mirboo North. Brasse Gippsland Gold, une ale amère de type australien (4,9 %), Hatlifter Stout, un stout de type irlandais (4,9 %),

Brewer's Pilsner, une pilsner houblonnée (4,9 %), et Moonshine, un barley wine pur malt extra-fort (8,5 %).

Hahn

Le Dr Charles Hahn fonda en 1988 une nouvelle brasserie, à Camperdown, Sydney. Hahn avait travaillé en Nouvelle-Zélande où il aida à développer Steinlager. Sa nouvelle brasserie produisait une lager tout malt, Hahn Premium, et une Sydney Bitter. Il acquit une telle réputation qu'il fut acheté par

Lion Nathan en 1993. Le nom est toujours utilisé pour les lagers «spécialité» dont Hahn Dark Ice (5,2 %) et Hahn Gold (3,5 %), filtrée à froid.

Lion Nathan

En 1992, le premier groupe de Nouvelle-Zélande acheta Bond Brewing en Australie (Castlemaine, Swan et Toohey's), en lui ajoutant depuis South Australian et Hahn. Avec Foster's CUB, il domine aujourd'hui l'industrie australienne.

Matilda Bay

Pionnier du mouvement pour les nouvelles bières et les «spécialité». Fondée à Nedlands en Australie occidentale, vers 1985, par Philip Sexton, qui avait brassé chez Swan à Perth. Matilda Bay lança Redback, la première bière au froment du pays, ainsi qu'une ale forte, Dogbolter. En 1988, la compagnie accepta des investissements substantiels de CUB (qui acquit des parts majoritaires) pour s'agrandir et bâtir une nouvelle brasserie à Perth. Matilda Bay brasse toujours Redback et Dogbolter, Matilda Bay Bitter et Fremantle Bitter.

Power

Le propriétaire d'hôtel Bernard Power décida de se mesurer aux deux grands groupes et installa sa propre brasserie à Yatala, près de Brisbane, en 1988. Après des débuts prometteurs, son entreprise Power Brewing fut cependant reprise par CUB en 1992. L'usine du Queensland brasse encore Power Bitter crémeuse, bien ronde, Power's Gold et Light moins fortes, Brisbane Bitter et Pilsner.

Reschs

En 1900, Edmund Reschs acheta la New South Wales Lager Company de Waverley, Sydney, et ses bières acquirent rapidement une solide réputation. Il fusionna avec Tooth's de Sydney en 1920. Les bières Reschs sont toujours brassées à la brasserie Kent de Tooth's, qui appartient aujourd'hui à CUB.

South Australian

Grosse société brassicole d'Adélaïde, fondée en 1888 par la fusion des brasseries municipales Kent Town et West End. En 1938, elle acheta la Southwark Brewery où toute la production est aujourd'hui concentrée, dans une usine moderne. La compagnie contrôle presque 70 % du marché de l'État. Les bières sont vendues sous trois marques principales, Southwark, West End et Eagle.

Swan (« cygne »)

Les bières d'Australie occidentale sont traditionnellement associées aux oiseaux. La brasserie Swan, bâtie à Perth en 1857, fut reprise en 1928 par son concurrent Emu (« émeu »). Faisant aujourd'hui partie de Lion Nathan, elle contrôle presque les trois quarts du marché de l'État. Outre ses lagers Swan bien connues, la compagnie brasse Swan Stout brun, à fermentation haute (6,8 %), et O'Flanagan's Cream Stout velouté. D'autres lagers comprennent 1857 Pilsner et 1857 Bitter, ainsi qu'une gamme Emu.

Tooheys

La Catholic Irish Brewery de Sydney fut fondée en 1869, quand John et James Thomas achetèrent la brasserie Darling. Après avoir brassé jusqu'en 1978 à la brasserie

Standard bâtie sur un nouveau site, ils déménagèrent pour une usine moderne à Lidcombe, Sydney. Appartient aujourd'hui à Lion Nathan. Les premières bières Tooheys furent des ales brunes à fermentation haute. Les lagers blondes à fermentation basse, qui virent le jour vers 1930, furent appelées « nouvelles » par opposition aux ales de type « ancien ». Aujourd'hui les lagers dominent, surtout Tooheys Draught (4,6 %). Depuis 1985, Tooheys a lancé avec son Blue Label, des bières peu alcoolisées, bien rondes, brassées avec du malt cristal.

Ci-dessous – Gratte-ciel à Brisbane, patrie de la brasserie Castlemaine, dominant la rivière Brisbane.

Tooth's

John Tooth fonda en 1835, à Sidney, la Kent Brewery, du nom de son comté natal, producteur de houblon. Ses bières se vendaient sous la marque KB. En 1929, Tooth's absorba son concurrent local, Reschs de Waverley, mais fut repris par CUB en 1983. Ses bières, dont KB Lager douce et maltée (4,7 %), et deux bières à fermentation haute, Kent Old Brown, riche et sombre, et Sheaf Stout, bien ronde, sont toujours brassées en Nouvelle-Galles-du-Sud.

Traditional Brewing Company

Petite brasserie du pub Geebung Polo Club, à Hawthorn, Melbourne, célèbre pour ses ales goûteuses, dans une élégante bouteille. Fondée en 1985, elle dit être le plus ancien « brasseur de boutique » de Melbourne.

L'ICE BEER

À mesure que le volume d'alcool s'élève dans le moût, la fermentation devient plus difficile, l'action de la levure étant ralentie par l'alcool qu'elle produit. Une façon de résoudre ce problème est de geler la bière. L'eau gèle avant l'alcool et peut ensuite être retirée pour donner une bière concentrée, purifiée. Le froid agit sur le goût de la bière et c'est surtout ce nouveau goût qui est devenu populaire, peu de ces lagers ultralisses à la mode dépassant en fait 5,5 %. La folie de l'ice beer a débarqué en Australie, où la plupart des brasseurs s'empressent de créer leur propre marque.

LES PUBS-BRASSERIES

Lion

Petite brasserie d'Adélaïde construite vers 1985, derrière un pub. Sa gamme Old Lion comprend une pilsner houblonnée, une Sparkling Ale et une porter.

Lord Nelson

Le plus vieil hôtel de Sydney abrite une brasserie qui produit des ales de type anglais, dont Trafalgar Pale (4 %), Victory Bitter (4,8 %) et Old Admiral, riche, brune, maltée (6,5 %).

Port Dock

Le Port Dock Hotel, pub-brasserie de Port Adélaïde, fut bâti en 1855. Il brasse avec de l'extrait de malt Lightouse Ale, blonde (3,9 %), Black Diamond Bitter, crémeuse (4,9 %) et Old Preacher, forte (6 %).

Pumphouse

Pub-brasserie de Sydney, qui brasse entre autre Bull's Head Bitter, de type anglais, et Federation, plus sombre et maltée.

Redback

Pub-brasserie de Melbourne associé avec la Matilda Bay Brewing Company. Brasse sa propre Redback Hefeweizen, non filtrée, caractéristique, ainsi que la bière au froment Redback Original (4,8 %) et Redback Light, peu alcoolisée.

Rifle Brigade

L'une des plus petites brasseries d'Australie, installée dans le pub Rifle Brigade dans le Victoria, en 1986. Son usine d'extrait de malt produit sept bières différentes, dont Old Fashion

Ci-dessus – Pub de l'intérieur du pays, à Toncoola, Australie méridionale. La rambarde servait autrefois à attacher les chevaux.

bien ronde (5,3 %), Iron Bark Dark richement rôtie (5,3 %) et Platman's, une bière au froment (5 %).

Sail and Anchor

Premier pub-brasserie moderne d'Australie, établi en 1983 par Philip Sexton. Cet ancien brasseur de la brasserie Swan à Perth acheta le Freemason's Hotel à Fremantle, qu'il rebaptisa Sail and Anchor. Plus tard, il fonda aussi la Matilda Bay Brewing Company à Perth. Sail and Anchor brasse plusieurs ales à fermentation haute,

servies avec une tireuse à main, dont une bitter fruitée de type anglais appelée Seven Seas Real Ale (4,6 %), un Brass Monkey Stout (6 %) à goût de café et une ale brune riche, chaleureuse Ironbrew (7 %).

Scharer's

La petite brasserie de Nouvelle-Galles-du-Sud, basée au pub George IV à Picton, brasse des lagers

de type allemand depuis 1985, dont Burragarang Bock, crémeuse et maltée (6,4 %), Scharer's Lager ambrée (5 %) et D'lite (3 %). The Inn, bâtie en 1819, pourvoyait à l'origine aux besoins des « Officers and Gentlemen » de passage. Les voleurs, bandits et futurs locataires des prisons de Berrima et Goulburn étaient souvent gardés dans ce qui est devenu des caves à lager.

NOUVELLE-ZÉLANDE

La bière et la Nouvelle-Zélande forment une longue histoire complexe d'amour et de haine. Si ce pays est l'un des principaux buveurs de bière du monde, c'est aussi la patrie d'un puissant mouvement antialcoolique.

En 1885, la population clairsemée de la Nouvelle-Zélande disposait d'une brasserie pour 6000 habitants. Ces brasseries produisaient des ales de type anglais dans un climat d'Europe du Nord. La lager n'apparut qu'en 1900 et seulement à Auckland, dans le Nord, plus tempéré. Cette industrie fournissait les « hôtels » qui tenaient plus des saloons américains que des pubs anglais. L'alcoolisme provoqua un puissant mouvement anti-alcoolique, qui entraîna la fermeture des hôtels et l'interdiction de toute vente d'alcool après 18 heures. Cet état de fait dura 50 ans et la prohibition totale fut évitée de justesse, par référendum, en 1919.

À cause de cette pression, la concentration de l'industrie de la bière qui se débattait pour survivre eut lieu beaucoup plus tôt que dans les autres pays. La première compagnie nationale, New Zealand Breweries (plus tard Lion Breweries), se forma en 1923 par la fusion des 10 plus grandes brasseries, contrôlant ainsi 40 % du marché. Un autre groupe, Dominion Breweries, se créa 7 ans plus tard. Les deux groupes, Lion Nathan et DB, dominent aujourd'hui le marché néo-zélandais.

Grâce à cette concentration précoce, la recherche put profiter de la manne apportée par les investisseurs, influencés par les hauts critères de propreté de l'industrie laitière. Vers 1950, Morton Coutts de Dominion adopta la fermentation en continu. New Zealand Breweries, son concurrent, se mit aussi à ce système qui réduisait les coûts en remplaçant la méthode traditionnelle de brassage par lots. Toutes les bières se ressemblaient : froides, filtrées, à fermentation basse. La plupart des bières pression aban-donnaient le tonneau au profit de camions citernes qui les livraient directement dans les cuves des hôtels. Ces lagers mild, très colorées, souvent appelées bières ou ales « brunes », sont douceâtres, la plupart contenant du sucre, servies très froides et carbonatées.

En 1967, les restrictions concernant les débits de boissons furent supprimées et la Nouvelle-Zélande adopta une attitude plus décontractée vis-à-vis de la bière. Depuis 1980, apparaissent quelques pubs-brasseries et microbrasseries.

Ci-dessus – Le brassage néo-zélandais est dominé par deux groupes. La plupart des bières sont d'origine anglaise et l'on brasse aussi bien l'ale et le stout que la lager.

LES BIÈRES

Canterbury

Bière « brune » ambrée régionale (4 %), au goût onctueux, malté, avec une note d'orge et un final sec. Vient de la brasserie de Christchurch de Lion, Île du Sud.

Coromandel Draught

Bière amère, bien goûteuse (4 %) brassée par Coromandel Brewing Company.

DB Export Dry

Bière or pâle, houblonnée, acide (5 %), de Dominion Breweries, au goût léger, velouté, malté. Maturation plus longue que les autres bières néo-zélandaises.

DB Natural

Ale ambrée, fraîche, non pasteurisée (4 %), goût suave de malt grillé et au final houblonné. À fermentation basse, microfiltrée par Dominion Breweries.

Double Brown

Bière « spécialité » ambre doré, goûteuse, à fermentation basse (4 %), à saveur fruitée et maltée, brassée par Dominion.

Flame

Lager ambre doré, au final velouté (5,2 %), produite par Black Dog, Auckland, selon un procédé spécial, en chauffant le malt et le houblon à 106 °C et en refroidissant brusquement la bière pour en exalter les parfums.

Hawkes Bay Draught

Ale ambrée (4 %), au goût sec, malté, bière régionale brassée par Leopard, Hastings. Leopard, appartenant aujourd'hui à Lion, était autrefois le troisième brasseur du pays, derrière Lion et Dominion.

Leopard Black Label

Lager ambre doré (4 %), au goût fruité, acide. Brassée par Lion, selon le procédé traditionnel par lots de Leopard Brewery, avec un mélange de houblon de Nouvelle-Zélande et une levure « black label » récemment créée.

Lion Brown

Ale ambre doré, sucrée et fruitée (4 %), l'une des meilleures ventes de Lion.

Lion Ice

Lager moderne ambre doré clair (4,7 %), bière veloutée, facile à boire, de Lion Breweries.

Lion Red

Bière or soutenu, suave, maltée, houblonnée (4 %), bien charpentée. L'une des principales marques de Nouvelle-Zélande, de Lion Breweries.

Mainland Dark

Lager décrite comme ale sombre (4 %), plus riche que les autres lagers de Dominion, brassée avec un mélange de malts et d'orge rôtis, par la brasserie DB, Timaru, Île du Sud.

Mako

Bière légère peu alcoolisée (2,5 %), de Dominion. De type bitter authentique, elle est brassée avec une haute proportion de houblon.

Monteith's Black Beer

Bière de couleur noire, plus forte qu'une ale mais plus légère qu'un stout (5,2 %). Produite par Monteith's, selon la méthode traditionnelle par lots et avec un mélange de cinq malts cristal et chocolat dans une maische spéciale.

Monteith's Original Ale

Dominion Breweries brasse sous l'étiquette Monteith une nouvelle gamme de bières « boutique », dont Monteith's Original Ale maltée (4 %), d'après une recette originale de 1860.

Nugget Golden Lager

Lager « spécialité » acide (5 %), de Monteith's.

Rheineck Lager

Lager blonde (3,8 %), plus sèche que les autres bières de Nouvelle-Zélande.

La bière de Cook

Le capitaine Cook, explorateur anglais qui mit littéralement la Nouvelle-Zélande sur les cartes, fut, paraît-il, le premier brasseur de bière du pays. Pour éviter à son équipage de souffrir du scorbut, lors de sa seconde visite en 1773, il brassa de la « bière » en faisant bouillir des feuilles et des tiges de théier et d'épicéa mélangées à de la mélasse. La décoction fut servie aux marins avec du rhum et du sucre roux, peut-être pour en masquer le goût !

Speight's Gold Medal Ale

Ale or foncé, fruitée, maltée et houblonnée (4 %). Toujours une des principales marques de bières « brunes » maltée de l'Île du Sud. Speight's, établi à Dunedin en 1876, fut le plus grand brasseur du pays avant la Première Guerre mondiale et la principale compagnie du groupe formé par New Zealand Breweries (Lion) en 1923. Lion brasse toujours à Dunedin.

Steinlager

Lager premium internationale, or pâle, de Lion (5 %), vendue surtout à l'étranger, plus sèche et plus aromatique que ses autres bières. Cette bière houblonnée, suave, fut créée en 1958 et baptisée Steinecker, du nom du nouveau système de brassage en fermentation continue, fabriqué en Allemagne et installé dans sa brasserie d'Auckland. À la suite d'un procès fait aux États-Unis par Heineken, le nom fut changé en Steinlager en 1962.

Steinlager Blue

Lion créa cette variante de sa lager premium en 1993, bière blonde, maltée, moyennement sèche, à l'arôme léger de houblon.

Taranaki Draught

Lager brune régionale, bien charpentée, maltée (4 %), au goût amer.

Porte le nom de la brasserie Taranaki de New Plymouth, qui fut reprise et fermée vers 1960 par Dominion Breweries (DB).

Trapper's Red Beer

Monteith's de Greymouth, Île du Sud, produit cette bière « spécialité » rouge foncé (4,4 %), brassée avec du malt cristal rôti selon la méthode par lots.

Tui

Bien que décrite comme East India Pale Ale, c'est une lager rouge doré, suave (4 %), au goût houblonné, net et au final malté, de DB's Tui Brewery, Mangatainoka. La brasserie elle-même remonte à 1889. Elle est associée de près à la région de Hawke's Bay dans l'Île du Nord.

Vita Stout

Bière brun foncé, sucrée, veloutée (4 %), aux notes chocolatée, maltée, d'orge rôtie. Face à un mouvement antialcoolique très actif au début du XXe siècle, la brasserie Kiwi proclama bien haut les merveilleuses qualités de ses bières, boissons de santé devant être bues régulièrement. La première bière de Dominion à Waitemata était vendue sous le slogan « Le Secret de bonne santé et de longue vie » et « Aussi nourrissante que le pain ou le lait. »

LES BRASSEURS

Dominion Breweries (DB)

Formé en 1930 à Auckland, Dominion Breweries s'enorgueillit de son avance technologique, en particulier de l'introduction de la fermentation en continu, vers 1950. Outre sa brasserie moderne de Waitemata, Auckland, il dirige la brasserie Tui à Mangatainoka, Monteith's à Greymouth et Mainland à Timaru. Ses meilleures ventes sont DB Draught suave qui fait sa publicité avec les célèbres chevaux Clydesdale de la compagnie, et DB Bitter, plus sèche. Les marques régionales comprennent Tui et Taranaki. Bien que décrites comme bières et ales brunes, ce sont des lagers rougeâtres, moyennement fortes et légèrement sucrées (toutes à 4 %). Les lagers blondes comprennent DB Export Gold (4 %) et Export Dry plus rêche (5 %). Brasse aussi une bière légère peu alcoolisée, Mako (2,5 %). Les « spécialité », toutes à fermentation basse, comprennent DB Natural – non pasteurisée, au goût frais –, Double Brown – très goûteuse –, Vita Stout – lisse et sucré –, et Mainland Dark – riche et plus rôtie. DB a récemment lancé une gamme de bières « boutique » vendues sous l'étiquette Monteith.

Harrington

La microbrasserie de Christchurch produit une des rares bières au froment néo-zélandaises et une Dark Beer goûteuse, outre des lagers plus conventionnelles.

Lion

La plus grande compagnie de Nouvelle-Zélande contrôle près de 60 % du marché intérieur. Le groupe, qui possède aussi des intérêts conséquents en Australie, s'appelle Lion Nathan. En Nouvelle-Zélande la compagnie vend sous le nom Lion Breweries dans l'Île du Nord et sous son ancien nom de New Zealand Breweries dans l'Île du Sud. Le groupe dirige deux brasseries dans l'Île du Nord, à Auckland et Hastings, et deux dans l'Île du Sud, à Dunedin et Christchurch. Ses meilleures ventes sont Lion Red maltée,

Le salut

La naissance du deuxième groupe de Nouvelle-Zélande montre les difficultés relationnelles entre le pays et la bière. Quand la famille Coutts ouvrit la brasserie de Waitemata à Auckland en 1929, le Mouvement de tempérance des femmes chrétiennes organisa une marche sur le site, en priant pour que la brasserie devienne une usine alimentaire ; prière en partie exaucée, car l'entreprise dut se débattre pour trouver un marché et ne put survivre qu'en fusionnant en 1930 avec un grossiste en boissons, sous le nom de Dominion.

et Lion Brown, fruitée, plus sucrée. Brasse aussi des bières «brunes» régionales à fermentation basse, dont Hawkes Bay et Waikato Draught et, dans l'Île du Sud, Speight's et Canterbury Draught. Les bières plus blondes, plus sèches comprennent Rheineck Lager et Steinlager (5 %), produit phare international de la société. Vers 1980, Lion abandonna le système de fermentation en continu pour revenir à la méthode par lots traditionnelle et répondre ainsi à la demande de variété.

Mac's

Quand le Premier ministre Sir Robert Muldoon ouvrit en 1981 la première microbrasserie de Nouvelle-Zélande, à Stoke, il la compara à David en face de deux Goliaths. Néanmoins, l'entreprise créée par Terry McCashin a survécu et même établi sa propre malterie. La publicité de ces bières pur malt, brassées selon la loi allemande de pureté, avec une levure à lager à fermentation basse, est basée sur l'absence de produits chimiques et de conservateurs. Mac's Ale maltée, une Gold houblonnée, Black Mac plus sombre et bien charpentée (toutes à 4 %), ainsi qu'une lager plus puissante, Extra (7 %), et Mac Special Light (1 %) sont ses principales bières.

Monteith

Dominion reprit la brasserie Westland en 1969, la rebaptisa Monteith's Brewing Co. En 1995, il commença à brasser des bières pour le marché de «spécialité», dont Monteith's Original Ale, Trapper's Red Beer plus foncée et Nugget Golden Lager acide. La brasserie Westland, fondée en 1858, a conservé ses cuves de fermentation ouvertes, ses cuves à bouillir à feu direct au charbon et son brassage par lots traditionnel. La population de Greymouth, région minière de la côte ouest de l'Île du Sud, en majorité irlandaise, est fière de ses pubs et de sa bière.

Newbegin

Fondée à Onehunga près d'Auckland, en 1987, cette microbrasserie produit une lager pur malt, Silver Fern (4 %), et une Old Thumper brune plus robuste.

New Zealand Breweries (NZB)

Lion, la plus grande compagnie de Nouvelle-Zélande, vend dans l'Île du Sud sous son ancien nom de New Zealand Breweries. NZB s'est formée en 1923 par la fusion des 10 plus grandes brasseries du pays, dont Speight's de Dunedin, Staples de Wellington, Ward's de Christchurch et la brasserie Great Northern (Lion) d'Auckland.

Petone

Deux anciens employés de Lion montèrent cette brasserie «boutique» à Petone, près de Wellington. Ils importèrent de la levure d'Angleterre pour brasser leur Strongcroft's Bitter maltée.

Shakespeare

Premier pub-brasserie du pays, fondé à Auckland en 1986. Brasse Macbeth's Red Ale, douce et maltée, Falstaff Real Ale amère, Barraclough Lager, or pâle, au final léger de houblon, et Willpower Stout, légèrement amer, ainsi que King Lear Old Ale, riche, houblonnée (7,5 %).

Stockan

Henderson, près d'Auckland, abrite cette brasserie en partie financée par un vignoble. Établie vers 1985, à une plus grande échelle que la plupart des microbrasseries, ses bières comprennent Stockan Ale épicée et Dark Ale chocolatée.

LA BIÈRE DANS LE PACIFIQUE

Le vaste océan Pacifique est parsemé de centaines de petites îles, dont certaines abritent des brasseurs qui fournissent en bière une population réduite.

La brasserie South Pacific de Papouasie-Nouvelle-Guinée fut établie vers 1940 par des chercheurs d'or australiens. Frustrés par l'absence de bière de bonne qualité (toutes les bières étant importées), ils bâtirent leur propre brasserie à Port Moresby, en brassant avec l'eau de pluie récoltée dans des réservoirs. La production commença en 1952. Les ventes montèrent en flèche dans les années 60, après la fin de la prohibition. La brasserie, toujours en activité, produit une lager blonde, sèche, maltée (4,5 %), appelée SP Lager, et une lager maltée délicate (5,5 %), South Pacific Export Lager, qui gagna la médaille d'or de Brewex International en 1980. Il existe aussi un stout brun noir foncé (8 %), appelé Niugini Gold Extra Stout.

Western Samoa Breweries produit Vailima, une lager veloutée rafraîchissante (4,9 %), brassée en fait à Auckland, Nouvelle-Zélande. Les petites îles du Pacifique, Tahiti et Fidji ont aussi leur propre brasserie. La Brasserie de Tahiti produit une lager or pâle prestigieuse, Hinano Tahiti (4,9 %), qui gagna une médaille d'or internationale en 1990, ainsi que deux bières locales, Hei Lager Gold, lager premium (5 %), et Vaita, lager pour ainsi dire non alcoolisée (0,8 %). Aux îles Fidji, la brasserie Calton fabrique une bière fauve au goût malté, appelée Fidji Bitter Beer.

La Kona Brewing Company d'Hawaii, 52e État des États-Unis, brasse Fire Rock Ale, bière ambre foncé (4,1 %), avec des malts pâle et Munich et des houblons Cascade, Galena et Mount Hood. La Pacific Golden Ale (3,5 %) de la même compagnie est une pale-ale ambre doré, créée avec un mélange de malts pâle et miel, et houblonnée avec les variétés Bullion et Willamette.

CANADA

La prohibition ayant frappé le Canada de plein fouet, l'industrie est aujourd'hui dominée par les quelques grandes compagnies survivantes. Les Canadiens ne sont pas de gros buveurs de bière, mais la situation change lentement et de petites brasseries apparaissent.

Ci-dessus – Molson est le plus ancien brasseur d'Amérique du Nord. L'entreprise fusionna avec Carling en 1989, pour former une compagnie internationale géante.

L'industrie de la bière canadienne s'est développée parallèlement à celle des États-Unis, bien que le Canada ait souvent montré la voie en matière de technologie. La première brasserie commerciale (la plus ancienne d'Amérique du Nord) fut installée à Montréal en 1786, par un immigrant anglais, John Molson. Deux autres suivirent, Thomas Carling, à London, Ontario, en 1840 et John Labatt, dans la même ville, 7 ans plus tard. Canada et alcool n'ont jamais fait bon ménage et, après le vote de la Scott Local Option Law en 1878, une véritable toile d'araignée d'interdictions englua la production et la vente de bière. Il y eut aussi la période « sèche » de la prohibition nationale, de 1918 à 1932. Après son abolition, chaque province établit son propre carcan de lois strictes, dont beaucoup existent encore. Dans l'Ontario par exemple, le Liquor Control Board est l'un des plus grands acheteurs d'alcool du monde et possède un monopole sur la vente de bière dans 585 magasins. Les taxes canadiennes sur l'alcool sont également les plus élevées du monde, jusqu'à 55 % du prix en 1995. En conséquence, la bière est relativement chère au Canada. Les lois locales exigeant que la bière soit brassée dans la région où elle est vendue, les trois grands groupes qui dominent l'industrie brassicole canadienne, Molson, Labatt et Carling, possèdent des brasseries éparpillées dans les provinces et produisent leurs bières sous d'innombrables étiquettes locales. La bière fut tout d'abord du type ale à fermentation haute, reflétant les origines anglaises des brasseurs fondateurs, mais elle fit bientôt place à des lagers à fermentation basse et, en 1993, Labatt's fut le pionnier de « l'ice beer », réussite commerciale.

Depuis le début des années 80, il s'est passé une petite révolution dans le brassage, en particulier en Colombie-Britannique, en Ontario et au Québec. En 1995, malgré le carcan des lois, quelque 40 microbrasseries se sont installées, apportant une nouvelle vague de bières sur le marché.

LES BIÈRES

Alpine Alger
Lager rafraîchissante (5 %), brassée localement par la brasserie indépendante Moosehead pour les Provinces maritimes.

Anniversary Amber Ale
Bière pur malt rouge ambrée, de type bavarois (5,5 %), créée pour célébrer 10 années de production à la microbrasserie de Granville Island.

Arkell Best Bitter
Wellington County produit cette ale légère (4 %), amère, à l'arôme malté, dans la ville de Guelph, Ontario.

Big Rock Pale Ale
Pale-ale de qualité (5 %), brassée à la brasserie Big Rock, Calgary, fondée par Ed McNally en 1985. Devant le succès de ces ales pur malt, non pasteurisées, goûteuses, brassées par Bernd Pieper, ancien brasseur de Löwenbräu à Zurich, Big Rock a dû augmenter sa production.

Black Amber
Ale ambrée extra-forte (7 %), de la petite brasserie Big Rock.

Blanche de Chambly
Bière au froment trouble, mûrie en bouteille, acide, rafraîchissante (5 %), de la microbrasserie Unibroue. Gagna la médaille d'argent au *Championnat mondial de la bière,* en 1995.

Brador
Ale « spécialité » riche, fruitée, à fermentation haute (6,5 %), de Molson.

Brasal Bock
Bock houblonnée, brun ambré, rôtie et sucrée (7,8 %), mûrie en barils de chêne pendant 3 mois.

Brasal Légère
La plus légère lager de la microbrasserie Brasal, La Salle. Sa bière sœur, Brasal Hops Bräu, est également légère (4,5 %).

Brasal Special Amber
Lager maltée, forte (6,1 %), de type allemand.

Brick Bock
Bock de type allemand, forte (6,5 %), non pasteurisée, de la microbrasserie Brick.

Brick Premium Lager
Excellente lager blonde, houblonnée (5 %), l'une des bières primées de la microbrasserie Brick, Waterloo, Ontario.

Brick Red Baron
Ale non pasteurisée (5 %), de la microbrasserie Brick.

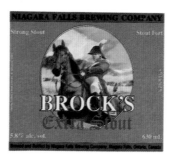

Brock's Extra Stout
Brock's Extra Stout Porter (5,8 %) est l'une des bières « spécialité », création de la microbrasserie Niagara.

Canadian lager
Lager standard (5 %), peu originale mais agréable, produite par Moosehead.

Carling Black Label
Lager standard or pâle, au goût léger (5 %), de Molson, qui s'est révélée une des meilleures ventes d'exportation aux États-Unis.

Colonial Stout
Stout porter (4,8 %), qui vient de la microbrasserie Uper Canada.

County Ale
Excellente ale traditionnelle ambrée, maltée, un peu plus forte (5 %), à l'arrière-goût houblonné, produite par la microbrasserie Wellington County.

Frontenac
Ale légère (5 %), qui vient de la petite brasserie populaire McAuslan, basée en Ontario.

Granville Island Dark Bock
Délicieuse bock ambrée (6,5 %), brassée par Granville Island Brewing Company, Vancouver, Colombie-Britannique, une des meilleures bières du Canada. Riche nez malté et goût chaleureux de houblon et de malt rôti, bien équilibrée et final exceptionnellement long.

Grasshopper Wheat
Bière au froment pur malt
(5 %), non pasteurisée,
de Big Rock, Calgary.

Griffon Brown Ale
Ale houblonnée, légèrement
sucrée, bien charpentée,
brun acajou, complexe
(4,5 %), produite par
la brasserie McAuslan.

Griffon Extra Pale Ale
Pale-ale or brillant (5 %),
au goût de malt fruité,
houblonné. Vient de
la brasserie McAuslan.

Gritstone Premium Ale
Ale forte (5,5 %),
produite par la Niagara
Falls Brewing Company.

Imperial Stout
Stout brun (5,5 %), de
Wellington County, au nez
léger de chocolat, au goût
malté léger mais complexe
et au final houblonné.

Island Lager
Lager or soutenu, bien
ronde (5 %), houblonnée,
de Granville Island Brewing.

John Labatt's Classic
Lager blonde (5 %), très
carbonatée, de Labatt, à
l'arôme léger, houblonné,
au goût terne de malt.

La Fin du Monde
Unibroue produit cette ale
à triple fermentation,
jaune foncé, fruitée,
épicée, extra-forte (9 %),
mûrie en bouteille.

La Gaillarde
Bière originale de Unibroue,
mûrie en bouteille (5 %),
brassée avec des herbes et
des épices, sans houblon.

Labatt Ice Beer
Cette création récente
a un goût malté
et houblonné, et
une bonne rondeur.
Elle titre 5,6 %.

Labatt's Blue
Lager un peu sèche
(5 %), ambre foncé,
marque phare
de Labatt's.

Labatt's 50 Ale
Ale or brillant, rafraîchissante
(5 %), moyennement
charpentée, au nez léger
de houblon avec des notes
fruitées, au goût acide et frais,
au final malté un peu sûr.

Lord Granville Pale Ale
Pale-ale rouge cuivré,
fruitée, pur malt (5 %),
de la brasserie Granville
Island, brassée selon la loi
allemande de pureté, avec
du malt d'orge, du houblon,
de l'eau et de la levure.

McAuslan Pale Ale
Pale-ale piquante (5 %),
de la brasserie McAuslan, au
goût velouté, bien équilibré
en houblon et en malt.

**McNally's Extra Pure Malt
Irish Style Ale**
Bière pur malt, ambre
foncé, extra-forte (7 %),
non pasteurisée, de
la brasserie Big Rock,
au nez puissant de malt rôti,
au goût riche de malt, et
au final houblonné et malté
avec une pointe de caramel.

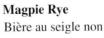

Magpie Rye
Bière au seigle non
pasteurisée, au goût
acide (5 %), de
la brasserie Big
Rock, Calgary.

Maple Wheat Beer
Bière au froment forte,
sirupeuse (8,5 %),
de la Niagara Falls
Brewing Company.

Maudite
Ale rouge moelleuse,
chaleureuse (8 %),
mûrie en bouteille, de la
microbrasserie Unibroue.

Mitchell's ESB
Ale cuivrée de type
anglais (5,5 %), du pub-
brasserie Spinnakers.

Molson Canadian Lager
La plus célèbre des bières
Molson (5 %), or pâle,
au nez malté, sec avec
des notes houblonnées.
Goût lisse et bien équilibré
en malt et houblon,
avec un final long et sec.

Moslon Export Ale
Ale or brun légère, un peu
plus ronde que la lager (5 %),
au goût houblonné acide,
bien charpentée, avec un long
final malté et houblonné.

Molson Special Dry
Lager un peu plus forte
(5,5 %), de Moslon.

Moosehead Lager
Lager de malt pâle, assez
douce (5 %), populaire, qui
donna son nom à la brasserie.

Moosehead Pale Ale
Ale or pâle (5 %), au nez
levuré de houblon et de malt,
au goût bien houblonné
de malt légèrement sucré,
au final malté sec.
Vient de Moosehead.

Mount Tolmie

Ale brune (4,2 %), du pub-
brasserie Spinnakers, brassée
avec quatre types de malts
et du houblon Mount Hood.

Ogden Porter

Porter forte (6,2 %),
du pub-brasserie
Spinnakers de Victoria,
Colombie-Britannique.

**Okanagan Spring
Brown Ale**

Ale brun foncé, à
fermentation haute (5,6 %),
brassée avec du malt
d'orge et du houblon
Hallertauer, par la
brasserie Okanagan Spring,
Colombie-Britannique.

Okanagan Spring Pilsner

Pilsner blonde, légère
(4,5 %), de la brasserie
Okanagan Spring,
Colombie-Britannique.

Pacific Real Draft

Lager plaisante, légère (5 %),
la bière la plus connue de
la brasserie Pacific Western.

Publican's Special Bitter

Bitter de type anglais,
brun ambré, à fermentation
haute (4,8 %), produite
par la microbrasserie
Upper Canada.

Raftman

Bière blonde, fumée
(5,5 %), mûrie en bouteille,
brassée avec du malt
à whisky tourbé, par la
microbrasserie Unibroue.

Rebellion Malt Liquor

«Liqueur» de malt, or, au
goût plein, mielleux, doux
(6 %), au final houblonné
et malté. Bière agréable,
bien ronde de la Upper
Canada Brewing Company.

Red Baron

Lager or pâle (5 %),
de la Brick Brewing
Company, à l'arôme léger
de houblon et de malt,
au goût malté léger
et au final houblonné.

Red Cap Ale

Bière classique (5 %),
brassée par la Brick Brewing
Company selon la recette
originale de Carling.

Red Dog

Ale blonde de type
allemand (5,5 %), au nez
très léger de houblon et de
malt, et au goût sec, malté.

Saint Ambroise Framboise

Bière à la framboise,
rouge rosé, légère (5 %),
de type belge, de
la brasserie McAuslan.

**Saint Ambroise
Oatmeal Stout**

Dry stout traditionnel, noir,
au goût d'orge rôtie et
de malt chocolaté (5,5 %),
brassé avec un apport
d'avoine par McAuslan,
Saint Ambroise, Québec.

Saint Ambroise Pale Ale

Ale maltée, robuste,
or rouge, au goût franc
caractéristique du houblon
Cascade utilisé dans le moût,
de la brasserie McAuslan.

Signature Amber Lager

Lager ambrée pur malt,
brassée sous l'étiquette
Signature de Molson.

Signature Cream Ale

Ale pur malt, avec du
caractère. Une des Signature
de prestige de Molson.

Sleeman Cream Ale

Cream ale maltée, or fauve
(5 %), vendue comme toutes
les bières de Sleeman dans
une bouteille caractéristique.

Sleeman Original Dark

Ale ambre foncé (5,5 %),
légèrement houblonnée,
à l'arôme malté. Vient
de la brasserie Sleeman.

Spinnaker Ale

Ale ambrée de type anglais
(4,2 %), du premier pub-
brasserie canadien, Spinnaker.

Spinnaker Hefeweizen

Bière trouble, épicée,
spécialité du pub-
brasserie Spinnaker.

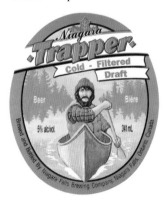

Trapper Lager

Lager or soutenu, au nez
de raisin et au goût long
sucré, de la Niagara Falls
Brewing Company.

True Bock

Bière bock rouge ambré,
de type allemand, au goût
chaleureux, complexe
(6,5 %), doucement malté
et au plaisant nez de houblon.
La bière la plus intéressante
de la microbrasserie Upper
Canada, Toronto. Produit
aussi une bière au froment
légère (4,3 %) à l'arôme
acide et fruité, une lager
standard (5 %) et une IPA
de type anglais (4,8 %).

Warthog Ale

Ale pur malt, non
pasteurisée (4,5 %), de
Big Rock Brewery, Calgary.

Waterloo Dark

Ale pression brune, non
pasteurisée (5,5 %), de
la Brick Brewing Company.

Wellington Imperial Stout

Stout à fermentation
haute, riche, brun noir
(5,5 %), brassé avec des
malts spéciaux par la
Wellington County Brewery.

Des lois restrictives

Les restrictions
concernant l'industrie
de la bière canadienne
viennent de la prohibition
des années 20 et des lois
d'État très strictes. Les
microbrasseries ont dû
se battre contre ce carcan.
Néanmoins, le Canada
a toujours été un pionnier
de l'industrie brassicole.

LES BRASSEURS

Big Rock

Fondée en 1985 par
Ed McNally, la brasserie
Big Rock est consacrée
au brassage par lots de
bières premium, selon la loi
de pureté allemande. Elle a
remplacé la pasteurisation
par un système de multi-
microfiltration par le froid.
Ses bières les plus connues
comprennent Buzzard Breath
Ale – une ale plutôt légère –,
McNally's Extra Pure – ale
de type irlandais —, Warthog
Ale – cuivrée et à goût
de noix –, Magpie Rye Ale
et Grasshopper Wheat Ale.

Brasal Brasserie Allemande

Plus grande microbrasserie
du Québec. Fondée
à Montréal, ville de
La Salle, en 1989, par
la famille Jagerman,
pour brasser des lagers
de type allemand, selon
la loi de pureté allemande.

Brick

La Brick Brewing Company
a été établie en 1984
à Waterloo, Ontario.
Brick a lancé le mouvement
pour la nouvelle bière,
dans l'est du Canada.
Ses bières non pasteurisées,
dont beaucoup sont primées,
sont surtout des lagers de
type européen, créées par
le fondateur Jim Brickman.

Carling

L'un des premiers noms de
l'industrie internationale de
la bière, Carling fut fondé en
1840, dans l'Ontario, par sir
Thomas Carling. À la fin du
XIXe siècle, Carling s'associa
avec la brasserie concurrente
O'Keefe, fondée par Eugene
O'Keffe en 1862, formant
ainsi Carling O'Keefe.
En 1987, la compagnie fut
reprise par le géant australien
Foster's, qui dut ensuite
fusionner avec Molson, en
1989, pour constituer le plus
grand groupe brassicole du
Canada, avec de nombreux
intérêts à l'étranger. Sa bière
phare, Carling Black Label,
est l'une des meilleures
ventes de lagers en Grande-
Bretagne. À cause des lois
d'État canadiennes, qui
stipulent que la bière
doit être brassée dans
les limites de l'État, la
compagnie possède un grand
nombre de brasseries qui
produisent des bières locales
sous diverses étiquettes.

Granville Island Brewing

L'homme d'affaires Mitch
Taylor installa la première
microbrasserie du Canada
à Vancouver, en 1984.
Elle brasse des lagers
pur malt de type bavarois,
notamment Island Lager.

Labatt

La compagnie belge
Interbrew reprit en 1995
l'un des deux géants du
Canada, Labatt. Il possède
aussi Latrobe (Rolling
Rock) aux États-Unis.

John Labatt installa
la brasserie à London,
Ontario, en 1847. Elle fut
détruite deux fois par le feu
au cours du XIXe siècle, mais
la compagnie persévéra et
survécut à la prohibition pour
reprendre de nombreuses
brasseries régionales après
la Seconde Guerre.

Aujourd'hui, Labatt
dirige sept brasseries au
Canada et a vendu jusqu'à
50 marques. Sa lager phare
est Labatt's Blue (5 %).

Ses marques de bières
locales comprennent
Kokanee et Kootenay dans
l'Ouest, Schooner et Keith's
IPA dans l'Est, outre
Blue Star à Terre-Neuve.

Labatt fut le pionnier
de l'ice beer (créée en 1993).
Pendant le brassage, la bière
est refroidie à 4 °C pour
former des cristaux de glace
qui, une fois retirés, donnent
une bière plus forte (5,6 %),
mais sans goût.

Mc Auslan

Après 2 ans de préparation,
cette petite brasserie
de Montréal commença
à brasser en 1989.
Le célèbre brasseur anglais
Alan Pugsley créa la recette
de sa première bière,
St-Ambroise Pale Ale.
Au cours des 7 années
suivantes, la brasserie
a lancé quatre nouvelles
bières : St-Ambroise
Oatmeal Stout, Griffon
Extra Pale Ale, Griffon
Brown Ale et Frontenac,
une ale blonde extra-pale,
légèrement houblonnée.

Molson

La plus ancienne brasserie
d'Amérique du Nord,
qui remonte à 1786, fut
établie par l'immigrant
John Molson à Montréal.
Géant aujourd'hui basé
à Toronto, il rivalise avec
Labatt, par ses neuf
brasseries et environ
50 marques. Molson
fusionna avec Carling

et Navy Brewery. Après une histoire mouvementée (le brasseur Conrad Oland fut tué par une explosion en 1917), la compagnie déménagea à Saint John's, New Brunswick. En 1931, George Oland rebaptisa sa principale bière Moosehead, qui fut une telle réussite commerciale qu'en 1947, la société prit aussi le nom de Moosehead. Cette bière est extrêmement populaire aux États-Unis. Brasse aussi Moosehead Pale Ale, sèche et Alpina Lager, locale (5 %), pour les Provinces maritimes.

Niagara Falls

Cette microbrasserie novatrice, du côté canadien des chutes du Niagara, produisit en 1989 la première ice beer d'Amérique du Nord, Niagara Eisbock, veloutée, maltée (8 %), inspirée du Eiswein local. Niagara fut fondée par les frères Criveller, Mario et Bruno, après la nationalisation de leur brasserie éthiopienne d'Addis-Abeba. Depuis lors, la brasserie a ajouté Apple Ale et une Kriek aux cerises (toutes deux à 6,5 %).

O'Keefe en 1989, pour former le plus grand groupe canadien, avec 53 % du marché. Connu pour ses Molson Canadian Lager (5 %) et Molson Special Dry (5,5 %), il créa une nouvelle gamme de bières pur malt en 1993, vendue sous la marque déposée Signature et qui se sont tout de suite imposées sur le marché intérieur.

Moosehead

Moosehead, la plus ancienne brasserie indépendante du Canada, fut fondée en 1867 par Susannah Oland à Halifax, Nouvelle-Écosse. La compagnie, qui brassait selon de vieilles recettes de famille, reçut ensuite l'exclusivité comme fournisseur de bière des forces canadiennes en devenant la Army

Okanagan Spring Brewery

Petite brasserie spécialisée de Vernon, Colombie-Britannique, dont la bière la plus prestigieuse est Old English Porter, forte et bien charpentée (8,5 %). La compagnie produit aussi une Premium Lager blonde, une Pale Ale et une Old Munich Wheat Beer à l'arôme de cidre sec et au goût de malt rôti.

Sleeman

Quatrième brasseur du Canada (derrière Molson, Labatt et Moosehead), fondé en 1834, à Guelph, Ontario mais qui ferma en 1939. En 1985, John Sleeman décida de ressusciter l'affaire familiale et ouvrit une nouvelle usine à Guelph, en 1988. Ses bières sont vendues dans des bouteilles martelées caractéristiques.

Spinnakers

Premier pub-brasserie du Canada, qui réussit à ouvrir en 1984 à Victoria, Colombie Britannique, après avoir surmonté de nombreux problèmes. Pour obtenir l'autorisation de brasser et de vendre sur le même site, il fallut un référendum local et un changement de la loi fédérale. Paul Hadfield produit surtout des ales de type anglais et quelques bières lambic.

Unibroue

Plus grande microbrasserie du Québec, fondée en 1991, à Chambly, Montréal, par un Belge passionné de bière, André Dion. Produit une gamme de bières originales, comme Eau Bénite, qui est même exportée en France.

Upper Canada

Frank Heaps fonda cette microbrasserie de l'Ontario en 1985, à Toronto. Aujourd'hui l'une des plus importantes nouvelles brasseries d'Amérique du Nord, elle exporte en Europe. Son eau vient des Caledon Hills, situées à 50 kilomètres, transportée par camion chaque jour.

Wellington County

La petite société Wellington County fut établie en 1985 à Guelph, Ontario, pour brasser des ales de type anglais, parmi les premières bières mûries en tonneau d'une brasserie commerciale en Amérique du Nord. Produit aussi un Imperial Stout (5,5 %) et une ale forte (6,5 %), Iron Duke.

ÉTATS-UNIS D'AMÉRIQUE

*Les États-Unis sont les plus grands brasseurs mondiaux et leurs lagers
sont célèbres dans le monde entier. Depuis peu, des « nouveaux brasseurs »
y établissent partout des microbrasseries pour répondre à la demande de variété.*

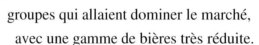

Autrefois, les meilleures bières d'Europe inondaient les États-Unis, ales anglaises, stouts irlandais ou pilsners tchèques. La plupart des grands brasseurs étaient des immigrants allemands qui apportaient avec eux la riche gamme de bières de leur pays. Puis vint la prohibition. Le *Volstead Act* de 1919 anéantit une industrie florissante, en interdisant la fabrication et la vente d'alcool. Quand la prohibition fut abolie, en 1933, la plupart des compagnies avaient disparu. La voie était ouverte aux grands groupes qui allaient dominer le marché, avec une gamme de bières très réduite.

La bière des années 70 était une lager blonde et glacée, à faible teneur en houblon et au goût peu prononcé. Aucun autre type n'était produit. Cette boisson sans caractère se vendait en canette, dans les supermarchés et autres magasins. Comme les bières se ressemblaient toutes, leur publicité prit une importance considérable. L'image de marque dépassa le produit et les grandes entreprises firent peu à peu disparaître celles dont le marketing était moins percutant.

L'Amérique est la patrie de la bière légère, lager hypocalorique lancée par Miller en 1975. En 1995, trois sur quatre des meilleures ventes de bières étaient des légères.

À la fin des années 70, de nouvelles petites brasseries apparurent. Certaines, comme New Amsterdam, brassaient par contrat dans des compagnies établies. Ce système aida les brasseries régionales à survivre. Vers 1990, cette nouvelle industrie était florissante.

Certaines microbrasseries produisaient des bières pression et en bouteille pour les bars et magasins locaux, tandis que d'autres installaient des pubs-brasseries servant directement le consommateur. Il existe aujourd'hui environ 1 000 entreprises nouvelles (dont 92 microbrasseries et 128 pubs-brasseries qui ne sont ouverts que depuis 1995). Ce marché de « spécialité » relativement petit est sans cesse croissant.

*Ci-dessus – Anchor Steam
Beer, brassée à San Francisco,
fut l'un des exemples de
la renaissance de la bière
moderne aux États-Unis.*

LES BIÈRES

Abita Amber
Bière de style européen, ambre clair, suave, maltée (3,8 %), brassée par Abita Brewing Co. Inc., première microbrasserie de Louisiane. Brasse aussi Golden Lager, Fall Fest houblonnée, ambre brillant, Bock Beer ambrée et Purple Haze Raspberry Wheat Ale.

Acme Pale Ale
Célèbre marque californienne relancée en 1996 par North Coast, brasserie souvent primée, de Fort Bragg, qui commença comme pub-brasserie en 1988. Les autres bières comprennent Scrimshaw Pilsner (4,5 %) et Blue Star Wheat (4,8 %), ainsi qu'un riche Old Rasputin Russian Imperial Stout.

Adirondack Amber
Lager ambrée de type bavarois (5 %), au goût classique de pilsner. Fait partie de la gamme Saranac de FX Matt.

Alimony Ale
Célèbre ale brun noisette, teintée d'orange (« la bière la plus amère d'Amérique »), brassée par Bill Owens, fervent amateur de bière. La saveur sucrée du malt du début est suivie d'un final amer. Cette bière fut créée en l'honneur d'un employé en cours de divorce (*alimony* signifie « pension alimentaire »). Bill Owens ouvrit le troisième pub-brasserie d'Amérique, Buffalo Bill's, à Hayward, Californie, en 1983.

Amber
Lager blonde veloutée, maltée, non pasteurisée (4,5 %), brassée par la Thomas Kemper Brewing Company.

American Originals
Anheuser-Busch vend ses bières « spécialité », basées sur des recettes du début du siècle, sous le nom American Originals. Muenchener Amber et Black and Tan Porter en font partie.

Anchor Steam Beer
Croisement cuivré, brillant entre une ale et une lager (5 %), au goût malté charpenté et au final acide. La brasserie Fritz Maytag fait revivre cette bière de l'époque de la Ruée vers l'or, grâce à une fermentation peu profonde, inventée par les chercheurs d'or quand la réfrigération n'existait pas.

Apricot Ale
Ale moyennement forte (3,5 %), au subtil goût d'abricot. Brassée avec de vrais abricots par Hart Brewing.

Auburn Ale
Ale brassée par la brasserie familiale de lager Leinenkugel, Chippewa Falls, Wisconsin.

Augsburger
Marque déposée de bières « spécialité » de type allemand, de la quatrième plus grande brasserie des États-Unis, Stroh. Ces bières furent créées par Huber, Wisconsin.

Bachelor Bitter
Ale cuivrée de type anglais, mûrie au froid (5 %), avec une pointe de pamplemousse et de résineux, brassée par la brasserie Deschute, Bend, Oregon. Cette entreprise du Pacifique Nord-Ouest commença en 1988 comme pub-brasserie, mais s'est rapidement développée pour répondre à la demande.

Baderbräu
Lagers de type allemand de la brasserie Pavichevich, Chicago (établie en 1989 à Elmhurst, Illinois), obéissant à la *Reinheitsgebot* (loi de pureté allemande). Les bières comprennent une pilsner houblonnée, couleur bronze (4,8 %), et une bock maltée, brun clair (5,4 %).

Ballantine's Ale
Autrefois l'une des meilleures ventes d'ale d'Amérique, Ballantine's fut créée en 1830, à Albany, État de New York avant d'aller à Newark, New Jersey. Au XXe siècle, ces bières ont été brassées par différentes compagnies ; elles sont aujourd'hui produites par Pabst, Milwaukee. La plus connue est IPA cuivrée, houblonnée, mais il existe aussi une Ballantine Ale, plus légère.

Ballard Bitter
Bitter forte (5,9 %), brun caramel, brassée par Redhook, au goût agressif de houblon tempéré par un peu de malt, au final sec.

Banquet Beer
À son lancement dans les années 60, cette lager or pâle révéla Coors.

Bert Grant's
Gamme de « real ales » de la Takima Brewing and Malting Co., pub-brasserie de Yakima, État de Washington. Les bières comprennent IPA de type anglais (4,2 %), une Scottish Ale fruitée, maltée (4,7 %), un Imperial Stout chocolaté (6 %), une Hefe Weizen houblonnée (4,2 %), une riche Perfect Porter (4 %) et une Amber Ale au goût fleuri (5,5 %).

Big Butt Doppelbock
Doppelbock de type allemand, de Leinenkugel, Wisconsin.

Big Shoulders Porter
Cette porter brun chocolat offre un goût légèrement rôti au bon équilibre houblonné. Produite par Chicago, seule brasserie commerciale de la ville.

Bigfoot Barley Wine
Barley wine de couleur rousse, puissant (10,6 %), mûri en bouteille, brassé par Sierra Nevada, au goût fruité, doux-amer.

Black and Tan
Mélange brun foncé de stout et de Saranac Adirondack Lager. Le Black and Tan possède un nez chocolat malté, une rondeur moyenne et un goût d'orge rôtie, avec une note fruitée de houblon.

Black and Tan Porter
Cette bière « spécialité », ambre foncé, de Anheuser-Busch, offre un arôme de malt grillé, un goût et un final maltés secs.

Black Butte Porter
Porter brun rouge foncé, mûrie à froid, non filtrée (5,5 %), à la mousse fauve et au riche goût de malt rôti avec une note de chocolat. Succès commercial surprise pour Deschute's, Bend, Oregon.

Black Chocolate Stout
Stout Imperial Classique fort (8,3 %), produit une fois par an par Brooklyn, à la riche texture crémeuse, au goût de café brûlé et de malt.

Black Hawk Stout
Stout à la rondeur légère, brassé par Mendocino, première microbrasserie de Californie, plus fruité que le stout irlandais ou anglais, avec une pointe de chocolat, de caramel et de café.

Blackened Voodoo
Bière brune, rubis foncé (5 %), au léger arôme malté et à l'amertume sûrette, brassée par Dixie. Qualifiée de bière du diable, elle fit quelque peu scandale et fut interdite au Texas à son lancement en 1992.

Blackhood Porter
Porter marron foncé (4,9 %), au nez de malt et de café robuste, et au final amer, grillé, avec une pointe de café. Brassée par la brasserie Redhook Ale, Woodinville, État de Washington.

Blue Fin Stout
Stout noir d'ébène (5 %), au nez de malt grillé avec une pointe de mélasse. Peu charpenté, final amer de café. Brassé par Shipyard, Portland, Maine.

Blue Heron Pale Ale (Bridgeport)
Pale-ale américaine plaisante, maltée, couleur cuivre (5,8 %), à la mousse blanche et au goût amer complexe de malt sucré, au final sec. Se vend mûrie en tonneau, dans le bar-brasserie de la plus ancienne microbrasserie d'Oregon, Bridgeport.

Blue Heron Pale Ale (Mendocino)
Excellente pale-ale de type anglais, or trouble (5,9 %), de Mendocino Brewing, au caractère houblonné, sec avec une pointe de saveur maltée, fruitée et sucrée.

Blue Moon
En 1995, le géant Coors lança cette gamme de bières « spécialité » avec Belgian White, Nut Brown et Honey Blonde Ale, créées dans sa microbrasserie de Sandlot, Denver, Colorado. Les bières sont brassées sous licence par F. X. Matt de Utica, État de New York.

Blue Star Wheat Beer
Bon exemple de bière au froment américaine (4,8 %), de North Coast, pâle, franche, sèche, rafraîchissante et douce.

Bohemian Dunkel
Lager brune riche, bien charpentée (5,6 %), non pasteurisée, brassée par Kemper avec du malt foncé et du houblon Styrian.

Boulder Amber Ale
Ale ambre brillant, robuste (4,5 %), au nez malté, levuré et au goût bien équilibré de malt et de houblon. Brassée par Rockies Brewing, Boulder, Colorado.

Brooklyn Lager
Brooklyn Lager (4,5 %) fut lancée en 1987. À l'origine, toute la bière était brassée sous contrat par F. X. Matt de Utica mais, en 1996, la compagnie ouvrit sa propre brasserie à Brooklyn, faisant ainsi renaître la tradition brassicole de la région. Brooklyn était autrefois l'une des plus importantes villes brassicoles du pays, avec des brasseries comme Piels, Shaefer et Rheingold. Elle produit aussi une Brooklyn

Brown Ale forte (5,5 %), une Brooklyn IPA sèche (7,4 %) et un Black Chocolate Stout annuel (8,3 %).

Budweiser

Première marque du monde, de Anheuser-Busch, Saint Louis, lancée en 1876 sous le nom de la célèbre ville brassicole de République tchèque *(voir p. 175)*. Budweiser est l'exemple même de la lager américaine légère, avec un apport de riz pour lui donner un goût astringent, franc, qui contredit son degré d'alcool de 4,7 %. Très peu houblonnée bien que brassée avec huit variétés de houblon. Anheuser-Busch mûrit « The King of Beers » dans des tanks contenant des éclats de hêtre, pour en atténuer le goût. En 1995, une bière sur quatre vendues aux États-Unis était une Budweiser.

Cascade Golden Ale

Autre ale de type anglais, mûrie à froid, non filtrée (4,1 %), de Deschute's.

Celebration Ale

L'une des meilleures IPA américaines, ale cuivrée (5,1 %), brassée par Sierra Nevada Brewing, au nez épicé et floral avec une touche de malt caramel, au goût de houblon, avec un long final bien charpenté. Une merveilleuse bière.

Celis White

Bière au froment de type belge (5 %), au parfum de coriandre et de zeste d'orange, de la brasserie Celis, Austin, Texas.

Cerveza Rosanna Red Chili Ale

Bière « spécialité » curieuse, qui brûle lentement, parfumée au piment rouge, produite occasionnellement par la brasserie Pike Place, Seattle. Convient à la cuisine mexicaine.

Chesterfield Ale

Ale blonde, à fermentation basse, à l'arôme fleuri de houblon, de Yuengling, la plus vieille brasserie d'Amérique.

Christian Moerlein

Lager maltée brassée par Hudepohl-Schoenling, Cincinatti, baptisée du nom d'un ancien brasseur de la ville. Bière *Reinheitsgebot* bien charpentée, au final lisse et plein.

Cold Spring Export Lager

Lager blonde mild, acide, brassée par Cold Spring Brewing Company, Cold Spring, Minnesota, au goût malté, astringent et au final houblonné, sec.

Coors

Gamme de lagers de Coors qui comprend une Original bien charpentée, une fraîche Extra Gold au goût plat, une Light et une variété de bières Winterfest.

Crazy Ed's Cave Creek Chili Beer

Cette « spécialité » blonde, au piment rouge, a un nez, un goût et un final dominés par les piments jalapenos. Brassée par Evansville Brewing Company, Evansville, Indiana, pour la Black Mountain Brewery, Cave Creek, Arizona.

Cream City Pale Ale

Ale ambrée, à fermentation haute (4,2 %), au nez complexe, houblonné, avec des notes citronnées et boisées, un goût épicé de houblon et un long final sec de houblon. Brassée par la microbrasserie Lakefront.

Dortmunder Gold

Lager export maltée, sèche, forte (5,4 %), bien ronde, de type dortmunder. Brassée par Great Lakes.

Dundee's Honey Brown Lager

Lager brune goûteuse de Genesee, État de New York.

East Side Dark

Bock brun marron à la mousse brune (6,5 %), de Lakefront Brewery, Milwaukee, Wisconsin. Moyennement charpentée, sucrée, au goût de malt torréfié et au final velouté.

Eliot Ness

Lager de type viennois, rouge ambré (5,4 %), au goût de malt rôti, de beurre et de fruit, baptisée du nom de l'homme qui arrêta Al Capone dans les années 20, brassée par Great Lakes.

Elk Mountain Amber Ale

Faite avec 100 % de malt d'orge, des cônes entiers de houblon et de la levure anglaise, cette ale ambrée (4,1 %) possède un nez et un goût houblonnés, avec une note de malt sucré et un final sec houblonné et malté. Brassée par Anheuser-Busch.

Expresso Stout

Ce stout brun foncé qui porte bien son nom, à la mousse brune, crémeuse, offre un long final à goût de café. Elle est charpentée, possède un nez de chocolat riche et de charbon de bois, et un puissant goût de malt rôti. Brassée par Hart Brewing Company, Kalama, Washington, le fabricant de la gamme Pyramid.

Esquire Extra Dry

Lager or soutenu, riche, maltée, de la petite brasserie régionale Jones Brewing, Smithton, Pennsylvanie.

Esquire Premium Pale Ale

Pale-ale couleur paille, de Jones Brewing, Smithton, Pennsylvanie, houblonnée du nez au final.

Eye of the Hawk

Ale ambrée, forte (7,6 %), bien équilibrée, de Mendocino. Nez fruité, suivi d'un goût malté avec un houblon bien présent.

Fall fest

Bière de type européen (4,9 %), maltée, suave, brassée par Abita, Louisiane.

Full Sail Nut Brown Ale

Ale brune de type anglais (5,4 %), auburn, avec un arôme de noix, une riche saveur de malt rôti, et une touche de fruit et de fumée. Brassée par Full Sail, Hood River, Oregon.

Frontier

Pale-ale américaine ambre foncé (4,2 %), trouble, au nez houblonné, épicé, au goût très carbonaté avec un final sec. Bière primée de Alaskan Brewing, Juneau, Alaska.

Genny Bock

Bock maltée, ambre soutenu, brassée occasionnellement par Genesee, Rochester, État de New York.

La bière américaine à l'étranger

Les grands brasseurs américains ne se lancèrent que récemment sur le marché international, sans doute à cause de leurs énormes possibilités intérieures. Cette attitude insulaire forme un contraste frappant avec l'industrie des boissons non alcoolisées, où les marques américaines telle Coca-Cola dominent la planète. Le plus grand brasseur mondial, Anheuser-Busch, St Louis, n'établit Anheuser-Busch International qu'en 1981. Sa bière phare, Budweiser, est aujourd'hui brassée dans 8 pays étrangers et vendue dans 70 autres. Miller de Milwaukee, à la deuxième place, ne s'intéressa au marché étranger que vers 1990. La compagnie cherche à doubler ses exportations pour l'an 2000.

George Killian's Red ale

Pale-ale rouge cuivrée, de Coors (3,9 %), peu charpentée, avec un nez de malt rôti, un goût de malt et de houblon frais.

Gerst Amber

Bière maltée brassée par Evansville, ancienne petite brasserie Heileman en Indiana, rachetée par ses employés.

Grant's Scottish Ale

ESB américaine rouge ambré (5 %), à l'arôme houblonné, fruité, à la mousse crémeuse, au nez de malt rôti et au final de houblon. Brassée par Bert Grant de Grant's Yakima Brewing, Yakima, État de Washington.

Great Northern Porter

Porter sombre, brun rougeâtre (5,4 %), brassée par Summit Brewing, Minneapolis, au riche et sombre arôme, au goût puissant, fruité, de malt rôti et de chocolat, avec un soupçon de réglisse.

Growlin Gator Lager

Lager rafraîchissante, légère (3,7 %), jaune d'or, avec du malt clair et du houblon Yakima et Saaz, par la August Schell Brewing Company.

Hampshire Special Ale

Ale d'hiver forte (7 %), très maltée, à l'odeur de terre et au final doux-amer, de Geary's Brewing, Portland, Maine.

Heartland Weiss

Bière blanche au froment rafraîchissante, or trouble, au goût épicé, malté, produite par la Chicago Brewery.

Hefeweizen

Bière au froment jaune pâle, trouble, non filtrée ni pasteurisée (5 %), brassée par Thomas Kemper. Goût frais, astringent.

Heimertingen Maibock

Bière de printemps, pâle, puissante (7,5 %), de type allemand, brassée par Summit.

Helenbock 1992 Oktoberfest

Bière ambrée de type allemand (4,2 %), brassée avec du houblon Hallertau et Saaz, et des malts Munich. Bien charpentée avec une mousse légère, un arôme chaleureux de houblon, un goût malté puissant, une amertume houblonnée et un final sec. Brassée sous contrat par August Schell Brewing, New Ulm, Minnesota, pour Friends B. C, Helen, Georgie.

Hell Doppel Bock

Bière riche et chaleureuse
de type bavarois (7,2 %),
de Heckler, entreprise
californienne installée
à Tahoe City en 1993, par
Keith Hilken, après son
apprentissage dans diverses
brasseries allemandes.
Heckler produit uniquement
des lagers de type bavarois
avec des ingrédients
allemands, brassées selon la
loi de pureté *Reinheitsgebot*.
Hell Doppel Bock, comme
toutes les bières Heckler,
est brassée sous contrat
par la Schell Brewery,
New Ulm, Minnesota.

Hell Lager

Lager de type bavarois
(4,9 %), de Heckler,
Tahoe City. Faite avec
des ingrédients allemands,
elle obéit à la loi de
pureté *Reinheitsgebot*.

Helles Gold

Lager de type allemand
(4,5 %), de la gamme brassée
par Pennsylvania, pionnier
du brassage artisanal
de la côte Est. Installée en
1988 par Thomas Pastorius
dans l'ancienne brasserie
Eberhard et Ober du quartier
allemand de Pittsburgh,
la compagnie utilise du
matériel allemand importé.

Henry Weinhard's Private Reserve

Bière blond moyen (3,75 %),
brassée par G. Heileman
Brewing Company,
avec du houblon Cascade.
Moyennement charpentée,
au nez plaisant de houblon
et au goût bien équilibré
entre malt et houblon, avec
un léger final houblonné.
Chaque embouteillage
est marqué par un chiffre
sur le col de la bouteille.

Hickory Switch Smoked Amber Ale

Ale (4,4 %) brassée avec
du malt fumé à froid par
Otter Creek, Middlebury,
Vermont. Elle présente
une belle couleur marron,
un délicat arôme de fumée
et un goût de malt fumé.

Honey Double Mai Bock

Bock dorée, rafraîchissante,
forte (7 %), de type allemand,
avec une haute mousse
blanche, et un goût mélangé
de malt sucré et de houblon
amer. Traditionnellement
brassée pour être consommée
en mai, d'où son nom,
mais Stoudt's Brewing
la propose toute l'année.

Honeyweizen

Bière non pasteurisée de
Kemper (5 %), avec du miel
local, État de Washington.

Hudy

Gamme de bières de
la compagnie Hudepohl-
Schoenling, formée en
1986 par la fusion des deux
dernières brasseries de
Cincinnati, ville autrefois
célèbre pour ses brasseurs.

Iron City Lager

Lager de la Pittsburgh
Brewing Company,
Pennsylvanie, très prisée
localement, bien qu'elle
ne soit qu'une lager sans
goût, de type américain,
proche de Budweiser.

Jax Lager

Lager blonde produite
par la brasserie Pearl,
rivale au Texas de Lone Star,
basée à San Antonio.

Jax Pilsner

Pilsner jaune d'or, légère,
rafraîchissante, qui étanche
bien la soif en été.
Plaisant nez malté,
goût houblonné et malté
légèrement sucré,
très carbonatée. Brassée
par Pearl, San Antonio,
Texas, appartenant
aujourd'hui au S & P
Company Brewing Group.

Jazz Amber Light

Bière ambrée légère
(3,2 %), brassée par
Dixie, La Nouvelle-Orléans.

Jubelale

Ale forte acajou (6 %),
à la mousse fauve,
à l'arôme de malt fruité,
et au goût fruité de houblon
et de malt rôti. Brassée
par Deschute's, avec
un procédé de maturation
à froid, sans filtration.

Kilsch Lager

Remarquable pilsner
de type allemand (6,5 %),
trouble et dorée, à la mousse
blanche. Arôme houblonné,
bouche sucrée, maltée
suivie d'un long final
astringent. Brassée
par Lakefront Brewery.

Latrobe

Voir Rolling Rock.

Legacy Lager

Pilsner à fermentation basse
de type allemand (4,8 %),
or soutenu et faux col blanc,
au goût malté avec
un soupçon de caramel.
Brassée par Chicago
Brewing, la seule brasserie
commerciale existant encore
à Chicago, à part Miller.

Legacy Red Ale

Ale rouge brillante, cuivrée,
de type irlandais (4,9 %),
de la Chicago Brewing
Company. Nez de malt
rôti, bouche maltée
et bien charpentée, et
final amer astringent.

Leinenkugel

Bière premium légère,
fleurie, populaire au
Wisconsin où elle est
brassée par la brasserie
familiale Leinenkugel,
Chippewa Falls.

Liberty Ale

IPA américaine forte (6 %),
couleur bronze, trouble,
au puissant nez malté et
houblonné, au goût marqué
de malt et de houblon épicé,
et au final de pamplemousse.
Ce fut la première bière
américaine brassée avec
du houblon sec. L'une des
meilleures IPA sur le marché.

Little Kings Cream Ale
Cream Ale (5 %), brassée
par Hudenpohl-Schoenling,
Cincinnati.

Lone Star
Lager blonde, acide,
légèrement maltée (3,5 %),
de la célèbre brasserie
du Texas (outre Heileman),
considérée comme bière
nationale de l'État.

Mactarnahan's Scottish Ale
Pale-ale américaine cuivrée
et brillante, maltée (4,8 %),
au goût fruité avec des notes
de caramel. Brassée
par Portland Brewing.

Meister-Bräu
Bière bon marché brassée
par Miller. « Le goût
de Bud mais en moins
chère », dit sa publicité.

Michelob
Lager brassée avec
une haute proportion
de malt d'orge à
deux rangées et
de houblon importé.
Bon équilibre en
houblon, goût malté
sec, avec un long
final légèrement
houblonné. Porte le
nom d'une ville de
République tchèque.

Milwaukee's Best
Autre bière bon marché
de Miller. Semblable à
Meister Bräu avec un
conditionnement différent.

Mirror Pond Pale Ale
Pale-ale de type américain,
or soutenu, non filtrée,
mûrie au froid (5,3 %),
à la mousse crémeuse et
au goût fleuri avec des notes
de terre, de Deschute's.

Moondog Ale
Ale de type bitter anglais,
pâle couleur cuivrée, au
goût sec, bien houblonné
(5 %). Brassée par la Great
Lakes Brewing Company,
Cleveland, Ohio.

Moose Brown Ale
Brassée par Shipyard,
Portland, Maine et servie
à la pression au Great Lost
Bear de Portland, cette ale
brune possède un nez léger
de houblon et de malt,
ainsi qu'un fort goût
de malt équilibré par
un final houblonné sec.

Muenchener Amber
Ale brassée selon une recette
du début de siècle, une
des « spécialité » American
Originals de Anheuser-Busch.

Mystic Seaport Pale
Pale-ale de type anglais
(4,8 %), de la brasserie
Shipyard, Portland,
Maine, ambre brillant
avec une mousse beige.
Nez parfumé, avec un
fond de terre, bouche
fruitée et final sec.

Northwoods Lager
Lager germanique
brassée par
l'entreprise familiale
Leinenguhel,
Wisconsin.

Obsidian Stout
Stout puissant, brun foncé
teinté de rubis (6,9 %),
brassé par Deschute's, selon
un procédé de maturation
à froid, sans filtration.
Goût malté frais, bien
charpenté, final sec et grillé.

Oktoberfest
Lager forte de type
bavarois (6 %), de Heckler,
Tahoe City. Brassée
avec des ingrédients
allemands en respectant
la loi de pureté.

Old Bawdy Barley Wine
Barley wine blond, mûri
dans le chêne (9,9 %),
brassé par Pike Place,
au léger goût de fumée.

Old Crustacean
Bière houblonnée, cuivrée,
forte (10,2 %), trouble,
à la mousse crémeuse.
Nez riche de malt et
d'abricot, bouche caramel
sucré et malt grillé,
puis fruitée avec une
pointe de malt rôti.
Bière complexe et
intéressante, brassée
par la microbrasserie
Rogue, fondée en 1988,
à Newport, Oregon.

Old Foghorn
Ale cuivrée de type barley
wine (8,7 %), à la mousse
fauve crémeuse, au nez
houblonné, malté et au
goût de fruit, de houblon
et de malt grillé. Plus forte
bière d'Anchor.

Old Knucklehead
Ale cuivre sombre au nez
sucré de malt rôti, au goût
malté doux-amer et au long
final. Produite par la
microbrasserie Bridgeport,
Oregon. Servie mûrie
en tonneau dans le bar de
la brasserie.

Old Milwaukee
Gamme de lagers de
la Stroh Brewery, Detroit.
Comprend une Old
Milwaukee standard or
pâle – à la bonne saveur
maltée (3,6 %) –, une
Premium Light Beer
– pâle, jaune d'or, au goût
franc –, la Genuine Draft
blonde – très carbonatée –
et une Ice Beer forte,
blond soutenu.

Old n° 38 Stout
Stout primé (5,6 %),
du nom d'une machine à
vapeur, brassée par North
Coast. Noir très foncé avec
un reflet rubis et une mousse
brune très dense. Le nez
est de malt et d'orge rôtis,
le goût riche d'orge avec
une amertume de malt brûlé.

**Old Rasputin Russian
Imperial Stout**
Stout intense riche,
sombre, brun rouge (7,8 %),
au nez de malt rôti et
de houblon, au goût
grillé et au final amer.
Brassé par North Coast.

Old Thumper

Version américaine de l'ale anglaise (5,7 %), brassée par Shipyard, Portland, Maine.

Oregon Honey Beer

Bière au miel or pâle (4 %), au léger arôme de houblon et au goût malté, de Portland Brewery.

Pearl Lager

Lager blonde produite par la brasserie Pearl, rivale au Texas de Lone Star, basée à San Francisco.

Pennsylvania Dark

Lager brun rubis, de type allemand (5 %), au délicieux goût grillé avec une note houblonnée.

Pennsylvania Oktoberfest

Lager de type allemand (6 %), brassée par Pennsylvania.

Pennsylvania Pilsner

Lager or clair, sucrée, maltée, légèrement houblonnée (5 %), de la gamme des bières de type allemand brassées par Pennsylvania, dans le quartier allemand de Pittsburgh, avec du matériel allemand.

Perfect Porter

Porter riche, sombre, de type écossais (4 %), brassée par Bert Grant, Yakima.

Pete's Wicked Winter Brew

Délicieuse ale rouge ambré (4,2 %), à la saveur ponctuée de muscade et de framboise. De la gamme de bières « spécialité » de Pete's Brewing Company.

Pike Pale Ale

La vigoureuse Pale Ale (4,5 %) est la bière la plus connue de la Seattle Pike Brewery, fondée par le célèbre importateur de bière « Marchand de Vin », Charles Finkel, en 1989. Pike brasse aussi un 5X Stout, une IPA et un Old Bawdy Barley Wine vieilli en fûts de chêne. En 1996, Pike ouvrit une nouvelle brasserie, doublée d'un pub.

Pike XXX

Stout noir, dense (6,2 %), à la mousse crémeuse brun foncé, et au nez de malt et de café. Goût tout d'abord sucré, suivi par une note de café fort et un final amer de houblon brûlé. Excellent stout à la rondeur et à la texture riches et crémeuses.

Pintail

Ale produite par la microbrasserie Oregon, Bridgeport, vendue en tonneau au bar de la brasserie.

Point Special

Lager américaine meilleure que la moyenne, brassée à la brasserie Wisconsin Point, fondée en 1857 à Stevens Point.

Portland Ale

Ale maltée (5 %), première bière produite à la Portland Brewery à son ouverture en 1986. La brasserie possède deux pubs à Portland.

Pottsville Porter

Porter brune, à fermentation basse, produite par Yuengling, la plus ancienne brasserie d'Amérique.

Premium Verum

Lager maltée, meilleure bière de la brasserie Oldenburg, Kentucky. La brasserie de Fort Mitchell est connue pour ses « Journées de la bière » au cours desquelles les visiteurs font une dégustation, et visitent la brasserie et le Musée américain de l'histoire de la bière.

Pullman Pale Ale

Pale-ale (5,9 %) de la brasserie Californian Riverside, installée en 1993 à Riverside.

Pumpkin Ale

Bière faite avec d'énormes citrouilles locales et épicée avec de la cannelle, de la muscade et des clous de girofle. Une autre bière délicieuse et originale de Bill Owens.

Raincross Cream Ale

Pale-ale moelleuse (5,9 %), produite par la brasserie Californian Riverside, installée en 1993 à Riverside.

Rainier Ale

Cette bière fruitée était très recherchée avant que la révolution des microbrasseries n'atteigne le Nord-Ouest. L'ale était connue sous le nom de « La Mort Verte » à cause de la couleur de son étiquette et de son haut degré d'alcool. Produite par la brasserie Rainier.

Red Bull

Marque de malt liquor forte (7,1 %), blonde, produite par Stroh, Detroit, pour le marché canadien.

Red Hook ESB
Bitter extra special ambre foncé, forte (5,4 %), de la brasserie Red Hook, fondée en 1981 par Paul Shipman et Gordon Bowker, dans le quartier Ballard de Seattle.

Red Hook Rye
Bière blonde, non filtrée (5 %), au goût sec de céréale, brassée par Red Hook. Cette compagnie qui s'agrandit sera bientôt une brasserie nationale.

Red Sky Ale
Ale forte (5,6 %), complexe, ambrée, de la brasserie St Stan's, dont les autres bières sont surtout des alts de type allemand.

Red Tail Ale
Ale de type anglais, forte (6,5 %), cuivrée, trouble, brassée par Mendocino.

Riverwest Stein Beer
Remarquable märzenbier cuivrée, brillante (6,5 %), à la délicate mousse beige, au nez de caramel au beurre et à la saveur caramélisée, avec une pointe de fumée.

Roggen Rye
Bière blonde au seigle, non filtrée ni pasteurisée (5 %), brassée par Thomas Kemper avec des pétales de céréales et du malt d'orge pâle.

Rogue-n-Berry
Cette bière est parfumée avec des baies locales. De la microbrasserie Rogue.

Rolling Rock
Marque de lager légère relancée par la brasserie Latrobe, Pennsylvanie, fondée en 1893. Se démarque de toutes les autres par l'étiquette sérigraphiée de ses bouteilles vertes.

Ruedrich's Red Seal Ale
Bière primée riche, ambrée, brassée par North Coast Brewing Company, exemple même de la bonne ale américaine. Mélange plaisant de sécheresse houblonnée et de saveurs maltées, avec une note fruitée.

Samuel Adams Boston Lager
Pilsner ambré brillant, au nez frais, houblonné, avec une entrée de malt sucré, un goût de caramel et un final sec, malté. Brassée par Boston Beer Company.

Samuel Adams Boston Stock Ale
Ale ambre brillant (5 %), au nez complexe, au parfum de terre et au goût houblonné, assez sec. Brassée par Boston Beer Company.

Schaefer Beer
Bière or clair, produite par la Schaefer Brewing Company, Detroit, et promue la plus ancienne lager des États-Unis.

Schlitz
Gamme de bières de la Stroh Brewing Company. Schlitz est la lager or pâle standard ; les autres produits sont Light Beer, Malt Liquor, une Draugt et Ice Beer.

Schmaltz's Alt
Alt brune, forte (6 %), brassée par la brasserie familiale Schell, New Ulm, Minnesota.

Scrimshaw Pilsner
Lager bien équilibrée (4,4 %), au goût sucré, malté et au final astringent, brassée par North Coast.

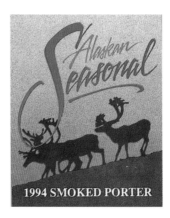

Seasonal Smoked Porter
Le goût intense, caractéristique de cette porter annuelle primée d'Alaskan (6,5 %), vient des malts touraillés sur feu de bois d'aulne dans le fumoir à poisson local.

Shakespeare's Stout
Export stout noir ébène (6,1 %), à la mousse crémeuse brun noir. Nez complexe, houblonné, chocolaté, fumé, malté et goût fruité, doux-amer au final amer, brûlé.

Shea's Irish Amber
Ale traditionnelle de la côte Est, brassée par Genesee, Rochester, État de New York.

Shiner Bock
Bock brune, ambrée (4,4 %), brassée par Spoetzl, petite brasserie locale de Shiner, Texas, fondée en 1909.

Shipyard Export
Bière export (5,1 %), de Portland's Shipyard Brewery.

Signature
Voir Stroh's.

Snow Goose
Vieille ale complexe (6,4 %), brassée par la microbrasserie Wild Goose, Maryland. Belle couleur cuivre sombre, orangée, nez houblonné, piquant et goût de malt caramélisé, suivi par un long final amer et malté.

Stegmaier
La lager et la porter Stegmaier sont les bières les plus connues de la brasserie Lion, Wilkes-Barre, Pennsylvanie.

Stoney's Lager
Lager légère de la petite brasserie régionale Jones Brewing, Smithton, Pennsylvanie.

Stoudt's Festbier

Märzenbier cuivrée (5,1 %), de la brasserie Stoudt, Adamstown, Pennsylvanie, brassée selon la loi de pureté allemande *Reinheitsgebot*. Festbier présente une belle mousse, un nez de malt rôti et un final caramélisé.

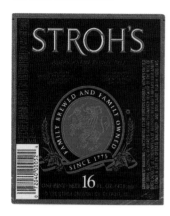

Stroh's

Lager de la gamme de bières de la Stroh Brewing Company, qui comprend une bock ambre cuivré, une Light Beer (3,1 %), une American Beer standard et une lager Signature.

Tabernash

Petite microbrasserie de Denver qui produit quatre bières : Weiss blonde, bière au froment à fermentation haute, au goût fruité, épicé ; Golden, pilsner houblonnée, or clair, mûrie en bouteille ;

Munich, dunkel de type bavarois, riche, maltée, brun foncé, brassée avec six malts différents ; Amber, ale traditionnelle, brassée, dit la brasserie, selon les méthodes du XIXe siècle, pour obtenir une couleur ambre foncé, et un final léger et astringent.

Triple Bock

Bière extra-forte (17,5 %), brassée à la Bronco Winery, Ceres, Californie, avec une levure de champagne, augmentée de sirop d'érable et mûrie pendant 3 mois dans d'anciens tonneaux à whisky du Tennessee. C'est la plus puissante des bières sous contrat de la Boston Beer Company.

Turbo Dog

Bière au houblon sec d'Abita, rubis ambré, forte (4,9 %), sombre, au goût de malt rôti et au long final sec.

Twelve Horse Ale

Lager rafraîchissante, or brillant (3,8 %), au final de houblon sec, de Genesee, Rochester, État de New York.

Victoria Avenue Amber Ale

Ale brune, ambre écarlate (5,8 %), à la mousse fauve, de Riverside. Nez malté, touche fruitée, bouche de malt sucré et de caramel, et final malté, légèrement amer.

Wassail Winter Ale

Forte et chaleureuse bière d'hiver (6,5 %), par Full Sail, ale brune ambrée trouble, au nez fruité et au goût malté complexe, au final amer et piquant.

Weizen Berry

Bière au froment et aux fruits, rose doré, non filtrée ni pasteurisée (5 %), au nez de framboise et au goût malté de framboise. Brassée par Thomas Kemper Brewing Company, Poulsbo, État de Washington.

Wheat Berry Brew

Bière maltée (4,5 %), brassée avec les baies locales de l'Oregon, par Portland.

7 th Street Stout

Stout puissant (6 %), noir rubis, riche, brassé par Riverside Brewing, Riverside, Californie. Riche arôme malté et goût malté, amer, brûlé, bien charpenté.

Ci-dessus – Clients du Second Class Saloon, qui appartenait à Wyatt Earp pendant la Ruée vers l'or. Alaska, 1890.

LES BRASSEURS

Abita
Installée en 1986 à Abita Springs près de La Nouvelle-Orléans, cette brasserie produit des bières maltées, suaves, de type européen.

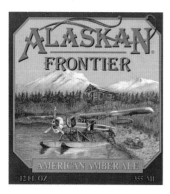

Alaskan
Brasserie renommée, établie en 1986, à Juneau, capitale de l'Alaska. Ses riches bières ont souvent été primées.

Anchor
Voir encadré ci-contre.

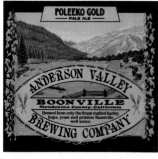

Anderson Valley
Brasserie californienne du Buckhorn Saloon, Boonville, célèbre depuis 1987 pour ses bières très goûteuses.

Anheuser-Busch
Le géant incontesté de l'industrie brassicole américaine possède 12 brasseries et 44 % du marché intérieur. En 1995, il vendit 87,5 millions de tonneaux, presque le double de son concurrent immédiat, Miller. Sa marque phare, Budweiser, est la meilleure vente du monde, brassée dans 8 pays étrangers et exportée dans plus de 70.

Anheuser-Busch est une compagnie familiale. Son histoire commença en 1860 quand Eberhard Anheuser (1805-1880), immigrant allemand, acheta une brasserie en faillite à Saint Louis, Missouri. Son gendre Adolphus Busch (1839-1913) en fit une réussite nationale. Busch utilisa les premiers wagons réfrigérés, grâce au nouveau système ferroviaire. Pionnier de la pasteurisation, il lança en 1876 la première marque de bière nationale, Budweiser. Il lui ajouta 20 ans plus tard une bière premium, Michelob. Les ventes atteignirent 1 million de barils en 1901.

Pendant la prohibition, la compagnie brassait Bevo, sans alcool. Après la Seconde Guerre, les ventes montèrent en flèche et huit brasseries régionales furent bâties pour répondre à la demande. La brasserie d'origine de Saint Louis est aujourd'hui une attraction pour touristes et abrite les chevaux Clydesdale de la compagnie. Outre Budweiser et Michelob, l'entreprise brasse environ 30 bières. En réponse au mouvement des microbrasseries, Anheuser-Busch a créé ses propres bières « spécialité ».

Boston Beer Company
La Boston Beer Company fait brasser ses bières sur commande par d'autres brasseries de Pennsylvanie, de New York et d'Oregon. Formée en 1985, la compagnie était 10 ans plus tard, le neuvième plus grand brasseur américain, avec des ventes d'1 million de barils par an. Les bières portent le nom de Samuel Adams en souvenir de la Boston Tea Party de 1773. Jim Koch ressuscita les recettes de ses ancêtres avec sa Boston Lager, et produit aujourd'hui une large gamme de bières. La Boston Beer Company a aussi une petite brasserie.

Catamount
Petite brasserie fondée en 1985, à White River Junction, Vermont, par Steve Mason, qui apprit à brasser en Angleterre. Le nom vient du cougar ou *catamount*, chat des montagnes.

Celis
Voir encadré p. 241.

ANCHOR

Anchor est l'exemple même de la nouvelle révolution du brassage en Amérique du Nord. Quand Fritz Maytag, héritier de l'empire du lave-linge, acheta en 1965 une brasserie en faillite de San Francisco, il voulait surtout conserver un morceau de l'histoire de la Californie.

La brasserie Anchor, fondée en 1896, utilisait une méthode de brassage américaine unique, inventée pendant la Ruée vers l'or, quand la réfrigération n'existait pas. Des cuves de fermentation très peu profondes refroidissaient le moût, en produisant une bière mi-lager, mi-ale. Maytag garda cette tradition et son Anchor Steam Beer (5 %) acquit une réputation nationale. En montrant que les bières originales de qualité avaient un marché aux États-Unis, il contribua à inspirer le mouvement pour une nouvelle bière. Maytag brasse depuis une gamme d'autres bières, dont Liberty Ale (6,1 %), Anchor Porter (6,3 %) et Old Foghorn (8,7 %). En 1989, Maytag agrandit son champ d'exploration en brassant une bière selon une ancienne recette sumérienne.

CELIS

L'histoire de Celis est l'une des plus remarquables du monde de la bière. Pierre Celis démarra avec non pas une mais deux brasseries pilotes, chacune sur un continent différent.

Né en Belgique, Celis grandit à côté d'une brasserie. Quand le type local de bière «blanche» au froment disparut, il décida de le ressusciter en fondant, en 1966, la brasserie De Kluis («Le Cloître»), à Hoegaarden. Sa bière Hoegaarden, épicée, rafraîchissante, eut tant de succès qu'il vendit la brasserie en 1989 au géant belge Interbrew. Il avait fait renaître un type de boisson qui allait être amplement copié dans son pays natal.

Hoegaarden était également exportée aux États-Unis. Celis décida de traverser l'Atlantique et, en 1992, il ouvrit la Celis Brewery à Austin, Texas, pour brasser sa bière au froment, appelée aujourd'hui Celis White, qui se révéla à nouveau un grand succès et fut bientôt copiée. L'histoire se répéta d'une autre façon. En 1995, Celis vendit des actions majoritaires au géant américain Miller. En 1996, la compagnie doubla sa capacité.

La brasserie Celis produit aussi d'autres bières de type belge, dont Celis Raspberry (5 %), Grand Cru plus riche (8,7 %), une Pilsner Celis Golden (5 %) et une Pale Bock (5 %).

Coors

Coors possède la plus grande brasserie du monde, qui s'étend sur toute la ville de Golden, près de Denver, Colorado. L'usine peut brasser 20 millions de tonneaux par an. La troisième compagnie des États-Unis n'a qu'une seule autre brasserie, à Memphis, Tennessee.

Entreprise familiale fondée par Adolph Coors en 1873, Coors fut une brasserie régionale ordinaire jusqu'à la création de sa Banquet Beer, énorme succès commercial des années 60 fondé sur son image de marque, l'eau des montagnes Rocheuses. Aujourd'hui, sa bière phare est Coors Light. Une Extra Gold un peu plus maltée est brassée sous licence par Scottish Courage en Angleterre. Connu pour son refus de pasteuriser ses bières, Coors les microfiltre après les avoir refroidies. Sa bière annuelle Winterfest est caractéristique. Il créa aussi en 1978 la première ale rouge, George Killian's, et lança en 1995 une gamme de «spécialité», sous le nom Blue Moon.

Dixie

Légendaire brasserie de La Nouvelle-Orléans, fondée en 1907, et qui continue à vieillir ses bières «brassées lentement» dans des cuves en bois de cyprès. Ses principaux produits sont Dixie maltée (4,5 %) et Jazz Amber Light, ainsi que la célèbre bière noire Blackened Voodoo.

Dock Street

Restaurant-brasserie de Philadelphie qui produit une large gamme de bières, telles une froment/gingembre et une seigle/genévrier. Ses bières en bouteille, notamment Dock Street Amber (5,3 %), Dock Street Bohemian Pilsner (5,3 %) et Dock Street Illuminator (7,5 %), sont brassées sous contrat par F. X. Matt d'Utica, État de New York.

Frankenmuth

La ville de Frankenmuth dans le Michigan fut fondée en 1845 par les immigrants bavarois de Franconie, la région du monde contenant le plus de brasseries. Inévitablement, la ville bâtit sa propre brasserie en 1862. En 1987, la Frankenmuth Brewery fut reconstruite. Ses bières de type allemand comprennent Frankenmuth Dark (5,2 %), Pilsner (5,2 %), Old Detroit Amber (5,9 %) et Bock (6,4 %).

Full Sail

Fondée en 1987 à Hood River, Oregon. Ses ales fruitées sont devenues très populaires sur la côte Ouest. Ses bières en bouteille comprennent Golden (4,4 %), Amber (5,9 %) et Nut Brown, ainsi qu'une gamme de saisonnières.

Geary's

Première microbrasserie de Nouvelle-Angleterre, ouverte à Portland, Maine en 1986. On retrouve dans ses bières l'influence des diverses brasseries écossaise et anglaise où a travaillé son fondateur David Geary. Sa bière phare, Geary's Pale Ale (4,5 %), est suivie de la brune Geary's London Porter (4,2 %), de Geary's American Ale (4,8 %) et d'une Hampshire Special d'hiver, réconfortante.

Genesee

La plus grande brasserie régionale indépendante des États-Unis, fondée en 1878, à Rochester, État de New York. Elle brasse toujours des ales traditionnelles, notamment Twelve Horse Ale suave et douce, Cream Ale et Shea's Irish Amber. Elle produit aussi une Genny Bock occasionnelle et d'autres « spécialité » comme Dundee's Honey Brown Lager.

Great Lakes

Vaste gamme de bières très appréciées, de la première microbrasserie de Cleveland, installée en 1988 dans un ancien saloon de l'Ohio. Elle comprend Moon Dog Ale, Dortmunder Gold, une lager Eliot Ness de type viennois, une Porter (5,9 %) et une Great Lakes IPA (6,9 %).

Harpoon

La brasserie de Mass Bay brasse des Harpoon ales à Boston depuis 1987, notamment Harpoon Ale, Light, Pilsner, IPA et Stout. Ses bières en bouteille sont brassées sous contrat par F. X. Matt de Utica, État de New York.

Heileman

La cinquième plus grande compagnie des États-Unis est basée à La Crosse, Wisconsin, où elle est connue pour ses lagers Heileman Old Style et Special Export.

Ce pub-brasserie de Davis, Californie, est ouvert depuis 1990, près de l'école de brassage de l'université. Il est connu pour sa large gamme de lagers de type allemand, dont Hübsch Hefeweizen (5 %), Märzen (5,5 %) et Doppelbock (7,5 %).

Matt

F. X. Matt, qui brasse à Utica, État de New York, depuis 1888, s'appelait à l'origine, West End Brewery. Aujourd'hui, il produit surtout sous contrat des bières « spécialité » pour d'autres compagnies. La première fut New Amsterdam en 1982. En 1985, la société créa également sa propre gamme de bières, Saranac, succès commercial comprenant Adirondack Amber, Pale Ale, Golden (5,2 %) et Black and Tan.

Mendocino

Mendocino, l'un des pionniers de la révolution de la nouvelle bière aux États-Unis, fut le premier à ouvrir un pub-brasserie en Californie, dans un ancien saloon, en 1983. La compagnie de Mendocino County brasse aujourd'hui une large gamme d'excellentes ales de type anglais.

Miller

Le deuxième brasseur des États-Unis fournit plus d'un cinquième du marché et dirige les cinq plus grandes brasseries. Fondée en 1855, quand Frederick Miller, immigrant allemand, acheta une petite brasserie à Milwaukee, la compagnie fut reprise en 1970 par le géant du tabac Philip Morris. Miller Lite, lancée en 1975, ouvrit la voie à un vaste et nouveau marché de bières hypocaloriques. En à peine 10 ans, la production monta en flèche, passant de 5 millions de tonneaux par an à plus de 40.

Son autre marque phare, Genuine Draft en bouteille, lancée en 1986, est brassée avec un procédé spécial de filtration par le froid, qui supprime la pasteurisation. La plus ancienne marque, Miller High Life,

fait aujourd'hui partie de sa gamme bon marché qui comprend aussi Miller Meister Bräu et Milwaukee's Best. Miller brasse en outre une bière sans alcool appelée Sharp's et une Magnum Malt Liquor.

La compagnie Miller s'est opposée à sa manière à la concurrence du marché de bières « spécialité » en plein développement, en créant en 1990 une gamme de bières pur orge sous la marque Miller Reserve (dont Amber Ale) et en vendant diverses marques sous le nom original de la compagnie, Plank Road Brewery. De plus, Miller a repris directement des petites brasseries. En 1988 par exemple, la société acheta la vieille brasserie Leinenkugel du Wisconsin, qui vend toujours sa lager sous le nom Leinenkugel. En 1995, Miller devint actionnaire majoritaire de la Celis Brewery du Texas et de Shipyard du Maine.

New Amsterdam

Cette brasserie par contrat fut fondée par Matthew Reich, à New York, en 1982. Les New Amsterdam sont brassées sous contrat par F. X. Matt d'Utica et vendues comme bières de microbrasserie. Ale et Amber sont les produits les plus connus de New Amsterdam.

New Glarus

Brasserie de village
du Wisconsin, fondée en
1993 par un ancien brasseur
de Budweiser, qui fit son
apprentissage en Allemagne.
En 1996, il ressuscita
une ancienne marque,
Acme Pale Ale. Spécialisé
dans les lagers européennes,
notamment Edel-Pils,
Wisconsin Bock et Weiss.

Pabst

Sixième brasserie des États-
Unis, fondée à Milwaukee
en 1844 sous le nom de Best
Brewing, Pabst est connue
pour sa lager. Frederick Pabst
entra dans la famille Best
par son mariage et développa
rapidement ses ventes. En
1889, la Best Brewing devint
Pabst. Après avoir reçu
le prix de Meilleure lager
d'Amérique à l'Exposition
universelle de 1893, Pabst
orna ses bouteilles d'un ruban
bleu (*blue ribbon,* en anglais),
baptisant ainsi sa bière phare,
la Pabst Blue Ribbon.

*Ci-dessous – Cuivre rutilant de
la microbrasserie Pyramid.*

Pete's

Pete Slosberg, artisan
brasseur, commercialise
sa Pete's Wicked Ale avec
grand succès depuis 1986.
Neuf autres spécialités,
brassées sous contrat à
Saint Paul, Minnesota,
ont rejoint sa première ale
(5,1 %), dont Pete's Bohemian
Pilsner et Pete's Amber
(toutes deux à 4,9 %), ainsi
que des bières d'été et d'hiver.

Les 10 plus grands brasseurs

Ce tableau présente les plus grands brasseurs américains,
leur part de marché et leur nombre de barils vendus en
1995. Bien que les trois premières compagnies se partagent
77 % des ventes, leur emprise diminue (81 % en 1994). Les
nouveaux brasseurs de « spécialité » créent un marché plus
varié, et l'un d'entre eux, la Boston Beer Company (Samuel
Adams), devient même le neuvième brasseur des États-Unis.

Brasseur	Part de marché	Nombre de barils
1 Anheuser-Busch	44,1 %	87,5 millions
2 Miller	22,7 %	45 millions
3 Coors	10,2 %	20,3 millions
4 Stroh's	5,4 %	10,8 millions
5 Heileman	4,0 %	7,9 millions
6 Pabst	3,2 %	6,3 millions
7 Genesee	0,9 %	1,8 million
8 Latrobe	0,6 %	1,2 million
9 Boston	0,5 %	1 million
10 Pittsburgh	0,5 %	0,9 million

Plank Road Brewery

Nom d'origine du géant
Miller. Différentes bières
sont vendues aujourd'hui
sous cette marque déposée,
dont Icehouse et Red Dog.

des États-Unis. Les ales
Pyramid comprennent
Pyramide Pale Ale, Pyramid
Wheaten Ale, Pyramide
Best Brown et Pyramid Rye
(toutes à 5,1 %). Brasse
aussi une gamme de bières
saisonnières dont Porter
(5,4 %) et Snow Cap (6,9 %).

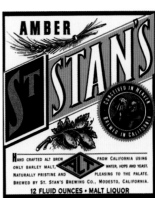

Pyramid

Pyramid, l'une des réussites
du mouvement pour le
renouveau de l'artisanat,
s'installa sous le nom de
Hart Brewing en 1984, dans
la petite ville de Kalama,
État de Washington, en
brassant Pyramid Pale Ale.
Pyramid est devenue la
troisième nouvelle entreprise

Saint Stan's

Inspiré par ses voyages en
Allemagne, Gary Helm
construisit une brasserie à
Modesto, Californie. St Stan
est connue pour son Amber
Alt originale, non pasteurisée.

Schell

Brasserie régionale du midwest, fondée en 1858 par un immigrant allemand, August Schell, à New Ulm, Minnesota, et toujours dirigée par sa famille. Produit des lagers de qualité d'avant la prohibition. La maison de 1858 et le « jardin de bière » ont pris une importance historique. Ses lagers comprennent Schell Pilsner, pur malt (5,3 %), Schell Weizen (4,4 %), brassée avec 60 % de froment, et Oktoberfest (5,3 %).

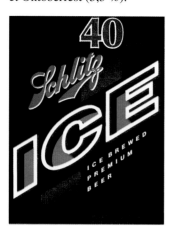

Schlitz

Autrefois l'une des brasseries les plus connues (ses marques également). « La Bière qui rendit Milwaukee célèbre » n'est plus brassée dans la ville depuis que Stroh's a repris Schlitz en 1982.

Sierra Nevada

L'un des leaders de la révolution artisanale du brassage, Sierra Nevada est devenue la plus importante brasserie de l'Ouest. Fondée par Ken Grossman et Paul Camusi à Chico, Californie, en 1981, sa bière phare est Sierra Nevada Pale Ale, très appréciée (5,5 %). Brasse aussi Sierra Nevada Porter (5,9 %) et Sierra Nevada Stout (6 %).

Sprecher

L'ancien brasseur de Pabst, Randall Sprecher, ressuscita l'art allemand du brassage que Milwaukee avait en grande partie oublié, en installant sa propre brasserie dans la ville, en 1985. Ses bières robustes comprennent Sprecher Special Amber pur malt, Sprecher Black Bavarian (6 %) et Sprecher Hefe Weiss non filtrée. Il produit aussi un Sprecher Irish Stout occasionnel (6 %).

Stoudt's

Première microbrasserie américaine à avoir été conçue et créée par une femme. Les bières de type allemand de Carol Stoud ont gagné environ 20 prix au *Great American Beer Festival* depuis qu'elle installa sa brasserie à Adamstown, Pennsylvanie, en 1987. Ses bières, brassées selon la loi de pureté *Reinheitsgebot,* comprennent Stoudt's Gold Dortmunder (5 %), deux ales d'abbaye belges, des ales de type anglais et un stout.

Straub

Cette brasserie familiale, établie de longue date à Saint Mary, Pennsylvanie, produit une Straub Beer légère.

Stroh's

Quatrième brasserie des États-Unis, fondée à Detroit en 1850. Après avoir commencé à brasser à Kirn à la fin du XVIIIe siècle, Bernard Stroh émigra de l'Allemagne vers l'Amérique en 1849. L'année suivante, il établit une petite brasserie artisanale à Detroit et, depuis, cinq générations de la famille Stroh ont dirigé la brasserie. Pendant la prohibition, l'entreprise continua son activité en produisant des bières « presque sans alcool » et des sous-produits avec les ingrédients de la bière, dont un extrait de malt populaire, très apprécié des brasseurs-maison de la région. La compagnie s'est agrandie récemment avec une série de rachats, dont le plus important fut celui de Heileman Brewing Company du Wisconsin, en 1996. Stroh fait la publicité de ses bières sur le procédé de chauffage des cuves à bouillir, « à feu ouvert », créé par Julius Stroh au début du siècle. Ses marques les plus connues sont Stroh's Lager et Signature. La compagnie produit aussi des bières plus maltées de type allemand, sous le nom Augsburger, et a récemment créé plusieurs bières peu alcoolisées, en particulier Stroh's Non-Alcoholic.

Summit

Brasserie du midwest créée en 1986 par Mark Stutrud à Saint Paul, Minnesota, dont la taille et la réputation se développent régulièrement. Outre son Extra Pale Ale et IPA, elle brasse des bières saisonnières de type allemand, dont Hefe Weizen et Dusseldörfer Alt (4,9 %).

Tabernash

Microbrasserie de Denver, Colorado, qui concentre son activité sur les bières de type allemand, comme sa lager Munich brune, aux notes maltées, et sa bière au froment non filtrée, de type bavarois, Tabernash Weiss.

Thomas Kemper

Fondée près de la ville côtière de Poulsbo, dans l'État de Washington, en 1985, pour produire des lagers de type allemand, elle fusionna en 1992 avec Pyramid Ales. Elle brasse une gamme de bières non pasteurisées. Ses produits saisonniers comprennent une Belgian White (4,4 %) et Maibock (6,5 %). *Voir aussi Pyramid.*

Twenty Tank

Le pub-brasserie Twenty Tank ouvrit en 1990, dans une ancienne carrosserie, au centre de San Francisco. Du bar et du restaurant, les clients peuvent voir les cuves à bouillir et les cuves à moût. Produit une large variété d'ales brassées artisanalement.

Widmer

La première Hefeweizen moderne d'Amérique du Nord, bière pression trouble, surprit les amateurs lorsqu'elle fut lancée en 1986, à Portland, Oregon, par les frères Widmer, Kurt et Rob. Widmer brasse avec une levure d'alt à fermentation haute et sa bière d'origine était une alt à la riche couleur cuivrée. La brasserie produit aussi une Hefeweizen non filtrée, une Amber, une Blackbier et une Wildberry fruitée.

Wild Goose

L'une des premières brasseries des États de l'Est, fondée en 1989 à Cambridge, Maryland. Elle brasse une gamme d'ales de type anglais, dont Wild Goose Amber (5 %) et IPA (5,3 %).

Yakima

La Yakima Brewing Company fut fondée en 1982, au cœur de la région houblonnière de l'État de Washington, par Bert Grant, brasseur d'ale pionnier. Grant était un chimiste brassicole expérimenté. En 1982, il s'installa à son compte, en ouvrant le premier pub-brasserie moderne des États-Unis, à Yakima. En 1991, il construisit une usine plus grande. La plupart de ses bières reflètent son origine écossaise.

Yuengling

Plus vieille brasserie familiale encore en activité des États-Unis, fondée en 1829 à Pottsville, Pennsylvanie, où de profondes caves sont creusées à flanc de colline pour conserver la bière au frais pendant sa maturation. Connue pour Pottsville Porter et Chesterfield Ale à fermentation basse, très appréciées aujourd'hui grâce au nouvel intérêt pour les bières «spécialité». Yuengling brasse aussi une lager Premium et Traditional, ainsi qu'un mélange lager-porter appelé Black and Tan.

Zip City

Pub-brasserie et restaurant élégants de New York, établis dans l'ancien quartier général de la Société nationale de tempérance, à Manhattan. Brasse surtout des lagers non filtrées de type allemand, dont une märzen et une dunkel, pour accompagner une cuisine de connaisseurs.

Ci-dessous – Au début de la prohibition aux États-Unis, les agents du gouvernement fermaient les saloons par centaines.

AMÉRIQUE LATINE

Surtout connue sous forme d'une lager en bouteille légère, longue, agrémentée d'un quartier de citron, la bière d'Amérique Centrale et d'Amérique du Sud possède en fait une tradition beaucoup plus riche

Ci-dessus – Dos Equis, « Deux croix », est une lager brune et riche de grande qualité, brassée au Mexique et très populaire sur le marché d'exportation.

Bien avant l'arrivée des conquistadors espagnols, les Mayas brassaient déjà la bière avec du blé fermenté. À la même époque, dans le nord du Mexique, les Aztèques fabriquaient une boisson fermentée à base de maïs germé. Même après la conquête, les paysans des régions isolées continuèrent à boire du *pulque*, boisson tirée de l'agave, qui ne se garde qu'1 jour ou 2 (*pulque* signifie « décomposé ») et que l'on trouve encore aujourd'hui, parmi d'autres boissons indigènes. Le maïs cuit était mâché par des jeunes filles choisies tout spécialement pour leur beauté et la pureté de leur salive qui, selon la légende inca, devaient faciliter la fermentation.

À partir du XVIe siècle, les conquistadors espagnols établirent partout des petites brasseries *(cerveceria)*. La bière ne fut cependant qu'un piètre substitut aux alcools distillés, mescal et autre tequila, jusqu'à l'arrivée au Mexique, au XIXe siècle, de la lager apportée par les brasseurs bavarois, suisses et autrichiens, en même temps que les machines à glace.

Pendant la prohibition qui, de 1919 à 1933, dévasta l'industrie brassicole nord-américaine, la petite ville de Tijuana devint le pôle d'attraction des touristes américains en mal de boisson fortes, avec pour résultat une concentration de 75 bars dans sa rue principale longue de 200 mètres.

Le Mexique reste le principal producteur de bière d'Amérique latine. Ses deux plus grandes brasseries, Cerveceria Modelo et Cerveceria Moctezuma, dominent le marché intérieur. Le Brésil, colonisé par les Portugais plus que par les Espagnols et dont la tradition brassicole est plutôt de type allemand, est le deuxième producteur. Il produit aussi une bière noire (negra) traditionnelle. La lager est la boisson populaire d'Amérique latine. On trouve partout des lagers légères, bon marché et chaleureuses, brassées avec un apport de riz, de blé ou d'autres ingrédients. Mais il existe aussi des bières traditionnelles, plus variées.

LES BIÈRES

Africana

Riche lager brune (5,5 %), croisement entre une dunkel de type Munich et une rouge viennoise, brassée avec du houblon, du riz et du maïs. Arôme de malt rôti, goût velouté de chocolat et final houblonné. Brassée par la brasserie argentine Bieckhart, Buenos-Aires.

Ancla

La brasserie Ancla de Colombie offre une gamme de bières pur malt, dont Cerveza Ancla – faite avec du houblon allemand et canadien et mûrie 4 semaines –, Ancla Premium (4,8 %) et Ancla Roja (4,1 %), de couleur ambrée. Ancla brasse aussi la Naval Super Premium pur malt (4,8 %) et une bière pur malt sans alcool.

Antarctica Pilsen

Bière brésilienne, la huitième plus populaire du pays, blonde et très carbonatée, au puissant final amer.

Bavaria Gold Beer

Blonde et plutôt quelconque, cette bière de type lager, fruitée, légèrement maltée (3,5-5 %) est brassée par Cerveceria Costa Rica S.A.

Belikin Beer

Lager blonde, maltée, sèche (3,5-5 %), de la Belize Brewing Company, Ladyville. Agréable bière pétillante, meilleure froide.

Belikin Stout

Riche stout fort, légèrement houblonné, brun foncé (6-7,5 %), à l'arôme sucré, malté, de la Belize Brewing Company.

Biekhart Cerveza Pilsen

Lager de type pilsner maltée (4,8 %), brassée avec du malt clair d'orge argentin, du riz, du maïs et du houblon Cascade. Brassée par la brasserie argentine Biekhart.

Biekhart Especial

Lager premium blonde (5 %), plus aromatique et parfumée que sa marque sœur, Cerveza Pilsen. De la brasserie Biekhart.

Bohemia

Lager supérieure, forte (5,4 %), de Cuauhtémoc, Mexique, brassée avec du houblon Saaz, maltée, bien charpentée, avec une pointe de vanille. La bière la plus populaire du Mexique en 1995.

Brahma Chopp Export

Bière jaune d'or, maltée, un peu aigre, de la Companhia Cervejaria, Brésil, quatrième meilleure vente d'Amérique du Sud en 1996.

Brahma Pilsner

Pilsner houblonnée de qualité (5 %), de la Companhia Cervejaria basée à Rio de Janeiro, Brésil, au riche goût malté, doux-amer, avec une pointe de vanille.

Corona Extra

Corona Extra (4,6 %) est une lager brassée avec environ 40 % de riz et peu de houblon. Bon marché et rafraîchissante quand elle est servie bien froide, cette bière, dans sa bouteille transparente caractéristique, a été conçue pour les ouvriers mexicains.

Les étrangers l'apprécient avec une rondelle de citron vert et la mode de la lager au citron commence à se répandre au Mexique. Corona est la bière phare de la brasserie Modelo de Mexico, l'une des deux grandes compagnies du pays. Elle est très exportée et on la trouve dans tous les bars des capitales européennes.

Cuzco

Lager très pâle de type pilsner, jaune d'or, pétillante, maltée (5 %), brassée avec 100 % d'orge par la Compañia del Sur del Peru S.A. Baptisée du nom de l'ancienne cité inca du Pérou.

L'héritage malté du Mexique

Maximilien d'Autriche fut empereur du Mexique de 1864 à 1867 et son règne peu glorieux laissa une forte influence germanique sur l'industrie de la bière du pays. Les bières de Vienne, ambre foncé, maltées, sont parfois difficiles à trouver aujourd'hui en Autriche, tandis que ce type passé de mode est toujours très populaire dans son ancienne colonie.

Dos Equis

Lager de type viennois, riche, rouge foncé, de très bonne qualité (4,8 %), au goût fruité et chocolaté. Brassée au Mexique par Moctezuma, elle est également populaire à l'exportation.

Kaiser Bock

Créée en 1994 par Cervejarias Kaiser comme boisson d'hiver, cette bière ambrée, pasteurisée, fut la première bock produite au Brésil.

Kaiser Gold

Pilsner premium pasteurisée, lancée sous le nom de Kaiser Copa 94, pour marquer l'entrée du Brésil dans la Coupe du Monde de football. Fut rebaptisée Kaiser Gold en 1995.

La bière noire

La bière noire vit le jour au XVᵉ siècle, dans le bassin supérieur de l'Amazone, brassée avec de l'orge rôtie et des céréales de couleur foncée qui lui donnent sa teinte caractéristique, et parfumée avec des lupins (lointain parent du houblon). Cervejaria Cacador au Brésil en produit une version moderne, Xingu.

Naval Superpremium

Bière pur mal brésilienne (4,8 %), d'Ancla.

Negra Leon

Brune plutôt que noire, Leon, au goût chocolaté, est brassée par la brasserie Yucatan (appartenant à Modelo), Mexique. Très semblable à Negra Modelo.

Negra Modelo

Malgré son nom, Negra Modelo (5,3 %) est de couleur brun ambré. Croisement entre une rouge viennoise épicée et une dunkel Munich plus douce. Avec un parfum de chocolat, une note de fruits et d'épices et un final houblonné, cette bière mexicaine classique de première classe jouit d'une réputation justifiée parmi les connaisseurs, au Mexique comme à l'étranger.

Peru Gold

Lager sèche, acide et rafraîchissante (5 %), au riche arôme de blé et de vanille. Brassée par Cervesur, Pérou. L'étiquette de la bouteille représente un masque indien péruvien célèbre.

Polar Lager

La principale marque du Venezuela est une lager longue, légère (5 %), qui porte le type de Sol et Corona à son extrême. Deuxième meilleure vente d'Amérique du Sud, par la Polar Brewing Company, avec plus de 12 millions d'hectolitres chaque année.

Porter

Bière brune riche, à fermentation haute (8 %), de la Companhia Cervejaria, Brésil. Son nom lui vient du Portugal, pays colonisateur du Brésil, et non du type de bière.

Sol

Vers 1980, Corona Extra, bière mexicaine à la mode, fut évincée par la Sol, de la brasserie Moctezuma. Sol est une lager légère (4,6 %), longue, avec de nombreux additifs. Comme sa rivale, elle est vendue dans une bouteille martelée caractéristique.

Superior

Lager pâle (4,5 %), de Moctezuma, plus houblonnée que sa sœur Sol.

Tecate

Lancée vers 1950 par Cuauhtémoc, Mexique, cette lager pâle, légère (4,5 %) a peu de goût mais est très désaltérante. Servie à l'origine avec du sel et du citron frais, coutume probablement inspirée de la mode des lagers mexicaines agrémentées d'une rondelle de citron.

Xingu

Bière noire brésilienne (5 %), version moderne de la boisson amazonienne historique. Brassée commercialement par Cervejaria Cacador, parfumée avec du houblon plutôt que des lupins, pour sa conservation. Douce et maltée, Xingu, dont le nom vient d'un affluent de l'Amazone, est la quatrième meilleure vente d'Amérique du Sud.

LES BRASSEURS

Ancla

Cerveceria Ancla S.S., Colombie, produit une gamme de bières de qualité pur malt, vendues en bouteilles de verre ambré et en canettes. La compagnie s'est placée au premier rang du marché intérieur avec pour slogan : «Por cultura es colombiana». En 1996, elle a ouvert une usine moderne d'une capacité de 1,2 million d'hectolitres par an.

Bieckhart

Cerveceria Bieckhart est située à Buenos-Aires, capitale de l'ancienne colonie espagnole d'Argentine, mais ses bières révèlent une influence allemande. Elle brasse une lager blonde et la lager brune et riche Africana.

Cardenal

Deuxième compagnie brassicole du Venezuela après Polar. Brasse une lager longue, légère, typiquement latino-américaine, appelée Andes, ainsi qu'une gamme de bières germaniques intéressantes, dont Tipo Munich (de type Munich), blonde et maltée, et Nacional Cerveza Tipo Pilsen (de type pilsen) au goût authentique.

Cerveceria La Constancia

Brasserie du San Salvador à El Salvador, offrant une gamme de bières lager à fermentation basse, Pilsener del Salvador Export, Suprema Special, Regla Extra, Noche Buena Special Dark Lager et Cabro Extra.

Cervesur (Compañia Cerveceria del Sur del Peru S.A.)

Basée dans le sud du Pérou, Cervesur brasse depuis 1898, date de sa fondation à Arequipa, sous le nom Sociedad Industrial Ernesto Günther & Francisco Rehder. Elle adopta son nom actuel en 1926. Elle brasse avec l'eau des Andes, de l'orge de sa malterie de Cuzco et de l'orge, du malt et du houblon importés. Contrairement à l'habitude en Amérique latine, elle ne produit que des bières 100 % orge, sans additifs, dont des pilsners et des bières noires. Les bières export sont Cusqueña Pilsner et Cuzco Beer, Cusqueña Dark et Cuzco Dark (toutes deux à 5,6 %), ainsi que Peru Gold. En 1996, ce fut la première brasserie d'Amérique latine à recevoir un label de qualité de TUV Bayern. Cervesur commença à exporter au Chili en 1978. En 1995, elle contrôlait 17,5 % du marché de Lima et représentait 69 % des exportations de bière péruvienne.

Companhia Cervejaria

Ce groupe brésilien brasse une Brahma pilsner maltée de qualité, Brahma Chopp, ainsi qu'une porter extra-forte à fermentation haute (8 %). La compagnie produit plus de 31 hectolitres de bière par an.

Cuauhtémoc

Brasserie aujourd'hui fusionnée avec Moctezuma. Elle offre une lager pâle («clara») appelée Chihuahua (du nom de l'État mexicain) – semblable à Corona ou Sol –, une autre lager «clara», Tecate – meilleure vente du Mexique –, et Bohemia maltée et plus charpentée, brassée avec du houblon Saaz.

Kaiser

Kaiser, la troisième brasserie du Brésil, s'est établie en 1983. La première usine fut ouverte à Divinopolis dans l'État Minas Gerais. Elle possède aujourd'hui six usines à travers le pays. La brasserie est sous la direction de techniciens spécialisés, formés en Belgique par des maîtres brasseurs. Les bières, en bouteille et à la pression, comprennent Kaiser Cerveja et Premium Pilsner. Première entreprise brésilienne à créer

une bock en 1994. En 1995, elle changea son nom en KAC (Kaiser Consumer Relations). En à peine 10 ans, le marketing a réussi à imposer la compagnie auprès des buveurs de bière brésiliens, grâce en partie à son représentant «Shorty».

Moctezuma

Depuis sa fusion avec Cuauhtémoc, la Cerveceria Moctezuma de Monterey a repris Modelo et est devenue la plus grande brasserie du Mexique. Le groupe, qui contrôle sept brasseries dans le pays, appartient à un vaste holding appelé Valores. Moctezuma a été fondée en 1894 à Orizaba, Veracruz.

Modelo

La Cerveceria Modelo de Mexico est l'un des deux géants brassicoles du Mexique, qui produit ses bières dans la plus grande usine du pays. Elles comprennent la Corona Extra, bon marché et rafraîchissante, et des lagers brunes goûteuses de type viennois, Dos Equis et Negra Modelo.

Polar Brewing Company

Cette compagnie venezuelienne est connue pour sa lager Polar longue et très légère, première marque de lager du pays.

Ci-dessus – Les bars du Mexique sont le domaine des hommes ; ils peuvent s'y reposer en buvant un verre, après la journée de travail.

LES CARAÏBES

*Le rhum, fermenté à partir de la canne à sucre locale, est l'alcool favori
de la région, mais il existe aussi une tradition brassicole bien ancrée,
étonnante dans ce pays au climat chaud peu propice à la culture des céréales.
Les stouts bruns et les lagers fortes sont particulièrement appréciés.*

Les habitants des Caraïbes brassent depuis des siècles,
en laissant fermenter une sorte de bouillie de maïs.
Les recettes et les noms varient d'île en île (*chicha,
izquiate* et *sendecho* par exemple) mais la technique
reste la même.

L'arrivée des bières et des brasseurs européens au
XIXe siècle eut un grand impact sur l'industrie brassicole.
Aujourd'hui dans les Caraïbes, la lager est une boisson
populaire. Les géants internationaux comme Heineken brassent de nombreuses
bières de type pilsner conventionnel, souvent servies glacées sur la plage,
substitut avantageux du rhum et du Coca-Cola, ou sirotées dans les bars, en
accompagnement des fruits de mer. On trouve aussi de
nombreuses lagers fortes, assez sucrées, très goûteuses. La bière de la Jamaïque la plus exportée, Red
Stripe, courante aux États-Unis et en Grande-Bretagne,
est un exemple classique de cette bière blonde de
type caraïbe. Un autre produit européen adopté par les
îles est le stout sombre, fort et riche. Sous ces climats
exotiques, les bières brunes passent pour posséder des
vertus aphrodisiaques. Guinness Stout, classique du
genre, brassé ici depuis 150 ans, est aujourd'hui produit
sous licence à la Central Village Brewery de Spanish
Town, Jamaïque. D'autres brasseries à La Trinité, à
Grenade et à Saint Vincent produisent des bières brunes
identiques. Ces « stouts exotiques », comme on les
appelle souvent, contiennent généralement plus d'alcool
que les stouts d'Angleterre ou d'Irlande.

D'un autre côté, mais dans le même esprit de bières riches et brunes, on trouve
un autre produit populaire, breuvage sombre à base d'extrait de malt, davantage
boisson non alcoolisée que bière sans alcool.

*Ci-dessus – Carib est une
lager assez sèche de La Trinité
qui, partout aux Caraïbes,
plaît aux amateurs de lagers
fortes, sucrées, et de stouts
lourds et bruns.*

LES BIÈRES

Banks Lager Beer
Lager or pâle, sucrée, maltée (4,5 %), de la brasserie Banks, Bridgetown, La Barbade.

Bohemia Cerveza
Lager standard ambre doré, trouble, pâle (5 %), brassée à Ciudad Trujillo, République dominicaine, par la Cerveceria Bohemia.

Caribe
Lager jaune pâle, sèche, sans beaucoup de goût (4,5 %), de la Caribe Development Company, Port of Spain, La Trinité.

Corona
Lager jaune d'or, pâle (4,5 %), de la Cerveceria Corona, Puerto Rico.

Dragon Stout
Stout brun foncé, suave, riche, malté (7,5 %), brassé à Kingston, Jamaïque, par Desnoes & Geddes, et qui paraît-il, rétablit les virilités défaillantes.

Ebony Super Strength
Ale brun foncé (8 %). Son haut degré d'alcool lui donne une allure de porto. De la brasserie Banks, La Barbade.

Kalik Gold
Lager blonde, maltée, riche en alcool, de la Commonwealth Brewery, Bahamas.

Red Stripe
Lager forte (4,7 %), or pâle, légèrement houblonnée, très goûteuse, de la firme familiale Desnoes & Geddes, Kingston, Jamaïque. Brassée sous licence en Grande-Bretagne, où elle est très appréciée par la population antillaise.

Royal Extra Stout
Stout brun foncé, classique, au goût malté. Brassé par la Caribe Development Company, Port of Spain, La Trinité.

LES BRASSEURS

Banks (La Barbade) Breweries Ltd
Important brasseur du marché caraïbe, également très connu en Amérique du Sud où il possède une brasserie, en Guyane.

Desnoes & Geddes Ltd
Entreprise familiale fondée en 1918, à Kingston, Jamaïque, par Eugène Desnoes et Thomas Geddes. Heineken en possède quelques actions.

Granada Breweries Limited
Brillante idée de la Carribean Development Company, enregistrée comme compagnie en 1960. Elle ne commença à prospérer réellement que dans les années 70.

Saint Vincent Brewery Ltd
Établie en 1985 sur l'île de Saint Vincent, cette petite brasserie produit sa propre marque, Hairoun Lager, et brasse Guinness et EKU Bavaria sous licence.

De l'eau salée

En 1994, l'entreprise Granada Breweries révéla comment elle avait résolu le problème de pénurie d'eau pendant la saison sèche : elle fora son propre puits pour aller chercher l'eau sous terre et installa une usine de dessalage.

À gauche – Une bonne bière et un bon copain... Voilà les Caraïbes! Red Stripe est la principale lager de la région.

INDEX